Émélie Allaire

Honoré Grégoire

Hélène Jolicoeur
petite-fille d'Émélie et Honoré

André Mathieu

La misère noire

(saga des Grégoire : tome 6)

L'éditeur :
9-5257, Frontenac,
Lac-Mégantic
G6B 1H2

Un clocher dans la forêt

La misère noire s'inspire de l'ouvrage *Un clocher dans la forêt* par Hélène Jolicoeur, petite-fille d'Émélie Allaire et Honoré Grégoire, figures centrales de cette saga familiale, et Canadiens français de bonne souche.

Hélène a elle-même basé ses écrits sur divers témoignages et fait preuve d'une grande authenticité dans sa recherche sur la famille Grégoire.

Mon regard sur ma paroisse natale où vécurent les Grégoire, s'ajoutant à celui d'Hélène sur cette grande famille beauceronne, donnent une oeuvre qui tient autant du roman biographique que de la fiction. Mais ce qui compte d'abord, c'est l'esprit qui animait ces gens d'autres époques, mentalités qui furent si bien comprises par Hélène, et que j'ai tâché de rendre avec mes yeux d'enfant de 1950 et ma plume de maintenant.

J'ai dédié *La forêt verte*, premier tome de la série, à la mémoire de Berthe Grégoire, mère d'Hélène Jolicoeur.

Le second, *La maison rouge,* est à la mémoire d'Alfred Grégoire, un grand personnage de mon enfance.

Le troisième, *La moisson d'or*, à celle de Bernadette Grégoire, un être exceptionnel qui a eu l'une des plus belles places dans mes ouvrages et dans mon coeur à ce jour.

Les suivants sont dédiés à la descendance.

L'auteur

Note de l'auteur

Vu l'ampleur prise par la saga des Grégoire en cours d'écriture, passant des 3 livres prévus au départ, à 7, il devient impossible de donner dans chacun des 5 derniers le résumé des précédents comme ce fut fait dans le second tome.

Le lecteur utilisera le seul contenu de l'argumentaire en couverture de chacun pour se situer de nouveau dans la chronologie des événements et l'évolution des personnages.

Il m'a paru nécessaire en ouvrant les pages de ce tome 6 de reproduire le dernier chapitre du précédent tome. C'est l'attaque cérébrale subie par Honoré en 1928...

En guise d'élan vers **La misère noire**, voici donc en premier chapitre le dernier de **Les nuits blanches**.

*Il n'y a rien qui aille aussi vite
que le temps.*

Ovide

Chapitre 1

1928...

Le commis voyageur Capistran énumérait les articles de l'interminable liste de produits vendus par sa compagnie. C'était décembre déjà.

–Ça va tout arriver avant les Fêtes toujours ? demanda Honoré, assis devant le comptoir du bureau de poste, jambes levées, pieds accrochés, afin de favoriser la circulation sanguine dans ses membres inférieurs.

–Ça, c'est garanti : tempête de neige ou pas !

–Si les gros chars sont bloqués pis passent pas ? ironisa le marchand qui aimait bien provoquer son homme avec ses supputations excessives.

Se sentant fortement étourdi, Honoré décrocha ses jambes de la table et se mit debout, tandis que l'autre parlait, répétait, palabrait, sans même jeter une seule oeillade sur son interlocuteur.

Alors Honoré voulut sourire sans y parvenir.

Il chercha à soulever un bras, mais ne réussit pas.

Et les mots d'une phrase sortirent de sa bouche dans l'incohérence :

–Fêtes... Mélie... j'ai pas... c'est... un...

Terrassé par une thrombose, Honoré Grégoire s'écroula doucement et sans bruit sur le plancher de bois, sans se blesser en plus.

–C'est quoi qu'il vous arrive, monsieur Honoré ? C'est quoi donc qui vous arrive ?

Capistran referma son cahier catalogue. Il souleva la planche à bascule en même temps qu'il lançait à pleins poumons :

–Madame Grégoire, madame Grégoire venez... monsieur Freddé, monsieur Freddé...

Tous deux accoururent en craignant le pire, devinant qu'il y avait un problème avec Honoré, peut-être une simple perte de conscience, mais sans doute un état plus grave vu son âge et son surplus de poids.

On trouva le commis voyageur agenouillé voire accroupi et qui, l'oreille sur la poitrine de la victime, écoutait le coeur, les yeux fermés.

–C'est qu'il se passe ? demanda Alfred alors que sa mère restait pétrifiée devant la scène.

–Une attaque... Mais son coeur va normalement... En tout cas, il en a l'air...

Capistran se releva et crut bon agir comme il se devait en les circonstances :

–Ça prend le docteur... et on va le transporter dans un lit, mais avec quoi ?

–On a une civière, ça fait des années dans le hangar. J'appelle le docteur pis je vas la prendre.

Émélie se sentait à bout d'âge et son coeur n'était plus qu'une immense question : arrivait-on au bout du chemin ? Et comme elle se sentait inutile, debout, à regarder faire et dire ! Peut-être qu'il ne lui restait plus pour arme devant le sort que la prière et l'amour ? Elle s'approcha de lui, s'assit sur la chaise, se pencha et s'empara de son bras droit par la main qu'elle retint entre les siennes. Et un fin sourire se figea sur ses lèvres à se souvenir d'un moment si éclatant dans leur vie alors qu'ils allaient partir en voyage de noce et qu'il venait de lui offrir un parapluie tout blanc. Cet objet symbole avait éclairé sa vie dans les jours les plus sombres. Elle le déploya par l'imagination au-dessus de leur tête à tous les deux. Puis elle dit sans bouger les lèvres mais par ses yeux qui parlaient si fort : "*Je veux partir avant toi, Honoré. Mon temps est venu, mais le tien pas encore.*"

Toutefois, elle ne pouvait compter sans la volonté divine. À Lui, là-haut, la décision finale !

Le docteur Goulet arriva à bout de souffle. Il avait couru depuis son bureau. En même temps, Alfred venait appuyer contre la mur la civière de fortune que l'on gardait depuis longtemps en cas d'urgence.

–Je l'examine et on le transportera ensuite, dit le médecin qui s'agenouilla, ouvrit sa trousse et entreprit son investigation.

Pouls, pupilles, rythme cardiaque...

Au beau milieu de l'exercice, Honoré parut reprendre conscience. Il rouvrit les yeux. Goulet lui parla :

–Tu m'entends, Honoré ?

Le malade esquissa un mouvement des lèvres. Le docteur sut qu'il entendait, qu'il comprenait, mais n'était pas en mesure de lui répondre. Tout indiquait donc une thrombose cervicale ou attaque cérébrale. Il importait de le transporter dans son lit, le plancher froid risquant de lui faire du mal d'une autre façon.

Alfred et le commis voyageur furent mobilisés; Honoré fut mis sur la civière de fortune et emporté dans la maison privée à sa chambre.

–Émélie, dit le docteur quand le malade fut couché, je vais rester avec lui pendant une heure afin de voir l'évolution de son état.

–Je reste, moi aussi.

–Il s'est déjà rendormi, on dirait.

Émélie s'adressa au commis voyageur et à son fils :

–Va finir de préparer la commande avec monsieur, Alfred, si tu veux.

–Oué...

Elle referma la porte afin de rester seule avec son mari et le médecin.

–J'imagine que vous voudriez savoir à quoi vous attendre, Émélie ?

–Bien entendu !

–Le problème, c'est que je n'en sais rien. Rien du tout ! Les possibilités sont les suivantes. Il pourrait nous quitter dans les 24 heures, ce qui est peu probable vu qu'il a repris conscience tout à l'heure. Il pourrait subir une autre attaque. Il peut passer à travers avec des séquelles dans son parler, son marcher...

–Autrement dit : rester paralysé ?

–Mais peut-être pas non plus.

–On va faire notre possible pour le ramener avec nous autres.

–C'est certain, Émélie, c'est sûr et certain...

*

Il s'en passa dans les 24 prochaines heures. On téléphona à tous les membres de la famille au loin. Avec l'accord de son mari, Alice décida d'aller s'occuper de son père, secondée par Bernadette. Émélie et Alfred prirent en charge le magasin et mobilisèrent Armand qui ne se fit pas prier pour aider de toutes ses capacités.

Malgré son inquiétude, Éva, entièrement prise à Saint-Gédéon par les affaires du nouveau magasin, ne fut pas requise. "On est assez pour voir à tout !" lui dit sa mère en la remerciant quand elle proposa de venir à la rescousse, elle aussi. Force lui fut de s'incliner devant cette volonté !

Alice vint en train le jour même. Michaud s'amènerait le jour suivant en automobile, puisque la neige, cette année-là, n'avait pas encore obstrué les routes entre Mégantic et Saint-Honoré.

Entre-temps, l'état d'Honoré empira. Le docteur diagnostiqua une seconde attaque, malgré l'aspirine en dose massive qu'il lui avait fait prendre, plus un autre médicament, afin de dissoudre les caillots. Dans l'après-midi suivant, son état semblait désespéré. Pampalon qui était déjà venu le voir la veille au soir avec Ida, revint dès que sa 'ronne' de pain fut terminée, accompagné de son petit garçon Luc, âgé de six ans tout juste et qu'on avait même dû refuser à l'école parce qu'en septembre, il n'en avait encore que cinq.

L'enfant s'était follement amusé avec son grand-père de mille façons depuis qu'il était en âge de courir au magasin : à sauter sur ses genoux plus jeune, à se cacher sous le comptoir du bureau de poste et à le faire sursauter quand l'homme s'y amenait, à jouer à cache-cache l'été d'avant sous les yeux d'Émélie qui trouvait alors son mari plus jeune de caractère que le petit Luc.

C'est que les deux riaient de manière identique si ce n'est la différence de timbre vu que la voix enfantine avait la pureté du cristal.

–C'est qu'il a, grand-papa ? demanda Luc, noiraud plus grand que les garçons du même âge.

–Il est ben malade ! dit Bernadette. Ben malade !

–Il pourrait mourir, enchérit Pampalon.

–C'est quoi, mourir ? demanda l'enfant.

Alice intervint. Elle s'accroupit devant le gamin :

–C'est quand notre souffle s'en va de notre corps. Et là, notre souffle, ou si tu veux notre âme, s'en va au ciel avec les anges. Et notre corps qui s'endort pour toujours s'en va reposer au cimetière.

Armand sentit le besoin d'ajouter son mot :

–La mort, c'est une grande libération... l'esprit s'envole dans le grand firmament de la liberté... du grand air... un monde de fleurs, de parfums, de couleurs... Faut pas en avoir peur...

Luc le dévisageait et semblait s'abreuver à ces paroles; il les engrangeait, les assimilait, les faisait siennes...

Assise au chevet de son mari, Émélie n'en pouvait plus d'entendre cet échange, comme si Honoré avait déjà rendu son dernier soupir. Elle était sur le point de leur demander à tous de se taire avec leurs noirs propos quand parut Michaud dans l'embrasure de la porte.

–Stanislas ? s'étonna son épouse Alice. T'es déjà arrivé ? Je pensais que...

–En machine, les chemins sont bons... Et... comment il va, notre malade ?

–Pas mieux, soupira Bernadette. Il aurait fait une seconde attaque. C'est donc pas drôle ! On dirait qu'il est dans le coma. Entre donc !

–Vous êtes déjà pas mal dans sa chambre, un de plus, ça enlève de l'oxygène à notre malade. Et ça, il doit en avoir pas mal besoin.

Émélie sauta sur l'occasion pour demander à tous de s'en aller dans la cuisine. Elle laisserait la porte ouverte et l'on pourrait de là entendre tout ce qui se passerait à l'intérieur de la chambre. On lui obéit, mais elle garda l'enfant auprès du malade. Et fit signe à Stanislas d'entrer :

–T'es le seul à pas l'avoir vu, ça fait que viens quelques minutes. Tu peux lui parler : il pourrait t'entendre.

Mais Honoré demeura dans l'inconscience.

–Le docteur ?

–Il vient à toutes les deux heures. Comme de raison, il a d'autres patients : c'est une grosse paroisse. Peut-être que le petit pourrait l'aider à s'en sortir...

–Demande-lui de parler à son grand-père.

–Luc, Luc... dis quelque chose à ton grand-papa.

–Ben...

–Dis-lui que t'as hâte de jouer à cachette avec lui... Dis-lui ça proche de l'oreille...

L'enfant se pencha, commença de murmurer des voeux et secrets connus d'eux deux seulement...

Quelque chose en l'esprit de son grand-père captait, recevait les mots et réveillait le bâtisseur en lui, celui qui, toute sa vie s'était fait constructeur de quelque chose, d'un métier, d'une famille, d'un patrimoine. Et cela avait commencé tôt, très tôt... Honoré dans son sommeil retourna à l'âge de Luc et revécut cette scène de son enfance...

Extrait de *La forêt verte*, chapitre 17

Le petit Honoré Grégoire, maintenant âgé de cinq ans, s'amusait dans la cour arrière de la demeure familiale de Saint-Isidore à construire lui aussi, comme tant d'adultes, quelque chose d'important : une niche à chien. Il avait beau montrer toutes les dispositions d'un bâtisseur, son trop jeune âge l'empêcherait de réussir son entreprise sans l'aide de quelqu'un de plus habile. Thomas n'avait guère de temps à consacrer à ces jeux d'enfant et quand il lui arrivait de passer pas loin du fragile assemblage de morceaux de bois et d'y jeter un oeil, il recevait un regard presque désespéré de celui qui demande de l'aide. Et la cabane finissait par se défaire en ses composantes trop mal ajustées.

C'est qu'il lui avait été donné un chiot, à l'enfant, par son parrain et sa marraine, les Dubreuil : oncle Prudent et tante Césarie. Son instinct protecteur et son instinct entrepreneur se combinèrent en son cerveau, encore en devenir, pour lui suggérer de bâtir sa maisonnette au très jeune chien baptisé Colin.

Mais le désir de l'enfant ne demeura pas vain et son effort trouva un coeur attentif en la personne de son demi-frère qui rendait visite à leur père ce jour-là. Grégoire était venu en visite, lui qui comme plusieurs autres des 'bas' avant lui, s'était établi en 63 sur un lot de Shenley la même année qu'il avait épousé une jeune femme de Saint-Évariste du nom de Séraphie Mercier.

Le jeune homme de 34 ans était quelqu'un de flegmatique, placide, peu jasant et bien peu souriant. Et pourtant, c'est à la recherche de l'humain qu'il était allé vivre dans les bois là-bas : des gens de son âge ou plus jeunes et qui ne passaient pas leur temps à lui faire la leçon. Et puis, avant son déménagement, on se disait entre hommes que dans les bourgades sauvages de la Beauce, il se trouvait des jeunes Abénakises friandes de la compagnie des jeunes gens de la race blanche. Bien sûr, jamais Grégoire n'aurait bousculé sa vie entière pour si peu, mais des idées fugitives de ce genre lui avaient alors passé par la tête, car il se connaissait depuis son âge d'homme un appétit insatiable, presque féroce, pour la chose dont les adultes de sexe masculin ne parlaient jamais et à laquelle ils pensaient tout le temps...

Il avait depuis toujours le goût de bâtir du neuf dans du neuf, tandis que dans les paroisses d'en bas, on bâtissait sur du vieux. De voir ainsi par la fenêtre les efforts patients de son petit demi-frère pour construire sa cabane le toucha. Il sortit pour lui donner un coup de main.

–Salut, Noré.

–Salut ! dit l'enfant assis par terre entre des planches et autres bouts de bois.

Grégoire lui apparut devant le soleil comme un géant magnifique. Un bon géant au visage encadré d'une barbe fournie, égale de partout, taillée pour ne pas s'allonger trop sous le menton, et une chevelure vaguée, brune. En fait, quoique plus bel homme, il avait une certaine ressemblance avec Abraham Lincoln par tous ses traits du visage, depuis *des yeux enfoncés jusqu'à la lèvre inférieure avancée, en passant par un nez important quoique moins large que celui du président défunt.*

–Quoi c'est que tu fais donc là ?

Sa voix était basse, nette mais sans éclat. Ferme sans agression. Presque neutre et qui ne s'imposait guère à l'attention des autres.

–Une cabane.

–Le père dit que c'est pour ton chien.

L'enfant fit un signe de tête affirmatif. Aveuglé par les rayons du soleil, il baissa des yeux en peine sur ses efforts éparpillés.

–Voudrais-tu un petit peu d'aide ?

–Ben ouè !

Grégoire n'accomplit pas le travail à la place d'Honoré, il lui montra quoi faire, comment le faire et pourquoi le faire. Chacun de ses gestes et des mots allant de pair ainsi que les émotions s'y mélangeant entrèrent par les yeux d'Honoré pour se fixer à jamais dans toutes ses mémoires. La capacité d'apprendre et la dextérité naturelle de ce petit garçon étonnèrent son grand frère, et quand l'ouvrage fut terminé et que tous les deux se mirent debout devant pour le contempler, Grégoire dit :

–Dans la vie, quand tu bâtiras quelque chose, fais-le toujours de ton mieux. Tu vas en être content tout le temps ensuite. Si t'es fier de ton ouvrage, ceux qui vont le voir seront fiers de toé à leur tour.

Si Honoré avait été ébloui par la personne resplendissante de son grand demi-frère à son arrivée, voici qu'il l'était maintenant par son esprit et sa pensée. Des reflets du soleil frappaient la cabane dont s'approchait en reniflant le petit chien jaune, et ils rebondissaient sur les prunelles de l'enfant. Il vivait un des grands moments de bonheur de sa tendre enfance : une heure indélébile.

On entendit un léger tumulte dans la cuisine. Ce n'était pas en raison de ce qui arrivait dans la chambre et plutôt à cause de la venue d'un visiteur inattendu qui vint se mettre dans l'embrasure de la porte.

Émélie qui était à prier pour le retour à la conscience de son mari, crut défaillir. L'oiseau de mauvais augure qui faisait son apparition chaque fois dans les pires moments. Pâle comme la colère, elle se leva pour aller demander discrètement à cet intrus de partir quand Michaud s'exclama à mi-voix :

–Je pense que monsieur Grégoire se réveille.

Émélie se tourna vers Honoré : en effet, il rouvrait les yeux et regardait son petit-fils qui lui avait glissé des mots dans le creux de l'oreille. Elle oublia la 'Patte-Sèche' un moment et alla s'asseoir près de son mari :

–Tu me reconnais, Honoré ?

–Ben oui...

Dans la cuisine, on forma un arc de cercle autour de la porte. Même que Bernadette poussa sur l'épaule du quêteux pour qu'il pénètre à l'intérieur et que l'on puisse mieux voir le malade.

–Luc, le p'tit Luc, dit ensuite Honoré dans une élocution fort lente.

–Grand-papa est réveillé ! dit l'enfant avec un sourire triomphant.

–La 'Patte-Sèche', c'est toujours pas toi qui m'as fait sortir des limbes ?

–Non, c'est le p'tit gars qui a fait ça... Moé, j'peux te dire que tu vas passer au travers... Tu vas pas en mourir, ça, c'est sûr... Je le vois pis c'est clair...

Émélie qui craignait comme la peste les mots que le quêteux allait dire, fut fort soulagée. Tellement qu'elle ne parvint plus à retenir ses larmes. Il lui fallut mettre son visage entre ses mains pour les cacher, mais en vain. Tous en furent sidé-rés. Émélie Allaire qui pleurait : un tremblement de terre ris-quait de se produire...

Touché au coeur, Armand préféra s'en aller. Il se rendit dans le hangar où il trouva une bouteille qu'il avait soigneu-sement cachée au-dessus d'une poutre et but un bon coup, même deux.

Bouleversée, Bernadette quitta les lieux à son tour et se rendit dans sa chambre où elle se lança dans l'écriture d'une longue lettre à son ami Eugène Foley.

"Va falloir prier en masse parce que mon père, j'en ai bien peur, est sur son lit de mort."

Tels furent ses premiers mots...

Elle avait raison de s'inquiéter malgré les paroles rassu-rantes du prophète de Mégantic. La 'Patte-Sèche' était venu à Shenley en compagnie de Michaud qui l'avait rejoint, sa-chant que le quêteux ne s'était pas rendu au désir d'Honoré d'aller le visiter plus tôt dans l'année, malgré l'invitation qui lui avait été dûment transmise. La veille, Michaud lui avait fait part de l'attaque subie par son beau-père, lui proposant de l'emmener avec lui là-bas et de le ramener ensuite à Mé-gantic. Ce n'était donc pas par miracle ni par hasard si le vieil homme au visage parcheminé, usé à la corde, se trou-vait là ce jour précis.

Pas même deux minutes plus tard, Honoré retomba dans cette sorte de coma qui l'avait aspiré lors de sa chute dans le bureau de poste.

"Pour une fois, la 'Patte-Sèche' faisait-il erreur ?" se de-mandait Émélie.

Le docteur Goulet fut là peu de temps après. Il redit la même chose que la veille :

–Dans vingt-quatre heures, on saura s'il survit...

La 'Patte-Sèche' semblait souffrir alors qu'il regardait vers le lit. Lui qui, pourtant, voyait souvent juste, avait prédit à raison une vie écourtée pour Ildéfonse et Eugène, une vie déchirée pour Éva, et, d'un autre côté, un avenir heureux pour Bernadette, un futur auto-destructeur pour Armand, se demandait s'il n'avait pas erré en prédisant la survie d'Honoré à cette attaque cérébrale. Et il ne parvenait pas très bien à déterminer la cause de son si profond malaise à regarder le malade comateux, son épouse effondrée et l'enfant incrédule aux grands yeux plus noirs que ses cheveux, et dont il ne savait même pas le prénom... mais qu'il devinait sans peine être un Grégoire, un vrai Grégoire...

***

Chapitre 2

1928...

En fait, ce n'était pas un coma véritable dans lequel avait sombré Honoré cette fois, mais un sommeil profond. Il avait repris conscience et l'usage de certaines de ses facultés dont l'ouïe et la vue. Et ainsi avait pu percevoir, bien que furtives encore, les présences autour de lui. Celle du petit Luc en tout premier, dont les paroles au creux de son oreille avaient produit un effet important :

"Grand-p'pa, réveillez-vous si on veut jouer à cachette..."

Il y avait du miracle dans ce souffle de vie, dans ces mots remplis de tendresse, hymne à la joie et à la vie. Le mot grand-papa ainsi glissé dans son oreille s'avéra un remède de premier ordre. Et malgré cette rigidité interne qu'il ressentait, ce blocage, quelque part dans sa tête, des phrases qui ne parvenaient pas à bien s'écouler hors de sa bouche, il avait entendu 'jouer à la cachette', mots magiques, mots de rire et d'étonnement joyeux, mots d'oubli de tout casse-tête, mots de grâce et de pureté enfantine sans y répondre autrement que par son regard attendri, profondément affectueux.

Puis il avait pu voir les larmes d'Émélie. En fait les entrevoir le peu de temps qu'il avait gardé les yeux ouverts.

Elles brillaient comme des diamants dans son visage suppliant. Leur rareté depuis qu'il partageait ses jours en faisait des pierres précieuses aux couleurs chatoyantes de l'arc-en-ciel. Il pensa lui dire :

"Je t'aime comme au premier jour en 1880, Émélie !"

Il voulut que son regard, intense dans sa lourdeur, le proclame très haut.

Et comme elle dans le bureau de poste quand il avait eu son attaque, voici qu'il songea à cette ombrelle blanche qu'il lui avait offerte le jour de leur mariage en 85.

Extrait de *La maison rouge*, chap. 15

Tous les invités sortirent de la sacristie pour saluer les époux qui avaient pris place dans la voiture sur la banquette arrière. C'est à ce moment qu'Honoré fit à Émélie une troisième surprise dans la journée. Il glissa sa main sous le siège et trouva un objet enveloppé dans du papier brun et lui présenta. À palper et par la forme constatée, elle reconnut aussitôt la chose : un parapluie. Quand elle le dégagea de sa prison de papier, elle en fut éblouie, ravie : il était tout blanc.

—C'est ben mieux quand il fait soleil, dit Honoré. Ça repousse la chaleur tandis que le noir, même le gris, l'attire. Tu sais ça comme tout le monde.

Elle le déploya et sous les applaudissements, le tint au-dessus de la tête, la sienne et celle de son époux qui se pencha un peu par nécessité.

—Merci beaucoup !

—Tu prendras ton gris quand il va pleuvoir pis celui-là quand il fera grand soleil.

—T'es donc fin !

—Avec toi, j'peux pas faire autrement.

Elle le taquina :

—J'espère que tu vas le rester.

–*À la vie, à la mort !*

Honoré eût voulu se livrer de quelques mots à Émélie, mais il avait vidé d'un trait sa réserve d'énergie mentale quand il s'était adressé à la 'Patte-Sèche' dans une phrase à l'élocution fort lente mais qui n'avait pas manqué de cohérence : "*La 'Patte-Sèche', c'est toujours pas toi qui m'as fait sortir des limbes ?*"

Peut-être que sans la pudeur naturelle du couple depuis toujours, il aurait pu dire à son épouse ce qu'il ressentait pour elle en ce moment et tout le temps. Mais un homme de cette époque n'avait de mots aisés que pour dire des choses drôles ou affirmer son autorité pour l'asseoir toujours mieux... Il savait Émélie capable de lire sur les lèvres du coeur. Et s'y fiait, même en de telles circonstances graves.

Avant de refermer les yeux, il put entrevoir son gendre Michaud sans que le regret ne l'effleure pour l'avoir tant maltraité quand cet homme était venu cueillir l'autre belle fleur de la maison après Éva : Alice la joyeuse, Alice la travailleuse, Alice la volontaire, Alice l'autoritaire parfois. Mais il y avait bien douze ou treize ans de ces choses. Avec le temps, Michaud le diable s'était mué en Michaud le bon Samaritain, celui sur qui on pouvait compter en toutes circonstances, Michaud le frère attentionné de chacun...

–Il est pas dans le coma, il dort comme une bûche ! osa avancer la 'Patte-Sèche' après que son ami Honoré eut refermé les yeux.

Le docteur le fusilla du regard. Comment cet effronté de quêteux pouvait-il se permettre de lancer un diagnostic sans la moindre connaissance de la médecine et sans examiner le malade de près ? Ah, ces guérisseurs qui jouaient sans cesse sur les superstitions des gens et trop souvent aussi sur leur promptitude à la culpabilité ?

Croire sans savoir : voilà ce qu'ils proposaient, ces charlatans, à un public si prompt à donner sa confiance au premier venu. À ce chapitre, l'Église catholique ne voulait pas perdre ses prérogatives et elle aussi détestait ces mendiants guérisseurs qui jouaient à la voyance.

Émélie voulut ensuite demeurer seule avec la patient. Le docteur quitta les lieux sur une phrase rassurante :

–Il ne peut que prendre du mieux. Le pire est passé. Il a retrouvé l'usage de la parole. Son coma ne va pas durer. Au moindre signe anormal, téléphonez-moi ou envoyez Armand me chercher.

–C'est beau ! dit-elle.

Le visage du médecin, à sa sortie de la chambre, rassura tout le monde. Et chacun put enfin se détendre.

–Luc, viens me voir ! demanda Émélie qui en même temps jeta un regard à Michaud pour l'inviter à partir, et à la 'Patte-Sèche' pour l'inviter à déguerpir.

Le garçonnet contourna le lit et se rendit auprès de sa grand-mère assise de l'autre côté dans une clarté floue. Elle mit ses deux mains sur ses épaules pour lui dire en le regardant droit dans les yeux :

–T'as sauvé la vie à ton grand-père. Il s'est réveillé grâce à toi. Merci, mon p'tit Luc, merci...

La 'Patte-Sèche' entendit et ne put s'empêcher de s'arrêter et de se retourner dans l'embrasure de la porte. En sa philosophie discutable, il croyait que celui qui sauve la vie de quelqu'un sacrifie automatiquement une partie de la sienne. La souffrance intérieure qu'il avait connue plus tôt lui revint et il comprit que le point d'origine en était soit Émélie soit l'enfant et non pas Honoré. Ce qui fit prendre dans le ciment durci son idée à propos du malade et de son retour à un état de santé relatif.

–Tu peux t'en retourner avec ton père asteur, Luc. Il doit être de l'autre bord, dans la cuisine.

–Oui, grand-maman !

Mais l'enfant demeura interdit après avoir tourné les talons. Le quêteux lui barrait la route avec sa personne et son large manteau de drap gris plein d'accrocs. Il hésita, tourna la tête vers sa grand-mère, la questionna de ses épais sourcils. Elle dit à Rostand :

–Y a rien qui vous retient dans la chambre, la 'Patte-Sèche', là, vous. Rien du tout.

–Sauf pour vous dire que monsieur Grégoire est sorti du bois. Faites-moi confiance !

–Je fais confiance au docteur au sujet de la santé de mon mari. C'est plus sûr...

–Et vous avez raison, mais voyez tout ça du bon côté et il va guérir.

–Bien sûr ! Bien sûr ! Laissez passer mon petit-fils : il veut retrouver son père.

Le quêteux fit un signe de tête, sourit dans sa barbe presque blanche et sortit de son pas cassé. Quand Luc se glissa près de lui en courant, quelque chose se serra dans la poitrine du vieil homme sec. Peut-être était-ce un semblant d'angine ou bien un spasme d'estomac, mais il en déduisit une angoisse morale provoquée par ce petit garçon. Trois fois plutôt qu'une, il avait senti un malaise en regardant en sa direction. Le point d'origine ne pouvait plus se trouver en quelqu'un d'autre désormais. Surviendrait-il à ce petit noiraud le même malheur qu'à la fillette de l'aveugle Lambert ?

Émélie fut seule avec son mari. Alice vint fermer la porte laissée entrebâillée par le mendiant et ce fut la pénombre autour des époux réunis. La femme dit à mi-voix :

–C'est la première fois que je peux te parler sans personne pour nous entendre. Écoute-moi comme il faut. T'as 63 ans, Honoré Grégoire, pas 83. Dix ans t'attendent encore. Mais pour ça, faut le vouloir tous les deux. La 'Patte-Sèche' a dit vrai là-dessus. On est deux à décider. Et moi, j'te laisse pas partir. C'est à moi de partir la première. Suis attendue de l'autre bord, moi. Ma mère Pétronille, mon père Édouard, la petite Georgina, Marie, si chère Marie, Ildéfonse et Eugène, nos deux fils bien-aimés, sans compter les enfants morts en bas âge, et sans compter la parenté un peu plus éloignée, aussi les bons amis... Séraphie Grégoire, Grégoire ton demi-frère, Restitue, Tine Racine, Lucie et Joseph Foley, nos voisins de longue date, Memére qui doit se bercer avec un sourire large comme le chemin du paradis... On va te préparer une maison rouge dans la vallée de Josaphat... Tu vas en faire un beau grand magasin comme le nôtre. Oublie pas que c'est moi qui suis arrivée la première par ici avec mon père. On a ouvert le premier magasin dans la maison à Prudent Mercier. Et quand t'es venu, on a donné de la couleur à la maison qui est devenue rouge... et à notre vie qui est devenue bleue... comme le ciel bleu... le beau grand ciel bleu qui nous a donné parfois des gros nuages noirs... mais ensemble, on a toujours passé à travers... toujours...

Pendant longtemps, dans un tumulte intérieur, Émélie ressassa en ses mots et au gré de sa souvenance toutes sortes de souvenirs qui tendaient à démontrer la nécessité pour elle de partir avant lui.

La 'Patte-Sèche' retourna dans le magasin où il fut bientôt entouré des frères Grégoire, Alfred, Pampalon et Armand. Chacun demandait à savoir quelque chose de neuf sans toutefois l'exprimer net par une question. Il était à les rassurer sur l'état de leur père quand une forme noire apparut dans la porte centrale. Déjà à la couleur d'un cadavre, le visage du quêteux, dans sa partie non recouverte de poils, devint plus livide encore, presque vert. Le même phénomène se produisit chez l'arrivant, le curé Proulx, quand il repéra cet oiseau de mauvais augure en train sûrement "d'évangéliser" à sa manière quelques-unes de ses ouailles.

Luc s'était caché dans le local attenant au bureau de poste tandis que l'attroupement debout se réchauffait autour de la grille de la fournaise. Il écouta ce qui se disait et se dirait pas très loin de son oreille aiguisée.

–Saint-Honoré ne sera donc jamais à l'abri de visiteurs inopportuns ! déclara le curé en approchant du groupe sur un ton mi-figue, mi-raisin.

–Ben moé, je vous salue pis je m'en vas. Mon cheval a besoin de manger.

–Mais quoi, mon brave, vous avez peur d'une soutane ? De la même manière, on le dirait bien, que le démon fuit les prêtres ? Qu'est-ce qui vous arrive donc ?

–Quand j'me sens pas trop désiré quelqu'part, j'aime autant disparaître.

–Disparaître ! s'exclama le curé avec une ironie mordante. Mais quelle bonne idée !

Armand intervint en faveur du quêteux :

–Faut vous dire qu'il est venu voir mon père à son invitation même.

–Vous m'en direz tant, mon cher Armand !

–Même que la 'Patte-Sèche' a mis plusieurs mois avant de répondre à l'invitation de venir.

–Quand il se montre le nez quelque part, on dirait que ça sent... comme... la mort.

Le prêtre menaçait avec le bouquin de sa pipe, et la fumée décrivait des cercles au bout de sa main gesticulante.

En fait, l'odeur qui prédominait là était celle de la 'tonne' dont Armand était le responsable pour avoir été le seul à boire de l'alcool depuis peu.

Rostand appuya sa canne au sol pour faire un pas. Le prêtre le retint par un bras qu'il serra fort :

–Votre cheval saura attendre : c'est ça, sa vie ! Dites-moi, qu'êtes-vous venu faire ici à part quêter, mon brave ?

(*À la mort du cardinal Bégin, le curé Proulx avait adopté sa manière de dire à tout venant... 'mon brave'...*)

–Visiter un vieil ami malade.

–Pour lui apporter quel secours ?

–Celui de l'amitié... que vous avez pas l'air de trop connaître, monsieur le curé, avec tout mon respect...

–Pourtant, madame Grégoire ne vous apprécie guère.

–Elle a un peu peur quand je parle de l'avenir, c'est tout'.

–Vous en dites quoi, de l'avenir ? Qu'il va arriver ceci ou bien cela ?

–Oué, ça arrive... Des fois, je vois juste, des fois, je passe à côté de la plaque. Ça dépend des jours..

L'abbé camouflait mal la rogne qui le rongeait à voir cet énergumène de Mégantic encore rendu dans sa paroisse de la Beauce. Il songerait à loger un ou deux appels téléphoniques au presbytère de Sainte-Agnès (Mégantic) pour établir une sorte de plan de débarras, sans penser que le vieillissement est le meilleur instrument de purge d'indésirables que le Créateur ait inventé pour ses enfants de la terre.

Il était venu rendre visite à Honoré Grégoire après avoir appris la nouvelle de sa thrombose. Ce serait la première fois qu'il lui parlerait après la démotion du marchand comme chantre à l'église. Il fallait bien montrer patte blanche à un mourant. De toute façon, on était sans doute sur le point de le réclamer pour l'administration des derniers sacrements, or le vicaire était absent cette semaine-là des avents. Dans un sens, la présence de la 'Patte-Sèche' était une grâce; il utiliserait l'événement pour culpabiliser Honoré devant Émélie qu'il savait, sur la question, une alliée.

Mais pas Armand qui, malgré les prédictions du quêteux à son sujet, préférait de loin entendre ses paroles à celles d'un prêtre. Il en avait trop entendu au collège, des remontrances de soutane et faisait fi de leurs hypocrites leçons, surtout en matière d'impureté. Il s'en était passé des vertes et des pas mûres au collège Saint-Laurent dans certaines chambres sombres de robes noires. Aucun effet sur lui désormais, leur prêchi-prêcha !

–À votre âge, et handicapé comme vous l'êtes, pourquoi ne mendiez-vous pas dans la région immédiate de Lac-Mégantic. Les gens ne sont pas assez généreux là-bas pour faire vivre un clochard de votre acabit ?

L'autre assuma le coup sans broncher :

–Je quête pour ma survie, pas pour l'argent. Ma survie, c'est pas rien que le boire pis le manger, c'est le parler... c'est l'amitié du monde... J'ai des amis par icitte, moé... De temps en temps, pas souvent, j'aime ça les voir.

–Et les ennemis ?

–Je passe mon chemin devant leur porte, à ceuses-là qui veulent pas me voir. Pis là, je pars...

Le prêtre ne put le retenir, mais lança vers lui comme un coup de poing dans son dos ou de croc-en-jambe :

–Je vas demander aux curés des paroisses voisines de nous envoyer leur quêteux pour vous remplacer, vu votre grand âge, monsieur...

–Ross', dit Alfred.

–Rostand, corrigea Armand.

–La 'Patte-Sèche', corrigea Pampalon à la manière d'Honoré s'il s'était trouvé sur place.

Le vieil homme ne répondit pas, ne se retourna pas. Il comprenait le curé de vouloir sauver quelque chose qu'il croyait mis en péril par un personnage bizarre venu d'ailleurs et qui s'écartait des enseignements de l'Église tout en s'en réclamant. Une sorte de païen catholique, cet homme sec...

–Et notre malade, comment il va ? demanda l'abbé aux frères Grégoire. On ne m'a pas demandé pour l'Extrême-Onction, c'est dire que son état n'inspire aucune crainte.

–Comme c'est là, il dort, assura Alfred.

–Ou il est dans un semi-coma, enchérit Pampalon.

–Je vais le voir.

Le curé connaissait le chemin. Depuis son arrivée au presbytère en 1918, il lui était arrivé au moins une fois l'an de s'asseoir dans la cuisine des Grégoire à l'occasion de sa visite paroissiale. Aussi d'y passer quelques heures lors du grand deuil subi par la famille au décès d'Eugène en 1919. Il fut bientôt devant la porte de la chambre. À ce moment, des pas dans l'escalier le firent hésiter. Bernadette apparut et se montra surprise en apercevant ce prêtre qui n'était guère une inspiration pour sa famille, encore moins une vedette, et tout au plus le curé, un personnage incontournable, 'obligatoire'.

–Bonjour, monsieur le curé ! fit-elle poliment.

–Bonjour, mademoiselle Bernadette. Je m'apprêtais à frapper à la porte de la chambre de notre malade.

–Ma mère est avec lui comme c'est là.

–Encore mieux !

–Mais...

–Mais ?

De ses yeux agrandis et encore plus foncés que de coutume, Bernadette se mit à fixer la pipe du prêtre qu'en sa tête, elle qualifiait de 'maudite pipe' :

–Ça serait mieux d'éteindre ça... vu l'état de mon père.

–Mais certainement ! Merci de m'y faire penser. On finit par s'habituer à ses petits... défauts...

"Ça en est un mosus de gros défaut !" pensa la jeune femme sans le dire autrement que par ses yeux furibonds.

Le curé se rendit au poêle, souleva un rond et frappa le fourneau contre le métal. La pipe se vida de ses cendres puantes et l'homme put dès lors frapper à la porte.

Émélie vint ouvrir, regard contrarié, croyant qu'il s'agissait de sa fille. Il lui fallut montrer de la politesse :

–Monsieur le curé, vous tombez bien. Il serait temps qu'une voix forte s'adresse au ciel en faveur de mon mari. Entrez ! Il... dort...

–Bonjour à vous ! On m'a dit qu'il prenait du mieux.

–S'il avait eu à mourir, il serait mort, a dit le docteur Goulet tout à l'heure.

–Tant mieux ! Le bon Dieu veille sur lui.

–Et moi aussi ! Venez vous asseoir.

Le prêtre fut bientôt près d'Honoré, à la place d'Émélie qui alla se tenir de l'autre côté et y demeura debout.

–Il semble bien aller.

Le malade dormait paisiblement. Son teint paraissait le même qu'auparavant, ni exsangue ni rougeaud. Ses cheveux avaient été brossés par son épouse.

–Je pourrais lui donner les derniers sacrements, c'est pas ce qui fait mourir, vous savez.

–D'après moi, ça sera pas nécessaire. C'est sûr qu'il faut pas prendre de chance, mais... on n'administre pas à tort et à travers non plus.

–Vous avez raison...

Émélie nourrissait une certaine appréhension face aux derniers sacrements qui, en son esprit, pouvaient incliner le malade à une trop rapide acceptation de la mort ce qui voulait donc dire un temps à vivre raccourci d'autant

Le malade émit un long soupir, puis il ouvrit les yeux.

–Vous avez dû lui transmettre de la grâce, monsieur le curé, il se réveille.

–De la... belle... visite ! fit Honoré en regardant Émélie puis le prêtre.

–Comment vous vous sentez ?

–Pas fort, mais... pas mort...

–C'est un signe que le ciel vous a envoyé, mon brave. Le signe de vous arrêter. Vous travaillez trop, beaucoup trop pour un homme de votre âge.

Honoré sourit :

–C'pour ça... qu'vous m'avez... renvoyé comme chantre...

–C'est une décision qui tourne en votre faveur comme vous le voyez. Travailler au bureau de poste, au magasin, à vos chantiers du lac Frontière, comme maire, préfet de comté et chantre paroissial de surcroît, vous ne pensez pas que le ciel vous fait une faveur quand il en retranche à votre liste de travaux à faire ?

–Chanter, c'est la... première affaire... que j'ai su faire... Je m'ennuie de ça...

–On m'a dit que monsieur Onésime Lacasse avait su se retirer, qu'il vous avait passé le sceptre, qu'il avait fait son temps et je crois que le moment était venu pour Honoré Grégoire de se reposer à son tour avant...

–Avant de mourir ?

–La retraite, c'est fait pour du monde. J'ai beaucoup de respect pour vous, Honoré. Je crois que je vous ai rendu un fier service en vous demandant de vous retirer comme chantre. Je le crois vraiment...

–D'abord que... vous le dites.

Honoré ne voulait pas profiter de la situation pour enfermer le prêtre dans des raisonnements contrariants, pas même oiseux. Il trouvait un fond de vérité dans ce propos. Quand on ne voit pas la porte de sortie, il est nécessaire parfois qu'une tierce personne nous la fasse voir. À quoi bon se désâmer comme il le faisait pour construire encore plus haut l'édifice de sa vie, de la vie familiale ?

–Vous avez... raison : je vais... modérer mes... transports à l'avenir.

En fait, il s'adressait au curé, mais parlait plutôt à Émélie qui comprit ce qu'il voulait lui faire savoir. Elle esquissa un sourire et posa sa main sur son bras pour lui communiquer son approbation.

*

La remise sur pied du convalescent fut ardue. Et partielle. Son élocution demeura plutôt lente et les phrases entrecoupées de silences. Le premier jour, il ne parvint pas à tenir sur ses jambes. Le docteur conseilla l'usage constant d'une canne.

"Suis pas un aveugle !" fit l'intéressé.

"Ce n'est pas une canne pour guider, mais pour servir de troisième jambe !"

"S'il faut, il faut."

En même temps, Honoré manifesta le désir de rencontrer tous ses enfants, y compris Henri quand le voyage au Canada lui serait possible.

Et il les rencontra tous à l'exception de son fils en exil qui promit sa visite pour le printemps suivant, pas tard. Au tour de Berthe, quand elle s'amena pour le congé des Fêtes, ce fut un événement différent par bien des aspects. De tous ses enfants, voilà bien la plus mystérieuse, la plus distante, la plus fermée. Si bien que la jeune fille ne lui disait jamais 'papa' comme les autres enfants, mais bien 'monsieur', à l'américaine.

Elle le retrouva au salon-bureau d'Émélie l'avant-veille de Noël. L'homme était parvenu à gravir les marches de l'escalier : un défi qu'il s'était lancé pour mieux réapprendre à faire ce qu'il faisait si aisément auparavant dans la routine quotidienne. Pour l'occasion, Émélie resta dans la cuisine à préparer des mets pour les Fêtes, secondée par Alice qui vivait avec ses parents depuis l'accident cérébral survenu à son père, histoire de faire un peu de soleil dans la maison.

–Viens t'asseoir devant le bureau, Berthe, lui dit-il quand elle eut franchi le seuil sans faire de bruit.

–Oui, monsieur !

La première fois qu'elle l'avait désigné de cette façon, il avait trouvé ça drôle. Pas comme ces O.K. d'Alfred, Henri et Pampalon qui l'agaçaient un peu. C'est sans doute pourquoi, encouragée, elle avait continué de dresser entre eux cette barrière d'un mot qui en disait haut et long.

Elle prit place. Il ne voulait lui parler que d'une chose : le pénible événement des bottines souillées, ce jour du mariage d'Alice. Honoré sentait le besoin de s'expliquer et dans une certaine mesure de se faire pardonner.

–Te souviens-tu... du coup de fouet... sur le plancher du... magasin ?

–Si je m'en souviens : c'est comme hier.

–As-tu pensé... que je... voulais te frapper ?...

–Maman m'a dit que c'était pour me donner une leçon.

–Elle te l'a dit ?

–Oui, monsieur.

–Elle a raison... C'était... pour ça...

–Je l'ai eue, ma leçon...

Berthe était maintenant une grande et magnifique jeune fille de 18 ans. Le timbre de sa voix, profond et riche, la rendait un brin mystérieuse, d'autant qu'elle ne parlait jamais inutilement, privilégiant le silence interrogateur aux propos pour le moins bavards de sa soeur Bernadette. Elle parachevait cette année-là une partie de ses études à Lac-Mégantic et déjà, il était prévu qu'elle ferait son entrée à l'école Mont-Notre-Dame de Sherbrooke à l'automne 1929.

Comme le lui avait révélé sa soeur aînée en 1923, lors des fêtes du centenaire, ils ne manquaient pas, les jeunes hommes dont le regard pétillait quand Berthe passait sur le trottoir durant ses séjours à la maison l'été et durant la période des Fêtes, ou simplement quand il était question d'elle dans une conversation. Mais Berthe gardait la tête haute et droite, filant dans son indifférence apparente, vers des occupations prenantes comme l'écriture de lettres à ses amies ou la tenue d'un journal intime, jugé plus sûr qu'un garçon pour recueillir ses confidences et ressentir ses émotions.

Et tous deux, père et fille, se souvinrent avec précision de la scène. Leurs yeux se le dirent...

Honoré se voyait se rendre à un casier debout près du téléphone au-dessus de l'évier au fond du magasin, et y prendre un fouet à 'boghei', puis se diriger vers l'enfant, morte de peur et de peine.

—Vous m'avez dit... "*C'est-il assez laid, une petite fille sale comme un chien crotté un jour de noce ! Pourquoi que tu t'es pas changée de chaussures pour courir les chemins ? Pourquoi que tu reviens à cette heure-là ?*"

—T'es bonne de... te rappeler des mots... comme il faut.

—Ce que j'oublierai jamais, c'est le bruit du fouet sur le plancher.

—J'pense que... j'serais pas capable... de faire pareil asteur.

Berthe rougit, sourit :

—C'est sûr que je me promènerais pas dans la 'bouette' du chemin comme le jour du mariage d'Alice.

—Malgré tout... j'ai dû te faire... ben de la peine...

Berthe vit le regard de son père s'embuer et ça lui chavira le coeur :

—Le fouet, ça m'a fait peur, mais c'est la perte de mes bottines qui m'a fait mal. Une chance que maman me les a redonnées au bout d'un mois.

—J'dois te dire que... ben j'lui ai demandé... qu'elle te les redonne... Vu que t'avais été... ben sage depuis l'év... l'événement...

—Ça, je le savais pas.

—Je voulais par la même occasion... te féliciter pour tes notes scolaires... surtout en français... J'ai lu tes rédactions françaises... et pis...

Honoré n'y tint plus et il éclata en sanglots. Sa respiration devint profonde et des éclats de voix sortaient à travers ses soupirs. À fendre le coeur de sa fille qui lui voyait pour la première fois de sa vie un fond d'humanité qu'il avait toujours tenu au secret en lui, derrière les fardoches du rire, du chant, des blagues ou des cris de colère.

–Je... j...

–Dis rien...

Elle soupirait sans plus. La crise dura deux minutes et l'homme reprit son coeur entre ses mains :

–La faiblesse... tu vois c'est que ça fait... J'voudrais ben... comme ta mère... être capable de refouler tout ça au fond...

–Mais non, vous faites bien de le laisser sortir.

–Freddé est capable de pleurer, lui.

–Parce qu'il connaît la vertu des larmes.

–C'est bien dit, ça...

La jeune fille étira le bras et posa en douceur sa main sur celle de son père qui reposait sur le bureau :

–Pleurer libère, papa !

Voilà qui provoqua d'autres sanglots. Honoré laissa sa main sous celle de sa grande fille. Le mot 'papa' si rarement dit par Berthe au cours de sa vie agissait sur son être profond comme un remède miracle.

–Merci, ma fille, grand merci !

–On vous aime. Restez avec nous autres. Vous avez encore tant de choses à faire...

–T'as ben raison ! Une d'elles, c'est les choses de la paroisse. Je dois m'en occuper sans tarder. On aura une réunion du Conseil dans les jours qui viennent, je vas leur parler de nouveaux projets pour Saint-Honoré-de-Shenley... On s'est fait des bons chemins, on a traversé un feu de forêt, un grand feu de village, la grippe espagnole, on a le téléphone, l'électricité, l'eau courante... ça nous prendrait un aqueduc municipal pour tout le village et un camion à incendie...

–Vous avez dit tout ça sans vous arrêter pour reprendre votre souffle : ça veut dire que vous prenez du mieux.

–Les projets, c'est ça qui tient en vie. Le repos, c'est beau, mais point trop n'en faut...

Et il rit. Et sa grande fille rit. Ils retirèrent leur main au même moment dans une sorte de complicité devant le devoir à accomplir, devant l'avenir à construire.

–Je vous promets des meilleures notes encore au Mont-Notre-Dame !

–J'sais que t'es ben capable de les obtenir.

*

Quoique lente, l'élocution d'Honoré se fit désormais moins hachurée. Dans la semaine qui suivit la fête de Noël, il y eut une réunion du Conseil à la demande de citoyens qui avaient fait pression sur Jean Jobin, le secrétaire municipal. On la tint dans l'ancien presbytère d'en face, cette vieille maison inhabitée qu'il fallut chauffer pour la circonstance. Cela se passait dans le bureau du curé de jadis, bureau qui plus tard avait été un temps celui du notaire.

Outre le maire, le secrétaire et les conseillers, une dizaine de personnes se trouvaient là, réparties sur deux rangs autour de la table; et même que Beaudoin, sauvé du feu de 1908 grâce aux efforts d'Honoré Grégoire et Uldéric Blais, était venu et demeurait assis en retrait, dans le couloir.

Avant que ne s'ouvre l'assemblée, Honoré, venu de peine et de misère en raison de sa faiblesse et de l'état glacé du chemin qu'il fallait traverser, se faisait songeur. Par sa jeunesse, son enthousiasme, son énergie, Berthe l'avait poussé, sans le rechercher, à reprendre du collier. Au contraire du curé qui avait conseillé la retraite complète, le repos jusqu'à la fin pour que la fin soit, pensait-il, le plus éloignée possible. Mais c'est Uldéric Blais qui, la veille, en échangeant avec lui au bureau de poste, avait essayé de faire comprendre à son ami que pour lui, le temps de dételer était venu et qu'il devait se retirer de la vie active.

"Autant mourir que de ne rien faire !" avait pensé Honoré

sans le dire à l'autre. Et il avait conservé bien vive son intention de ne pas démissionner voire même d'annoncer sa décision de se présenter de nouveau à la mairie à la fin de son mandat l'année suivante, en 1929.

L'assemblée fut ouverte. Par des regards discrets, Honoré put voir Elzéar Beaudoin qui parfois glissait sa main sur les cicatrices affreuses de son visage que le feu de 1908 avait brûlé au troisième degré du côté droit. Chez d'autres que ce personnage, on aurait pu trouver autre chose que de la hargne dans ces marques, mais chez Beaudoin, elles représentaient l'entêtement, l'acrimonie, les séquelles d'une enfance au bâton.

Quelques questions à l'ordre du jour furent débattues, arrêtées, décidées, mises au procès-verbal. Puis celle qui en préoccupait plus d'un fut présentée par Jean Jobin lui-même, à la demande préalable d'Honoré.

–Mes amis, d'aucuns ont parlé de démission du maire vu son état de santé. Monsieur Grégoire a subi une attaque, tout le monde le sait, mais...

Beaudoin se leva et, sourire mesquin à gauche du visage, il interrompit le secrétaire en prononçant une sentence fatidique sur un ton chanté exprimant une évidence : "On va tout de même pas garder comme maire... un mort !"

Ce n'est pas la phrase de cet éternel opposant qui heurta Honoré, mais bien plutôt le silence général qui s'ensuivit. Comme si chacun faisait sienne une partie de l'opinion qui venait de s'abattre sur la tête du maire comme un coup de merlin. Honoré regarda chacun tour à tour. Les têtes se baissèrent. Les yeux se défilèrent. Le manège dura deux voire trois minutes. Alors le maire égrotant prit la parole :

–Mes amis, dans le journal vient de paraître une bande dessinée. Il s'agit d'un homme fort qui vit dans la jungle africaine et qui porte le nom de Tarzan. Je ne suis pas mort, mais je ne suis pas Tarzan non plus. Je comprends que le

temps est venu pour moi de me retirer de toute fonction publique. Et je donne ma démission ce soir même. Je ne suis
pas venu avec une seule idée en tête, celle de poursuivre.
C'est pourquoi j'ai aussi préparé ma sortie et demandé à
monsieur Théophile Dubé, un homme de grande expérience,
de me remplacer dans les fonctions de maire en attendant les
prochaines élections municipales. Pour me rendre service et
pour rendre service à la paroisse, monsieur Dubé a accepté.
Si vous êtes d'accord, qu'il soit nommé sur-le-champ à ma
place en tant que maire intérimaire, si on peut dire...

Puis l'homme reprit sa place et s'empara de sa canne sur
laquelle il appuya sa main droite afin de se remettre sur ses
jambes pour partir. C'est à ce moment que deux mains len-
tes, celles de Jean Jobin, se mirent à se frapper l'une contre
l'autre. Un à un, les conseillers et les gens du public suivirent. Seul Beaudoin demeura impassible et froid dans son
esprit égalitariste. Pour lui, Honoré Grégoire n'avait aucun
mérite de plus que lui ou quiconque de cette paroisse. Il
n'aurait pas pu imaginer dans son égocentrisme indécrottable
qu'en applaudissant le maire sortant, c'est du coup la paroisse
entière que l'on applaudissait en ce moment...

***

*Berthe Grégoire et amies
vers 1928 à Mégantic*

Chapitre 3

1929

Dans les semaines qui suivirent, Honoré fit plusieurs mouvements vers la retraite qu'il craignait pourtant comme la peste en raison du désoeuvrement qui vient avec. Il mit à vendre ses terres à bois du lac Frontière. S'il demeurait officiellement le maître de poste, c'est maintenant Alfred qui avait la main haute, autant sur les choses de ce service public que sur celles du magasin. En autorité, plus encore que sa propre mère dont l'état de santé se détériorait un peu plus chaque jour, jamais le fils aîné des Grégoire n'aurait donné le moindre commandement à Émélie. Et bien au contraire, il lui demandait chaque jour quoi faire, tandis qu'il le savait bien mieux qu'elle, fort de ses presque vingt années d'expérience à titre de commis et remplaçant au bureau de poste.

À 42 ans, Alfred avait atteint le sommet de sa capacité physique et mentale. Père de dix enfants, six filles et quatre garçons, éprouvé par la mort de deux fils, il lui semblait, à lui et à son épouse Amanda, que leur famille était maintenant complétée avec la naissance en 1927 du petit Honoré. Mais la femme à peine vieillie conservait intacte son aptitude à donner la vie, malgré ses troubles mentaux périodiques de plus en plus alarmants.

Deux portes plus loin que le magasin, de l'autre côté de la maison désertée des Foley, un drame se préparait. En fait se vivait déjà depuis plusieurs mois et s'achevait.

Malgré la naissance d'un fils prénommé Fernand, l'épouse du docteur Goulet, suite à la mort de la petite Blandine, ne devait jamais retrouver sa force morale d'antan comme ce fut le cas de l'aveugle Lambert et de son épouse Anne-Marie qui, eux, remplacèrent leur petite Rita tant aimée par une seconde Rita, à l'exemple du couple Grégoire qui, au tournant du siècle, avait conçu Bernadette 2, un être plein de vie, après avoir perdu la première du même prénom.

Après avoir traîné sa pâleur cadavérique et sa maigreur squelettique ainsi qu'une toux sèche récurrente pendant toute l'année 28, et malgré les soins attentifs que lui prodiguait avec dévotion son époux inquiet, elle ne guérit pas, et un diagnostic de tuberculose, peut-être de cancer du poumon, devint incontournable début 29.

La femme s'alita.

Son état empira rapidement. Chaque fois qu'il lui fut proposé l'hospitalisation, elle refusa.

"L'hôpital ne guérit personne de la consomption !" lui disait-elle désabusée.

Toutefois, son fils étant gardé chez des proches le temps requis, elle aurait accepté d'aller finir ses jours dans un sanatorium afin de rassurer la clientèle de son mari, mais il ne le lui demanda jamais pour cette raison.

Le soir de sa mort, elle reçut la visite du couple Grégoire que le docteur avait prévenu de sa fin imminente. Ils prirent le temps de s'y rendre sous la rafale de neige, marchant péniblement contre le vent à écorner les boeufs comme ces petits vieux qu'ils n'auraient jamais voulu devenir, les Grégoire Grégoire, Restitue Jobin et Memére Foley. C'est que malgré leur jeune soixantaine, Honoré et son épouse transportaient sur leurs épaules le poids d'octogénaires accomplis. Et puis il faut également à cet âge supporter celui, encore plus pesant, de tout ce que l'on a bâti durant sa vie.

En chemin, ils furent même rattrapés par le son d'une clochette puis par le curé emmitouflé et un servant de messe pas très chaudement vêtu, qui venaient porter le bon Dieu à la mourante et lui administrer les derniers sacrements. Honoré proposa à Joseph d'attendre dans le salon près du vestibule d'entrée, mais le curé convia le couple à le suivre à la chambre de la moribonde par-delà l'escalier menant au second étage, au fond là-bas.

Blanche n'était plus qu'un sac d'ossements dérisoires et son corps ne formait dans le lit qu'une sorte de foetus au visage centenaire. Elle n'avait pourtant que l'âge d'Alfred Grégoire, soit 42 ans. Mais la consomption avait pour bizarre façon de détériorer le corps et l'âme en les assassinant de vieillesse avant de les séparer pour l'éternité dans une mort bien désolante.

–Monsieur le vicaire nous a quittés, le saviez-vous ? dit le curé après avoir déposé son manteau et mit la trousse des saintes huiles sur la table de chevet devant une malade encore consciente mais que son état de faiblesse enfonçait misérablement dans son grabat.

–Un autre encore ? ne put s'empêcher de dire Honoré.

–C'est peut-être le mauvais temps des hauteurs qui ne leur fait pas, à mes adjoints ! rétorqua le curé qui sortit du sac le nécessaire à l'Extrême-Onction.

"Ou l'atmosphère du presbytère !" songea Honoré qui tut sa pensée au prêtre, mais la dit à Émélie par le regard.

–Vous ôtez pas vos manteaux ? dit Joseph au couple.

–Si c'est pas trop demander, non, dit Émélie. On sera pas longtemps. Blanche est si affaiblie...

–C'est comme vous voudrez.

En silence et en suivant des yeux les gestes du rituel, Honoré, pâle lui-même, affaibli lui-même, vidé d'une bonne partie de ses énergies de naguère, se disait chanceux malgré tout d'avoir vécu jusqu'à 64 ans par comparaison avec ceux du proche voisinage rejoints par la mort précocement, les Lucie Foley à 53 ans, Blanche Desjardins à 42, Délia Blais à 39 et Elzéar Racine à 46. Et tant d'autres ailleurs dans la paroisse, passés de vie à trépas dans leur vingtaine comme Marie-Laure Jolicoeur, ou en pleine jeunesse comme ses propres fils Ildéfonse et Eugène.

Émélie nourrissait les mêmes pensées en ce moment. Lucie Foley surtout accrochait sa mémoire. Morte usée par les accouchements. Usée par les rudes travaux incessants. Usée par le partage de son coeur entre trop d'enfants et par leur départ du nid familial. Le bon Dieu en avait-il trop sur les bras pour soutenir les mères de famille et a contrario leur laissait-il sur le dos des charges trop lourdes ? Se poser la question n'était pas blasphémer. À Lui d'y répondre si seulement Il entendait les prières et interrogations des humains.

–Le prochain vicaire arrivera d'un jour à l'autre, reprit le curé. Il s'agit de l'abbé Louis-Adolphe Moreau. L'évêque m'en a écrit beaucoup de bien.

Pas une seule fois depuis son arrivée, il ne s'était adressé à la malade. Comme si de la rassurer eût été chose futile et donc inutile. Et puis il ne pouvait tout de même pas se charger de tout et le sacrement était là pour ça, pour redonner un peu d'énergie avant le passage final d'un monde à l'autre.

Il procéda aux onctions et prières de façon expéditive puis remit les contenants de verre dans le sac après avoir aspergé la malade de quelques gouttes d'eau bénite agrémentées de sa bénédiction ultime.

Les Grégoire et le docteur firent le signe de la croix et gardèrent le silence tout au long de la brève séance.

–Combien de temps lui reste-t-il ? demanda-t-il ensuite au docteur.

–Celui que son Créateur lui laisse encore. Vous devriez le

savoir mieux que moi.

Joseph était mécontent de se faire poser pareille question devant son épouse à l'article de la mort. Le ton qu'il prit pour répondre démontrait sa contrariété. Le prêtre n'en eut cure. Il annonça son départ et fut reconduit à la porte ainsi que son petit servant par le docteur qui le remercia de sa visite malgré la poudrerie et le froid gris de l'extérieur.

—Je vous enverrai l'abbé Moreau dans trois jours, si madame est toujours vivante.

Pendant ce temps, Émélie disait quelques mots à celle que les Grégoire considéraient comme leur voisine et amie, et qui s'apprêtait à faire le pas de la dernière marche menant aux angoissants mystères de l'éternité.

—La mort tournoie autour de la maison, parvint à dire la malade de sa voix rauque et presque inaudible.

—Et autour de la nôtre, ma pauvre Blanche, et autour de la nôtre, commenta Émélie.

—Pas vous autres ! Vous êtes en pierre...

—Tu sais bien que non, fit Honoré. J'ai failli y passer au mois de décembre. Je branle dans le manche... comme un roseau...

—Mais toi, Émélie, tu seras centenaire.

—Quelle idée ! Je vas partir avant mon mari. C'est lui qui doit rester pour mettre la dernière main aux affaires.

—Parlez pas de même tous les deux, vous me faites de la peine.

—La vie va comme elle va.

Blanche ne toussait plus. Comme si ses voies respiratoires déchirées ne parvenaient plus à irriter le centre de la toux. Elle ne faisait plus que râler. Et ses mots amortis sortaient d'elle comme un souffle sur le point de s'éteindre pour jamais. Après que la porte du salon se fut refermée, on entendit, dans une pause faite à l'intérieur de la chambre, le vent grondeur qui rugissait contre les murs et les fenêtres.

–Elle est là... Elle vient... Elle arrive...

–De qui tu parles, Blanche ?

–L'amie des mourants arrive... elle est là...

Blanche ferma ses yeux déjà éteints. Son mari entra, s'approcha du lit, prit son bras, sonda le pouls. Puis se tourna et dit simplement comme chaque fois qu'il annonçait la mort :

–Elle nous a quittés.

Émélie pensa que l'Extrême-Onction avait délivré leur voisine de la faible poigne qui retenait encore son âme à la vie terrestre. Elle se souvint avoir refusé de faire venir le prêtre sitôt après la thrombose d'Honoré, de peur que le sacrement n'incline le malade à une résignation fatale.

Blanche ne fut pas exposée en raison de la maladie contagieuse, cause son décès. Et puis les gens n'aimaient guère s'agenouiller devant la dépouille d'une personne que la consomption avait mise à mort. Le soleil avait fait place à la poudrerie hivernale quand on déposa son corps dans le charnier du cimetière où le froid le mettrait en congélation jusqu'à l'enterrement au printemps des personnes décédées au courant de l'hiver.

Ce fut l'abbé Moreau qui présida aux cérémonies des funérailles : son premier acte liturgique dans sa nouvelle paroisse. On ne fit aucun commentaire sur sa personne au sein de la famille Grégoire tant les vicaires se succédaient rapidement sous la gouverne du curé Proulx.

Et la saison monotone reprit son parcours glacé.

Et la mort s'assoupit... pour quelque temps...

***

Chapitre 4

1929...

Le 25 février, l'on porta sur les fonts baptismaux un nouvel enfant né le même jour dans la famille de Pampalon Grégoire et Ida Bisson. Il fut prénommé Benoît. Bernadette se rendit au baptême où elle conduisit par la main le petit Luc, âgé de six ans, et qui en était à sa première année de classe au couvent des soeurs.

Tout au long de la cérémonie que dirigeait un prêtre visiteur, l'abbé Fortin, Bernadette songea à sa propre destinée. Voici qu'elle coifferait bientôt le bonnet de catherinette et pourtant, aucun mariage à l'horizon. La plupart des garçons de son âge ou plus vieux, qui auraient pu lui convenir pour époux, ne l'avaient jamais intéressée. Son coeur restait accroché à son rêve impossible : vivre avec celui qui y occupait tout l'espace consacré à l'amour des époux. Sinon, elle resterait tournée vers l'autre espace de son coeur : celui où tant d'êtres de ses proches et alentours trouvaient un confort douillet comme, en ce moment, le gamin qui dévorait des yeux les personnes présentes et leurs gestes de prière, mais surtout le nouvel enfant, son petit frère Benoît.

Le regard posé sur la main du prêtre, Bernadette imaginait celle d'Eugène Foley dans de mêmes circonstances futures, ces doigts fins, presque féminins, et qui exprimaient à eux seuls bien des sentiments profonds de l'être. Elle les avait touchés le soir de leur unique baiser en 1923, lors des fêtes du centenaire. Quelle douceur dans ces mains-là faites pour l'apaisement et la tendresse ! Que de grâce divine passerait par elles pour se répandre sur la tête des enfants du baptême et de l'eucharistie !

Quand l'eau bénite coula librement sur le front du bébé, Bernadette eut un souvenir sans lien avec les émois ressentis à penser à son cher Eugène Foley. Cela se passait avant la mort de *Chasseur*, un beau dimanche après-midi de l'été. Pampalon et Alfred allaient faire un tour d'auto et emmenaient avec eux Bernadette et Berthe, à la demande d'Émélie qui ainsi voulait récompenser ses filles et savoir par elles tout ce qui se passait lors de ces randonnées sous le soleil radieux des rangs de la paroisse.

À tout bout de champ, Pampalon "*arrêtait la voiture et proposait à Alfred d'aller boire de l'eau de Sainte-Anne. Les deux frères sortaient alors de la voiture, faisaient quelques pas vers l'arrière et se passaient le petit flacon tout en admirant le paysage. Pendant ce temps-là, les deux soeurs attendaient patiemment dans la voiture et se parlaient de la nouvelle ferveur religieuse de leurs frères. Jamais elles n'eurent de doutes sur la véritable nature de cette eau qui rendait les deux jeunes hommes si gais. Cette transformation n'était pour elles qu'une autre manifestation de la bonté de sainte Anne qu'elles invoquaient si souvent afin que la puissante avocate vienne à leur rescousse !*"

Un clocher dans la forêt, page 64

−Ah, les sacripants ! marmonna Bernadette tant d'années plus tard dans cette sacristie du village en comprenant enfin que l'eau de Sainte-Anne n'était rien d'autre que du gin.

Le prêtre posa sur elle un regard interrogateur. Elle lui

sourit béatement et fit mine de s'intéresser uniquement au bébé Benoît...

Pour parrainer l'enfant, Gabriel et Adrienne Bisson, oncle et tante du nouveau-né, avaient été choisis. Et Bernadette ainsi que la marraine se partageaient la tâche agréable de porteuse. Après la signature du registre, Pampalon fit une offrande au prêtre et ils s'échangèrent quelques mots à l'écart. L'abbé prit intérêt à la famille du jeune homme. Il sut que le nouveau-né était le sixième enfant du couple.

–Et votre prénom... c'est si rare ?

Pampalon fronça les sourcils. Un millième curieux sans doute le questionnait là-dessus. Pour la millième fois, il parla de l'élan mystique de sa mère suite à la visite à Saint-Honoré du père Alfred Pampalon dans le vieux siècle.

–Et votre métier, Pampalon ?

–Boulanger... plus un petit restaurant... on vend de la liqueur, des bonbons à la cenne... On fait du taxi... ma femme a une 'ronne de malle' dans les rangs du bas. Trente-six métiers, trente-six pauvretés ! Un jour, je serai hôtelier. Quand madame Lemay voudra vendre son hôtel, je serai son acheteur, c'est certain.

–C'est donc vous qui habitez en face de l'église ? J'ai entrevu les enseignes de Coca Cola.

–En plein ça ! Faut dire itou que je suis le chauffeur attitré de mon père, Honoré Grégoire.

–Lui, je le connais par le ouï-dire. Sa réputation rayonne par toute la Beauce. J'ai entendu parler de lui déjà par monsieur Lacroix... Édouard Lacroix. Et par le curé Proulx bien entendu...

Pampalon se désola dans un léger soupir :

–Depuis sa thrombose, je vous jure que c'est pas l'homme que c'était.

–La maladie, l'âge, ça finit par rattraper tout le monde. Je me propose de me rendre au magasin durant la journée, peut-être que j'aurai l'occasion de le voir en personne.

Le bébé coupa court à l'échange par ses pleurs affamés. Fallait le ramener à sa mère. Pampalon s'excusa. Le prêtre salua, visage tout en front, et se remit à son devoir.

Et comme annoncé, il se rendit au magasin durant ce jour. L'endroit semblait désert à prime abord. Honoré passait la journée au lit. Émélie se reposait elle aussi à la maison privée. Et Alfred s'était fait remplacer par Armand au service de la clientèle. Du côté des dames, la responsable était Bernadette, mais elle avait pris une heure pour visiter son amie Laurentienne.

Tout en discrétion, le prêtre n'avait pas éveillé l'attention du commis qui était à lire un bouquin dans l'office, c'est-à-dire le bureau de poste où il écoutait aussi la radio. L'abbé longea la table-comptoir du centre en regardant les étalages sans voir nulle part âme qui vive.

Armand, un grand amant de Dame Nature, lisait *Croquis laurentiens*, un ouvrage de Frère Marie-Victorin. Il eût fallu quelqu'un qui 'déboule' dans l'escalier pour qu'il l'entende et sorte de son extase lumineuse à lire un passage particulièrement brillant... Ce n'était pas par hasard qu'il agissait ainsi. Les clients aussi discrets que l'abbé Fortin se faisaient rares et les cultivateurs ne se retenaient pas pour assommer les portes d'en avant ou celle menant aux hangars arrière, ce qui attirait l'attention de quiconque se trouvant dans l'office.

Le prêtre s'arrêta un moment au-dessus de la grille de la fournaise qui poussait des bouffées de chaleur bienfaisante et il se laissa réchauffer, lui qui pourtant, portait manteau, soutane et pantalon superposés. Il perçut le bruit à peine audible de la radio et comprit que la pièce d'où il provenait était le bureau de poste vers lequel il se dirigea aussitôt pour apercevoir, assis de travers, jambes hautes, accrochées au comptoir de tri du courrier, le lecteur absorbé.

–Hum...

–Oué, fit Armand qui sursauta et tourna son livre sur son genou pour mieux en garder la bonne page.

–Je suis l'abbé Fortin, un prêtre en visite. Je viens une fois par saison remplacer votre vicaire. J'ai baptisé un petit Grégoire tout à l'heure.

–Ah, le p'tit gars à Pampalon, ouen, mon neveu...

Un oeil sur le bouquin, le prêtre s'exclama :

–Ah, *Croquis laurentiens*... j'ai eu le grand plaisir de lire aussi.

–Ah oui ! ?

–Absolument ! Excellent ! Marie-Victorin décrit les choses comme si elles étaient toutes des feux d'artifices. Exubérant mais splendide !

Les deux hommes venaient d'entrer en contact moral. Il leur fut aisé d'entrer aussi dans un contact émotionnel par la lecture d'un extrait du livre qui avait élevé l'âme de son lecteur le moment d'avant.

–Je vous en lis quelques lignes, voulez-vous ?

–Mais certainement ! Personne ne semble vous attendre au magasin ni moi non plus au presbytère. Je vous écoute... Mais d'abord, quel est votre nom ?

–Armand. Mon père, c'est Honoré Grégoire. Aujourd'hui, il est au lit. Je... suis pas le commis en chef, c'est mon frère Freddé...

–Je vous écoute, Armand.

–Dites-moi donc "tu"... J'ai rien que 22 ans...

Les deux personnages se regardèrent dans les yeux et profondément. Le prêtre rougit un brin, comme si l'autre avait lu quelque chose de pas très catholique dans son être caché : quelque pulsion inavouable mais incontournable...

–Je t'écoute, Armand.

Le jeune homme fit lecture...

"Pour l'instant, je suis seul à Sans-Bruit, et je descends au rivage, à quelques pas, jouir de l'ivresse du midi. Le soleil tombe d'aplomb et allume des éclairs sur les cailloux blancs. Au bout de sa chaîne, la chaloupe se balance à peine sur l'eau, où de petits frissons rapides courent, se rejoignent et meurent. Le bleu de l'eau est bien le bleu du ciel, un peu plus profond seulement. Il fait un joli vent; autour de moi les saules, les aulnes se raidissent élégamment en leurs poses coutumières, et les jeunes érables découvrent la pâleur de leur dessous. Une libellule, portée sur l'aile de la brise, passe et repasse. En écoutant bien, je perçois la clameur assourdie faite du choc menu des choses innombrables : frémissement des millions de feuilles, petits flots qui s'écrasent sur la pierre, ardente vibration des insectes enivrés de lumière. La vie possède tout. L'homme passe à côté sans la voir, il la foule, l'écrase du talon; il va, poursuivant quelque chimère, sans écouter la chanson énorme et vivifiante de la vieille nature."

–Quelle littérature ! s'exclama le prêtre.

–Ce passage-là, je l'ai relu au moins cinq fois.

–Avec raison, mon ami, avec raison ! Mais... comment se fait-il que tout ait été mis en place pour que l'on se rencontre de manière aussi aisée, aussi rapide et, je dirais... aussi intime cet après-midi. Tout semble avoir été arrangé par une force invisible : celle de Dieu ou bien...

–C'est vrai, ça. Je remplace Freddé. Y a personne dans le magasin, pas même ma soeur Bernadette qui, elle, remplace ma mère. Pis je suis en pleine lecture d'un livre que vous connaissez comme il faut. Vous vous adonnez à venir au bon moment et nos mots s'adonnent pour le mieux... On dirait que c'est arrangé avec le gars des vues, tout ça...

Et le jeune homme eut un éclat de rire pendant que le prêtre gardait tout son sérieux :

–Étrange en effet ! Signe du destin peut-être ? Volonté divine, je ne sais... Et ce texte si... si intense... avec des mots si... puissants...

Entre les deux passaient des émois trop forts pour être avouables. L'abbé Fortin n'avait pas trente ans. Son corps réclamait férocement des épanchements que son esprit devait lui refuser à tout prix au nom de la morale, de son sacerdoce, de ses voeux, de son salut même. Armand connaissait depuis longtemps sa propre inclination vers certains garçons de son âge, quelques-uns seulement. Il se savait inverti et l'acceptait. Ce penchant, révélé dans l'enfance, n'avait fait que s'affirmer durant l'adolescence et ses études. Il se devait de la cacher à tous, mais s'était donné pour devoir envers lui-même de saisir l'occasion quand elle se présenterait. Suffirait de savoir reconnaître en quelqu'un le même penchant que le sien et de favoriser leur rencontre. Bref, Armand savait où il allait et connaissait la voie à suivre. Mais le prêtre lui, était enfermé dans ses hésitations et questions incessantes sur lui-même, sa chair, sa vocation. Il était estomaqué de cette rencontre. Cet Armand Grégoire lui apparaissait d'une beauté saisissante. Et surtout troublante. Quoi dire ? Quoi faire ? Il était d'ailleurs et n'aurait que rarement l'occasion de remettre les pieds à Shenley. Et quand cela serait, jamais de multiples hasards ne feraient se croiser, s'appeler, se plaire leurs intérêts communs pour l'oeuvre de Marie-Victorin et les vibrations suscitées par sa verve littéraire autant qu'en ce jour même de février 1929...

–Faudrait se revoir pour une soirée purement littéraire !

Sa proposition fut fort bien reçue par Armand :

–Aux beaux jours, vous pourriez venir et on ira lire des extraits de bouquins sur le cap à Foley.

–Le cap à Foley ?

–Un petit bocage pas loin d'ici, avec un cap. Y a même là les pistes du diable...

–Les pistes du diable ?

–Je vous raconte...

Plus tard, le prêtre acheta ce qu'il était venu quérir et repartit dans la grisaille glaciale, le corps en feu, le coeur en inquiétude, l'âme en questionnement et tout l'être profond en bouleversement...

*

Malgré ses faiblesses, ses chutes, ses reprises, ses remords, l'abbé ne parvint pas à oublier le jeune homme et il entra en contact avec lui par lettre. Le contenu épistolaire fut tout de respect, religiosité, bondieuserie, mais se pouvait lire derrière les mots, tout comme dans le texte de Marie-Victorin partagé avec le jeune homme en février, une sensualité débordante, incontournable, incontrôlable...

Armand parla du prêtre à sa mère. En fit l'éloge. Émélie ne conçut jamais le moindre doute sur lui, pas plus que sur son fils d'ailleurs. Et elle approuva sans réserve quand elle sut que l'abbé Fortin viendrait à Saint-Honoré pour une soirée de lecture sur le cap à Foley. De plus, Armand passait la moitié de ses beaux jours sur ce cap appartenant aux Grégoire, à s'occuper de plantes et fleurs, à s'étendre au soleil, à lire et à penser. Elle ignorait qu'aussi, il y buvait plus que de raison : du vin et surtout du 'fort'.

Le jeune homme à ce jour avait le plus souvent évité de se retrouver seul avec un autre de son âge là-bas, sur le cap ou dans le boqueteau voisin, et quand il s'y rendait, c'était ou bien tout seul ou bien avec deux compagnons. Ses parents, croyait-il, lui auraient pardonné son alcoolisme grandissant, mais au grand jamais son homosexualité de longue date.

Quand le prêtre fut là, dans des vêtements civils, venu de Saint-Georges avec son automobile, l'on se chargea de livres et de vivres, et, avec la bénédiction du couple Grégoire, l'on se rendit au lieu du pique-nique, bien à la vue d'un observateur placé derrière la maison rouge ou sur le chemin Foley.

Et les deux amis de fraîche date s'attablèrent tandis que le soleil penchait sur l'horizon, mais ne se coucherait pour la nuit que dans trois heures environ.

–Comme je vous l'ai dit, c'est un grand honneur de vous recevoir ici. Au mois de février, j'pensais pas vous revoir autrement qu'à la grand-messe une fois par année.

–Je sais que nous allons y passer des heures pleines d'agrément.

–Moi aussi, monsieur l'abbé.

–Bon, tu vas arrêter les 'monsieur' gros comme le bras et m'appeler simplement Victorien. J'ai pas l'âge de me faire vouvoyer de cette façon.

–Pas l'âge, mais le sacrement...

–Oublions le sacrement pour les heures à venir.

Leurs yeux se rencontrèrent par-dessus les objets posés sur la table, accessoires incontournables à cette veillée agréable. Il faisait chaud sans excès. Un vent doux, presque un zéphyr, chassait l'humidité depuis le deuxième tiers de l'après-midi. Le presbytère que l'on pouvait apercevoir au loin entrait dans la dernière partie du jour l'âme en paix. S'y trouvaient à leurs devoirs quotidiens le curé Proulx et le vicaire Moreau qui, tous deux, ignoraient la présence au village du prêtre visiteur.

–Oublions le sacrement ! acquiesça le jeune homme.

Armand s'était toujours plu à s'afficher anticlérical. Il s'était abreuvé aux auteurs les plus décriés par l'Église : le père Chiniquy, Voltaire, les parnassiens, Sulte, Buies... Mais voici qu'il se sentait en quelque sorte au-dessus de la mêlée. Et puis l'abbé Fortin ne lui faisait pas la morale; et il apparaissait clair qu'il n'était pas venu non plus pour sauver son âme... Mais il voulut dès le départ sonder son invité.

–J'ai entendu des jeunes parler de la danse hier. Vous en pensez quoi, vous... t'en penses quoi, Victorien ?

–Un prêtre ne peut pas aller à l'encontre des enseignements de la sainte Église de Rome.

–Y est-il obligé de penser comme Rome ?

–Pour ce qui est du dogme, oui. Mais la danse...

–Pie X a défendu le tango, on s'en rappelle.

–Tu dois pas t'en souvenir, c'était en 1912, par là...

–Entendu parler.

–En 12, t'avais 5 ou 6 ans, Armand.

–C'est vrai. Mais ça s'est longtemps parlé pis ça se parle
encore.

–Pie X est parti. C'est Pie XI qui, après Benoît XV, voit
aux destinées de l'Église maintenant.

Armand devint dubitatif. Il cherchait une question à réponse claire et révélatrice quant à l'état d'âme du prêtre face
aux soifs de la chair. L'abbé devina et vint à sa rescousse. Il
mit sa main sur celle de son ami qui reposait sur la table :

–Suis venu partager avec toi ce que tu voudras qu'on partage. Où tu veux aller, j'irai avec toi, Armand. Est-ce que je
me fais bien comprendre ?

–Dans ce cas-là, on va commencer par... un peu de vin.
J'ai une petite réserve sur le cap...

Le contact des mains fut rompu. Armand se leva et se
rendit à la clôture de perches de cèdre délimitant la terre des
Grégoire de celle de la fabrique où se trouvait le cimetière à
peu de distance, de l'autre côté d'un champ de cinquante pas.
Il mit un genou à terre, s'accroupit et trouva dans l'extrémité
creuse d'une perche une bouteille qu'il brandit :

–Du bon... acheté à la Commission des Liqueurs.

–Je te suivrai où tu iras, Armand, mais pas dans l'excès
tout de même.

Voilà qui embrouillait de nouveau les choses pour le
jeune homme. Le prêtre voulait exprimer par ses mots qu'il

ne désirait pas s'enivrer avec de l'alcool. Ce qui n'impliquait pas la jouissance d'une autre ivresse...

Ils partagèrent la nourriture apportée, celle du corps et celle de l'esprit. Et à la brunante, conduits par le désir charnel qui se fit connaître à l'autre par allusions, avances et reculs, ils devinrent des amants, bien camouflés à l'intérieur d'un attroupement de cèdres qui faisait partie du noir boqueteau voisin.

Pas une seule fois de la soirée, il ne fut question des pistes du diable, imprimées tout près dans le roc...

***

*Armand et les
'mauvais compagnons'*

*Armand et
Robert-René de Cotret*

Chapitre 5

1929...

Depuis l'incendie de janvier 28, il s'était improvisé des petits commerces dans plusieurs rangs de Saint-Gédéon pour répondre aux nécessités courantes des cultivateurs. Et les Boutin, malgré la modernité de leur nouveau magasin, avaient tout le mal du monde à retrouver et reconquérir leur clientèle d'antan.

Éva et Arthur en discutaient tous les soirs sans jamais lancer la serviette ni jeter leurs espérances à ce poêle noir qui les écoutait sagement et tâchait de leur réchauffer le coeur une fois de plus en cette veillée d'avril.

–Tout ce qui peut nous arriver, c'est que les choses aillent mieux, redit-elle pour la centième fois.

L'argument était de taille, qui faisait appel au temps pour tout arranger. Il y avait cette dette menaçante au-dessus de leur tête, mais on était en pleine période de prospérité générale commencée après la guerre de 18 et qui avait généré les années folles au cours d'une décennie extravagante, ambitieuse, inventive et généreuse. Que pouvait-il arriver de pire qu'un incendie, une couverture insuffisante en assurances et la fraude légale des assureurs, et une concurrence émiettée dans tout Saint-Gédéon. Dans toutes les paroisses du Québec, c'était le triomphe du magasin général; suffirait du temps requis pour remonter à la surface et on aurait l'oxygène nécessaire pour se relancer vers la prospérité.

Voilà ce qu'on se répétait pour la nième fois entre époux. À Éva, Arthur répondit, le ton rassurant :

–Le pire est en arrière. Le meilleur est à venir.

Quelque chose en elle doutait de ces idées optimistes. Et cela tenait à son état de santé. La tension constante des dernières années avait provoqué des ulcères dans son estomac. Les épreuves de la dernière année avaient considérablement aggravé son état à ce chapitre. Il lui fallait souvent boire de l'eau et du soda pour digérer. Le remède ne fonctionnait pas à tous les coups. Arthur s'en inquiétait. Elle le rassurait. Minimisait la chose. *"Ce n'est rien, ça va passer."*

En contrepartie de ces malheurs, il y avait pour grande consolation les enfants. Tous bien portants, bien vivants et qui ne cessaient d'apporter à leurs parents des bulletins scolaires de premier ordre. Ti-Lou, 16 ans; Lucienne, 14 ans; Aline, 8 ans; Marielle, 5 ans; Raymond, 2 ans : telle était la famille en ce printemps 1929. Si l'on ne pensait plus à Cécile morte en bas âge, le souvenir de Guy demeurait vivace. Son triste départ avait prélevé un tribut sur la santé de sa mère. À ce chapitre, les choses risquaient d'aller de mal en pis malgré les dires d'Éva et les voeux d'Arthur.

Les choses allèrent de mal en pis et en été, la jeune femme de quarante ans dut être hospitalisée.

"Elle dut se faire opérer à Québec. À l'hôpital Sainte-Anne (maintenant le centre hospitalier Courchênes), le docteur Paul-Arthur Poliquin lui enleva les trois quarts de l'estomac et lui détourna le conduit de cet organe vital. Après l'opération, le chirurgien laissa entendre à la famille qu'il avait ainsi prolongé la vie de sa patiente de dix ans."

Un clocher dans la forêt, page 48

Alice et Stanislas avaient fait construire leur demeure voilà quelques années sur les bords du lac Mégantic. Une belle et vaste résidence toute blanche. Ils eurent tôt fait d'inviter Éva à s'y rendre pour sa convalescence. Sa soeur l'accueillit donc chez elle et lui prodigua les soins postopératoires requis tout en lui permettant de se bien reposer avant de reprendre la cognée à Saint-Gédéon.

Et la guérison fut favorisée par la pensée que sa famille se trouvait là-bas entre bonnes mains soit celles, généreuses et vaillantes, de son autre soeur Bernadette.

Et chaque soir, Michaud relevait d'un cran le moral de sa belle-soeur en lui parlant de la prospérité grandissante qui ferait des années 30 la plus faste décennie de l'histoire de l'humanité. Qui n'aurait pas cru un personnage aussi renseigné, aussi réfléchi, aussi vrai que cet homme de bonne composition, de bonne compagnie, et de vision ?

Et il n'était pas le seul à prédire des lendemains qui chantent... L'optimisme dansait toujours le charleston aux quatre coins du monde dit civilisé, en tout cas développé, en cet automne 1929.

*

Pour des raisons n'ayant rien à voir avec l'économie nationale ou mondiale, Berthe avait le coeur rempli d'espoir et d'émoi quand elle fit son entrée au pensionnat Mont-Notre-Dame de Sherbrooke en ce radieux mois de septembre.

"Pour l'époque, cette institution avait la réputation d'être une des maisons d'éducation les plus modernes, non seulement de la province mais de tout le Canada. Le cours de Lettres-Sciences que l'université de Montréal y dispensait était l'équivalent de ceux donnés dans un High School anglais ou américain. Au terme d'une année d'études, Berthe obtiendrait un diplôme de Lettres-Sciences..."

Un clocher dans la forêt, page 87

Pour forger une belle et bonne personnalité, un élément est fondamental : l'amitié. Berthe, là-bas, en noua de solides, notamment avec Yvette Laporte et Émilienne Michaud. Quoi qu'il advienne, cette année scolaire de Berthe s'annonçait la meilleure de toute sa vie d'étudiante. Bien encadrée, docile et silencieuse, pieuse et respectueuse, elle obtiendrait vite une belle et bonne cote dans le coeur et l'esprit des religieuses de l'établissement.

*

Assis dans le bureau de poste, Honoré restait droit sur sa chaise, paumes superposées appuyées à sa canne. Les dépêches, plus noires les unes que les autres, se succédaient à la radio. Et ça ne s'arrêtait pas, cette débandade à la bourse de New York. On était jeudi, le 24 octobre, une date appelée à s'inscrire profondément dans la mémoire du siècle, aux côtés des 11 novembre 1918 et 1 septembre 1939.

Pampalon entra dans le magasin en sifflotant. Il ne savait rien de ce que son père savait par la radio depuis quelques heures. Lui avait promené sa boulange fraîche par deux ou trois rangs de la paroisse et la randonnée avait été fructueuse. Les ménagères achetaient davantage à l'arrivée de la fin de semaine et son gousset débordait. Chaque fois que sa récolte alourdissait son pantalon, elle allégeait son coeur. Son rêve de posséder assez d'argent pour acheter l'hôtel voisin avait encore du chemin à faire, mais il se rapprochait chaque jour un peu plus de sa réalisation.

—Sacréyé ! t'as l'air d'un homme heureux ! s'exclama Alfred en l'apercevant.

—Fait beau soleil. Les chemins sont bons. La vie a de l'allure. Manque rien que l'eau de Sainte-Anne !

Et les deux hommes s'esclaffèrent au souvenir de leurs mémorables randonnées du dimanche après-midi en la compagnie de *Chasseur* et/ou de leurs jeunes soeurs pour jouir du grand air et du contenu d'un petit flacon d'un liquide qui

n'avait reçu pour seule bénédiction que celle de son distilla-
teur.

Et pourtant leur père n'avait jamais trinqué, pas même
aux célébrations tous azimuts auxquelles il assistait à titre de
maire, préfet de comté ou simplement de marchand général.
Mais l'alcoolisme ne guettait ni Pampalon ni Alfred qui, rarement dans leur vie, avaient bu plus que de raison. Et si les
gènes de la dive bouteille se transmettaient d'une génération
à l'autre, en sautant une ou plusieurs parfois, eux n'en
avaient pas hérité en naissant et les avaient peut-être laissés
pour les suivants à être conçus par leurs parents; et alors,
c'est ce pauvre Armand qui les avait tous reçus en legs sans
les avoir au grand jamais demandés.

—Le père est-il debout aujourd'hui ?

—Oui. Il écoute le poste de radio dans l'office.

—Il 'canne' pas trop aujourd'hui ? ('canner' était un verbe utilisé
par Émélie pour désigner le bruit énervant et obsédant que son mari faisait à
longueur de jour avec sa canne sur le bois dur du plancher du magasin, du
second étage, de la cuisine et même des hangars et des trottoirs)

—Non

—Je vas aller le voir un peu.

—Sais pas ce qu'il écoute... mais il bouge pas d'une ligne
jamais. Figé sur sa chaise... Vissé sur sa chaise : ça serait
mieux dire.

—Dans ce cas-là, je vas sortir mon tournevis...

Freddé en remit :

—Ou ben prends un arrache-clous.

Leurs éclats de rire se mélangèrent et Pampalon poursuivit son chemin vers le bureau de poste où il fut bientôt près
de la planche à bascule qui barrait le passage.

Ce jour-là comme de plus en plus souvent, Émélie gardait le lit à toutes fins pratiques. Ses pertes de sang l'affai-
blissaient considérablement. Elle ne se plaignait que par son

absence et son alitement, et jamais verbalement. Bernadette achevait sa mission à Saint-Gédéon où Éva, remise sur pied grâce aux bons soins d'Alice à Mégantic, reprendrait bientôt sa place à la tête de la famille Boutin. Personne donc pour le service des femmes au comptoir d'en face. Mais en plein jeudi après-midi, les clientes se faisaient rarissimes. Survienne l'une d'entre elles, Armand qui s'y connaissait pas mal en fournitures courantes pour dames, serait appelé à la rescousse, lui qui n'intimidait presque pas la gent féminine, au contraire d'Honoré, Alfred ou Pampalon.

–Mon Dieu, le père, vous avez d'l'air jonglard : c'est l'radio qui vous rend de même après-midi ?

Honoré tourna lentement la tête vers son fils et la pencha avec une moue en biais de son visage exsangue :

–Ça va ben mal aux États... ben mal... La bourse de New York est en train de craquer.

Pampalon haussa les épaules :

–Bah ! ça va durer une journée, pis ça va relever.

–Ça s'annonce pas de même pantoute ! Ils parlent de krach...

–Comment ? De quoi ?

–Krach... ils épellent ça k-r-a-c-h... Ça voudrait dire effondrement complet, total de la valeur des actions avec pour conséquence des faillites à la chaîne dans tout le pays. Et des fermetures d'usines. Effet domino. Une compagnie qui fait banqueroute provoque la banqueroute de trois autres et ainsi de suite. Le pire, c'est que ça peut pas rester à l'intérieur des frontières américaines. Répercussions au Canada, en Angleterre, en Europe et ailleurs dans le monde. Ça pourrait être un ralentissement énorme de l'économie. Une grande dépression.

La lente élocution d'Honoré conférait à son discours une teinte encore plus dramatique que les mots employés pour décrire l'événement boursier.

–Voyons, le père, vous pensez pas que vous voyez noir... C'est peut-être...

–Ma maladie qui fait ça ? Non, mon Pampalon. Ça regarde mal en maudit.

–Le monde, ça va continuer à manger.

–Mais moins ! Par ici, les cultivateurs vont se contenter de leurs produits. Baisse des ventes au magasin. Baisse des ventes de pain de boulange. Les clients vont faire marquer au magasin; ils pourront pas payer faute d'argent.

–Ma foi du bon Dieu que je vous trouve noir !

–Tu sais comment ils appellent la journée à la bourse ? Le jeudi noir. Pis c'est pas fini. Demain, ça va s'étendre comme la grippe espagnole. Ou pire, la peste noire.

–Oui, mais le gouvernement va faire quelque chose. Le président américain a-t-il fait une déclaration, lui ?

–Herbert Hoover est un président républicain. Comme son parti, il croit pas pantoute en l'intervention du pouvoir fédéral. Il aurait dit comme toi au plus fort de la débandade des débentures aujourd'hui que l'économie souffre d'une grippe et que la prospérité se trouve 'au coin de la rue'.

–Au moins un qui voit clair...

Et malgré le pessimisme de son père, Pampalon retourna chez lui. Il ressassait son rêve quand il passa devant l'hôtel Central.

*

Dans les quelques semaines qui suivirent, la petite grippe de l'économie se transforma en pandémie mondiale. Tous les pays capitalistes en furent affectés. Et ce n'était que le commencement. Le président Hoover se contenta de recommander à ses concitoyens la bonne volonté. Puis son gouvernement soutint l'aide bancaire aux entreprises en difficulté, des prêts aux fermiers et surtout, il fit appel à la charité privée. Du côté des démocrates, outre-frontière, un homme politique en chaise roulante s'affirmait de plus en plus, qui avait pour nom Franklin D. Roosevelt.

La crise ne tarda pas à entrer aussi dans la province de Québec et dans la Beauce. Des entreprises fermèrent leurs portes faute de débouchés aux États-Unis. Les gages chutèrent. Et le chiffre d'affaires des deux magasins du village s'engagea dans une descente vertigineuse. Autosuffisance, tel était le leitmotiv dans la bouche des cultivateurs. On mangerait ce qu'on produisait. On s'habillerait de ce qu'on cultiverait. On réparerait soi-même les outils détériorés, brisés, usés. Certes, il resterait du travail pour les forgerons de village, mais le plus possible, on paierait en denrées : beurre, sucre d'érable, sirop, oeufs...

Les gens frappés le plus durement étaient ceux de petits métiers comme par exemple celui de boulanger. La 'ronne' de pain de Pampalon devint déficitaire : il lui en coûtait plus d'essence pour parcourir les rangs que les profits générés par sa boulange. Il dut abandonner à son grand regret. Mais par-dessus tout, son grand rêve d'acheter l'hôtel Central, il dut l'inscrire aux calendes grecques...

Le seul métier qui, non seulement ne dépérit pas en cette période, mais récolta encore bien mieux en fut un que malheureusement pour les gens honnêtes, la loi interdisait : le bootlegging. Ça rapportait beaucoup en raison justement de son illégalité et des dangers encourus par les trafiquants.

La loi de la prohibition était en force depuis 1919 aux États et la dépression, loin d'éloigner les Américains de l'alcool, leur asséchait encore davantage le gosier. Ils étaient nombreux dans les paroisses proches de la frontière comme Saint-Georges, Saint-Côme, Saint-Ludger, Saint-Honoré-de-Shenley à la traverser via les lacs d'Armstrong, Saint-Théophile ou Woburn avec une cargaison de whisky.

Pampalon fut tenté, très tenté par les profits rapides mais dangereux que la contrebande d'alcool aurait pu lui rapporter afin de le rapprocher de son rêve que cette crise économique assommait et retenait dans l'inconscience.

Il en parla à son épouse Ida qui s'opposa farouchement, le feu à la bouche, allant jusqu'à la menace de le dénoncer s'il devait emprunter une voie aussi risquée. Elle stigmatisa le pessimisme de tous ceux qui parlaient d'une longue dépression à venir, et le jeune homme dut se résigner en se plaignant, certains jours plus sombres que les autres, d'être né pour 'un petit pain'.

***

Pampalon Grégoire

Chapitre 6

1929-1930

Et que d'affreuses conséquences aurait cette crise aussi soudaine qu'indésirable sur les affaires d'Arthur Boutin à Saint-Gédéon ! Espoirs détruits. Spectre de la faillite se dessinant au-dessus de leur tête... Désespoir et chagrin profond d'Éva, elle dont la santé précaire commençait juste à se rétablir. Abattement moral d'Arthur qui s'enferma trop souvent dans la jonglerie.

C'est en de tels états d'âme que les époux durent servir leur maigre clientèle en ces derniers mois de l'année 1929, et afficher quand même, par obligation, un sourire factice aux allures de mensonge comme chez tous ceux qui, par ce temps de grande noirceur, parvenaient à sourire encore.

Le courage grandit dans le malheur. Les époux heurtés par le sort songèrent à l'avenir de leurs enfants. Et résolurent de s'accrocher à leur barque tant qu'elle tiendrait l'eau et quelle que soit la colère de la vague s'y attaquant.

Si le danger de naufrage devenait imminent, peut-être pourrait-on penser à se tourner vers Honoré pour venir à la rescousse ? Lui et Émélie, établis depuis l'ancien siècle, avaient prospéré et on les savait sans dettes. Et puis, jamais ils n'avaient laissé tomber un de leurs enfants... Même que Michaud, l'ennemi détesté de la première heure, avait bénéficié de la grâce et du soutien du couple à la construction de sa maison au bord du lac Mégantic.

Mais il y avait de nombreux périls en la demeure des Grégoire en cette fin de 1929. Le pire annoncé par Honoré se produisait. La clientèle se faisait de plus en plus rare voire rarissime. Chacun achetait à crédit. Les entrées d'espèces sonnantes et trébuchantes avaient été réduites au quart, au cinquième... À ce compte-là, on risquait d'engloutir les économies d'argent en moins de trois ans. Quant à vendre les nombreuses terres que possédait Honoré, à qui donc en pareille époque de misérérés ? Peu de gens avaient les sous requis pour en payer le prix. Et les rares que la crise épargnait en étaient venus à craindre les mouches. En fait, comme le criait en vain F.D.R. aux États-Unis : *la seule peur qu'on aurait dû avoir, c'était celle de la peur elle-même.*

La fatigue et la maladie rendaient Émélie impatiente voire coléreuse. Elle ne se rendait plus à son bureau-salon qu'une fois par semaine et demandait alors à Freddé qu'il chauffe la fournaise à l'extrême pour que sa chaleur parvienne à mi-étage, dans la pièce dont il lui fallait laisser la porte ouverte. Mais alors, autre inconvénient, le bruit que faisait sans arrêt Honoré avec sa 'maudite' canne grimpait les marches, entrait chez elle et lui grignotait les nerfs plus que ne l'aurait fait un incessant tic tac annonçant une catastrophe imminente.

Depuis un an, depuis sa thrombose, pour ne pas ankyloser, Honoré marchait encore et encore. Et comme en saison hivernale, il était risqué de le faire dehors en raison de la glace, du froid et de la neige, il le faisait donc le plus souvent à l'intérieur du magasin. On aura beau aimer l'autre comme on voudra, ses tics finissent par agresser, surtout si on est soi-même affaibli par la maladie. Pire encore, la femme était aux abois depuis le krach d'octobre. Elle dont une bonne partie de l'existence avait été de s'occuper des affaires de leur entreprise craignait le désastre si la crise devait durer trop longtemps. Or, on ne pouvait voir aucune lueur d'espoir dans les journaux, chaque matin qu'on les lisait du début à la fin. Tout allait mal partout dans le monde. En Angleterre, en Allemagne, en France, au Canada, en Italie, au Moyen-Orient; et le capitalisme souffrait partout, et pas seulement d'une simple grippe comme l'avait dit Hoover, mais d'une tuberculose grave sinon d'un cancer létal.

Il eût mieux valu que les Grégoire cessent de se tenir au courant de la situation dans le monde comme ils le faisaient depuis toujours. Leur moral s'en serait trouvé meilleur. Mais peut-être pas dans le cas d'Émélie à cause de son état de santé. Et c'est pour en parler à quelqu'un qu'elle avait pris place à son bureau ce jour-là. En fait, pour l'écrire à sa cousine Cédulie Leblond qui peut-être saurait faire quelque chose et la requinquer. Car en recours ultime, c'est toujours aux soeurs Leblond de son enfance qu'elle s'adressait, soit l'une soit l'autre. Cette fois, elle choisit Cédulie...

"*Chère cousine/soeur,*

Je me réjouis des bonnes nouvelles que tu m'as fait connaître dans ta dernière lettre. Hélas, il n'en est pas ainsi de moi ! Je sens que mon règne se terminera bientôt, trop vite, comme si une part de ma vie était déjà sous terre.

Mes pertes de sang ont augmenté en quantité et en fréquence. J'en ai parlé au docteur Goulet qui m'a prescrit des choses qui ne fonctionnent pas. Peut-être aurais-tu à me conseiller un docteur de Québec qui se spécialise dans ces troubles de femme ? La réputation de ces médecins d'ordinaire s'étend et aurait pu t'atteindre par la voix de patientes l'ayant consulté. Le sachant, je serais prête à faire le voyage par train comme de coutume.

La crise est un terrible malheur. Je crains pour notre commerce. Celui d'Éva et Arthur est en plus grand péril encore. Pour Alice, Bernadette et Berthe, tout va bien. Armand a l'air heureux, mais avec lui, on ne sait jamais. Henri fait le mort loin aux États. Et Alfred continue d'être un modèle de vaillance, de fidélité à ses engagements, de ténacité, d'efficacité à l'ouvrage, de bonne humeur mais souvent aussi de tristesse. Je ne suis pas sûre qu'il soit très heureux avec Amanda, mais il ne s'en plaindra jamais.

Et Pampalon a le caquet bas depuis le début de la crise. Lui qui blaguait à coeur de jour se fait sombre. Il a dû s'éloigner de son grand rêve et ça l'affaiblit moralement. Il reste optimiste, joyeux parfois, mais jonglard souvent. Le petit Luc est notre rayon de soleil. Il vient souvent nous voir. Il ne joue plus comme naguère avec son grand-père, mais nous raconte des histoires d'enfant de son âge (7 ans) et on ne peut s'empêcher de rire de l'entendre rire. Tout comme son grand-père dans les débuts du magasin, le temps de la maison rouge. Quel bon temps si vite passé ! Je n'oublierai jamais quand le timide curé Quézel, n'en pouvant plus de souffrir malgré ses prières, était venu ordonner à Honoré de lui arracher une dent... Pourquoi les plus belles choses ne durent-elles que le temps d'un sourire et juste assez pour se faire regretter toute la vie ? Ta soeur Alice, comme les curés, me répondrait là-dessus en parlant de la sagesse divine... J'allais écrire 'cruelle sagesse', mais ce serait blasphémer...

Bon ! Je vois venir le temps des Fêtes avec appréhension. Ce sera un Noël bien triste sous cet immense nuage de pauvreté qui recouvre le monde. Ce sera un jour de l'An bien inutile s'il doit ouvrir une année 1930 appelée à répandre **la misère noire** *dans tous les foyers de la terre. Où donc le monde s'en va-t-il, Cédulie ? La famine sera-t-elle notre lot à tous, dans deux ou trois ans ? Ou bien un miracle comme celui de Fatima ou cet autre qui mit fin à la grippe espagnole mettra-t-il subitement un heureux point final à ce* *désordre universel ?*

Heureusement, il reste l'amitié. La nôtre, vieille de 50 ans et plus n'a pas vieilli et j'en suis bien contente. J'attends de tes nouvelles. Honoré a recommencé à 'canner' en bas et moi, je ressens le froid dans mon bureau. Je vais donc regagner ma chambre pour m'y réchauffer et ne plus entendre le tic tac infernal de la canne qui me rappelle trop celui de la 'Patte-Sèche', l'oiseau de mauvais augure. Longtemps qu'on l'a pas vu dans les parages, celui-là, et c'est tant mieux.

Prends bon soin de toi, chère Cédulie. J'essaie de faire pareil, mais ça ne me réussit pas beaucoup.

À bientôt !

Émélie, plus que ta cousine, une soeur et une amie de toujours..."

Coucher ses bobos sur papier y met un baume. Émélie se sentit un peu mieux pour quelque temps malgré les pertes sanguines qui n'empirèrent ni ne diminuèrent. Bernadette la remplaçait avec avantage au comptoir des dames. Armand secondait efficacement Alfred à l'autre comptoir et aux hangars bien que souvent, il lui arrivât d'être affligé d'une toux persistante qu'il disait combattre avec des ponces de gin au miel chaud.

La vie continuait d'évoluer dans la grande paroisse agricole malgré ce désastre économique frappant le monde. Les cultivateurs se suffisaient à eux-mêmes. En remplacement du vieux Théophile Dubé à la mairie, le jeune Alphonse Champagne fut nommé. Et Amédée Racine succéda à Jean Jobin comme secrétaire-trésorier.

Depuis trois ans déjà, la jeune et très jolie Marie-Anna Nadeau, 18 ans, touchait l'orgue suite à madame Boulanger qui avait pris une retraite que tous disaient bien méritée. Et cet hiver-là, Gaby Champagne organisa une chorale mixte qu'elle dirigerait ensuite. La jeune femme serait maître de chapelle durant le prochain quart de siècle au moins...

Changement aussi au presbytère. Changement prévu, iné-vitable : l'abbé Moreau fut remplacé comme vicaire par l'abbé Allen. S'il avait pu, le curé Proulx aurait 'essayé' un nouvel adjoint tous les six mois. Mais il y avait surtout que les vicaires ne pouvaient pas sentir leur supérieur dont la mauvaise hygiène et la pipe crottée empuantissaient le pres-bytère à la grandeur. Sans compter qu'il leur empoisonnait la vie par toutes sortes d'exigences tatillonnes.

La crise eut un effet direct et certain sur la vie de la pa-roisse en la privant de son notaire. En effet, Me Omer Côté abandonna son étude pour aller vivre ailleurs, les transac-tions étant devenues trop rares en un temps morose où plus rien ne se vendait, plus rien ne s'achetait. Il choisit de s'ins-taller dans une agglomération plus importante où ses chances de survie et celles de sa famille seraient meilleures.

Et voici que devant le magasin général, le coeur du vil-lage faisait penser à un cimetière depuis l'hôtel et trois mai-sons plus loin. Vide celle du notaire. Vide la suivante, ancien presbytère et vide la maison Racine. Le central téléphonique avait été déménagé et la veuve avait quitté les lieux en espé-rant qu'un preneur s'annonce pour acheter sa propriété.

Il arrivait le soir à Émélie, après la fermeture du maga-sin, de se rendre dans le noir devant la porte avant pour s'y asseoir et se souvenir. Alfred le savait qui avant son départ approchait une chaise brune à bras pour que sa mère puisse tâcher de se détendre si cela était seulement possible. Le coeur n'était plus ni à l'avenir ni même au présent, mais tout entier au passé.

Cette femme si grande, si belle et digne, avait vieilli pré-cocement par trop de travail, de deuils, de grossesses et en était venue à présenter des allures de matrone avec ses 230 livres, mais voici que la veille, elle était montée sur la ba-lance et que celle-ci n'avait pas dépassé les 200 livres. À l'évidence, elle maigrissait chaque semaine. Il fallait bien puisqu'elle mangeait de moins en moins et manquait de plus en plus d'appétit. Et puis ce sang qui s'écoulait d'elle ponctionnait dans ses réserves adipeuses. Malgré les conseils de sa cousine Cédulie qui lui recommandait un médecin de Québec, elle remit son voyage de jour en jour, de semaine en semaine, se disant que, de toute façon, on a bien peu de pouvoir sur le destin, pas plus qu'on en a sur le cours d'un grand fleuve... Malgré tout, elle priait discrètement.

Une phrase bien connue, écrite par Cédulie en gros et en noir, et bien soulignée, la décida tout de même à se rendre à Québec un jour de ce printemps 1930, et c'était : "*Aide-toi et le ciel t'aidera* !"

La veille au soir, Émélie marcha péniblement dans le clair-obscur du magasin jusqu'à la chaise mise devant les portes centrales par Alfred à la fermeture. Et elle s'assit pour s'entretenir avec les fantômes du passé. Elle les appela de tout son coeur. Ils répondirent sans tenir compte de l'époque de leur vivant ni de l'intensité de l'appel reçu. Ils sortaient simplement un à un du vaste territoire des âges pour venir échanger avec elle des souvenirs impérissables puis s'évanouir dans la brume de la nuit et laisser leur place au suivant. Cela rappelait à Émélie les mémorables audiences qu'elle avait données déjà à tous ses enfants, l'un après l'autre, en la période des Fêtes, tout particulièrement en 1918 alors que tous étaient à reprendre leur souffle après la terrible pandémie de grippe espagnole.

Ce fut tout d'abord sa tante Émilie voilà près de soixante ans au corps de grand-mère Allaire. Elle parut devant la maison Racine, sourit, gravit légèrement les marches du perron, entra et prit sa nièce par la main de l'esprit pour la conduire à l'instant même à Saint-Henri, en 1872...

(Extrait de *La forêt verte*, chap. 21)

–Je te dis bonne fête, Mélie. Ton père m'a dit que tu irais à l'école cette année ?

L'enfant sourit et fit un signe de tête affirmatif.

*–Ça sera pas long que tu vas savoir écrire ton nom...
comme le mien.*

*Cette belle jeune femme au sourire à fossettes était la
tante de la fillette et portait le même prénom d'Émilie suivant le registre paroissial, mais à cause de ce diminutif
Mélie et à cause de son père qui avait toujours déformé son
prénom, la petite fille se désignait elle-même et le ferait plus
tard à l'école et toute sa vie sous le prénom d'Émélie.*

–T'as-tu de la peine que ta grand-maman soye morte ?

–Ben oui, voyons ! fit Émélie en penchant la tête.

*–Mais, tu sais... elle était malade beaucoup... pis quand
on est beaucoup malade, on est mieux de s'en aller avec le
bon Dieu.*

*L'enfant eut les yeux ras d'eau. Elle ne pensait pas à sa
grand-mère et plutôt à sa mère alitée. S'il fallait qu'elle
meure, que ferait-elle sans elle ? Il y avait une famille dont
la maman était décédée dans le troisième rang et on les appelait les pauvres orphelins, ces enfants délaissés. Elle
aimait tant sa mère et ressentait un tel chagrin de la voir si
faible, si cernée, si lointaine aussi.*

*–Je vois que tu as de la peine, mais grand-maman est au
ciel pis elle te bénit, tu sais.*

*Émélie fit un signe de tête et se laissa retomber vers l'ar-
rière, le dos à sa chaise, sa grand-mère hors de sa vue. Sa
tante reprit :*

–Je te dis bonne fête pis j'ai un petit cadeau pour toé...

*Elle trouva dans sa sacoche une petite croix de bois qui
lui avait été donnée par sa mère un jour et qu'elle dit à
l'enfant de garder toujours.*

*–Quand le malheur va passer, elle va te consoler. Et puis
par elle, il va t'arriver du bonheur, tu vas voir. Quand t'en
auras envie, tu la prendras, tu la regarderas pis tu diras un*

Avé Maria. Là, la bonne Sainte Vierge va venir dans ton âme pour l'inonder de lumière et dans ton coeur pour le noyer de chaleur. Pis là, tu vas te sentir ben mieux. Tiens, prends.

Émélie ouvrit sa main droite et recueillit l'objet précieux qu'elle enveloppa de ses doigts :

—R'ci ma tante !

—Là, je retourne avec les autres.

Émélie ferma les yeux et garda longtemps sa petite croix dans le creux de sa main. Elle se demanda où elle pourrait la mettre pour ne pas la perdre et ne trouvait pas de réponse. Mais sa maman saurait, elle qui savait tout... Dès son retour à la maison, elle irait la voir dans sa chambre.

—On dirait qu'elle dort, souffla une voix de femme au-dessus de la fillette que la chaleur rendait somnolente et que sa réflexion gardait en elle-même.

—C'est la chaleur du poêle, commenta une voix masculine. C'est pas une petite paresseuse, je vous dis, moé. Ça travaille tout le temps... comme sa mère quand elle est dans sa bonne santé.

Émélie ouvrit les yeux. Elle aperçut un couple formé de son père et d'une dame du voisinage de chez elle, une personne qui lui était très familière, madame Leblond.

—Bonjour Émélie ! Ton père vient de me dire que c'est ta fête aujourd'hui... ben bonne fête. Quel âge que t'as donc là?

—C'était hier... Six ans.

—Six ans ? Mais c'est une grande fille déjà !

L'enfant sourit un peu.

—Pis une ben belle grande fille à part de ça !...

Le visage d'Émélie respirait la santé. Ses yeux bruns légèrement bridés, vaguement tristes, disaient la détermination, la force de caractère. Il y avait dans chaque partie de sa figure une finesse de traits, une joliesse des courbes se mélangeant avec des lignes solides pour former un ensemble

d'une beauté pure à la grecque. Les regards sur elle s'arrê-
taient un peu plus que sur les autres enfants en raison de
cette mystérieuse harmonie dégagée par ses attributs :
oreilles délicates, bien ciselées, attentives; menton fin sous
des lèvres belles et chaudes qu'accentuaient les plis de l'es-
pièglerie aux ailes du nez. Ses pommettes saillaient pour
marquer la vigueur et l'énergie tandis que son regard expri-
mait autant la douleur que la puissance docile. Et pour en-
cercler cette grâce enfantine que le temps aurait beau trans-
former, et ne saurait qu'agrandir, anoblir, une couronne de
cheveux foncés et très denses dessinée par une capeline en
laine emprisonnant la coiffure entortillée à l'arrière de la
tête.

Et des doigts démesurément longs pour une fillette de cet
âge promettaient un labeur incessant que seule la mort pour-
rait arrêter alors que son dernier souffle emporterait avec
son âme un sens du devoir appelé à baigner sa vie entière...

"C'est ici que je m'en retourne," souffla tante Émilie à l'oreille de sa nièce Émélie. "Par mon esprit, tu as pu voir ou revoir celle que tu étais à six ans : si belle et si triste ! Quand tu seras avec nous tous, c'est la grande joie céleste que tu connaîtras et plus jamais la tristesse. Le deuil ne t'atteindra plus, la maladie n'existera pas... Je t'envoie Marie... qui a tant souffert de son vivant et... qui est si heureuse depuis son grand départ en 87, veux-tu la voir, Émélie ?"

"Qu'elle vienne, je l'attends !..."

Tante Émilie se glissa à travers les vitres et son doux spectre disparut dans la noirceur tandis que se précisait l'être éthéré de Marie au sourire grand comme le monde. Elle surgit de la vieille maison désertée voisine de deux autres tout aussi vides et traversa la rue, à peine éclairée par une petite lumière jaunâtre fichée dans le milieu d'un abat-jour aux allures d'éventail.

"Marie ! Marie ! Marie !"

Le prénom redit trois fois exprimait l'incommensurable joie intérieure ressentie par Émélie, et qui effaçait toute forme de douleur sourde venue de son utérus.

"Je suis venue te faire voir ce que j'ai vu ici, en 1880, le jour de notre arrivée, alors que tu clouais l'enseigne du magasin général avec l'aide de papa... C'était hier, hein ! Pour moi, le passé n'existe pas, tout est présent... Vois, chère grande soeur bien-aimée, regarde bien..."

Si l'ancien presbytère resta le même dans la vision créée par Marie, à la place de la maison Racine reparut l'ancienne chapelle qui avait fait office d'église pendant tant d'années, là même où Émélie et Honoré s'étaient épousés le 8 septembre 1885. L'attelage des Allaire s'arrêta, venu de Saint-Henri par ce si beau jour de 1880, cinquante ans auparavant...

(Extrait de *La forêt verte*, chap. 31)

"Si Émélie avait vu par le souvenir ses chers disparus avant le grand départ, la veille au matin, voici que Marie allait elle aussi les voir, mais par une sorte d'étrange vision. Seule devant la chapelle à la porte grande ouverte, elle aperçut dans l'embrasure un lumignon dans le temple, au loin à l'intérieur, indiquant la présence à l'autel des saintes espèces. Et pourtant, ce n'est pas Dieu qui vint l'accueillir sur le pas de la porte, mais bien sa mère Pétronille et sa petite soeur Georgina, qui toutes deux, se tenaient la main en souriant. La jeune Marie n'avait pas encore cinq ans à la disparition de sa mère et un peu plus de cinq à celle de la pauvre Georgina qu'elle avait vu se faire ébouillanter puis mourir. Elle n'avait gardé en tête que fort peu d'images d'elles et cette scène qu'elle pouvait voir en ce moment lui paraissait nouvelle, sans âge, sans passé et peut-être même empruntée à l'avenir.

Elle se signa, joignit les mains et pria sans baisser la tête, éblouie par cette radieuse sérénité qui émanait de ces êtres éthérés semblant avoir pour image celle de leur âme aux contours et aux traits se rapprochant de ceux de leur corps. Alors la voix lointaine et profonde de Pétronille paraissant venir du fond de l'intérieur sombre déclara avec une douceur infinie :

"Nous viendrons te chercher, Marie, nous viendrons pour t'emmener avec nous et tu trouveras la paix et le bonheur. Il ne se passera pas sept ans avant notre retour. C'est pour très bientôt. Tu n'auras pas peur. Mais tu auras mal... comme moi, comme Georgina... et puis tu seras libre pour toujours, avec nous deux et aussi ton frère Joseph-Édouard et ta petite soeur Henriette. La forêt verte ne saurait te protéger, mais elle ne saurait te retenir non plus. Nous t'attendrons au paradis, Marie. Plus tard, bien plus tard, ton père viendra aussi puis, longtemps après, ce sera le tour d'Émélie et de Joseph. Et un jour, nous serons tous ensemble. Mais toi, tu seras la première à nous rejoindre, la première, la première..."

Les âmes des disparues s'évanouirent, laissant une paix profonde dans le coeur de Marie. Le dernier mot se répéta en écho et fut remplacé par le bruit d'un marteau. Et un autre bruit attira son attention : celui d'une porte qui s'ouvre. Elle tourna un peu la tête et vit sortir de la maison presbytérale voisine un homme en noir qu'elle sut aussitôt être le curé. Il pressa le pas, franchit la rue et fut rapidement tout près de la jeune fille, devant la maison des Allaire, derrière Émélie et son père qui achevaient de poser une affiche sur laquelle étaient écrits en grandes lettres noires les mots magnifiques :

MAGASIN GÉNÉRAL

Il semblait à Émélie sentir le léger parfum du savon de Castille que sa jeune soeur utilisait en abondance, surtout après qu'on ait fabriqué une cuve-bain dans le tout premier hangar attenant à la bâtisse principale, ce magasin nouveau que l'on n'appelait pas encore la maison rouge puisque son revêtement extérieur n'était encore que gris.

"Asteur, on va se rappeler le jour où tu as compris que tu aimais Honoré... disons le jour où tu l'as enfin admis... Je m'étais cassé la jambe..."

"J'me suis toujours demandé si tu l'avais pas fait exprès pour nous réunir, Honoré et moi... Il m'en fallait beaucoup pour me décider à agir, tu sais... Je gardais les bras croisés ben dur..."

"Donne-moi la main, Émélie, on va voir ce qui s'est passé ce jour-là..."

(Extrait de *La forêt verte*, chap. 45)

Le jour suivant, Émélie se rendit dans le hangar par la porte de cuisine qu'elle laissa entrouverte. Il lui fallait sonder plus profondément le coeur de ce jeune homme que son père tenait en plus haute estime que jamais en raison du soin qu'il avait pris de Marie la veille.

–Bonjour !

–Bonjour, mademoiselle Émélie.

–Vous savez que Marie va mieux.

–Les os, quand ils sont retenus en place par des attelles, ne font plus mal. Il y a des béquilles chez mon frère; je vais les ajuster à la grandeur de Marie pour quand elle pourra se lever du lit.

–On pourrait en acheter... c'est un produit qu'un magasin devrait tenir en inventaire.

–Suis d'accord avec ça.

–Marie est une personne si bonne... sans malice... ben meilleure que moi...

Émélie le pensait, mais les mots étaient choisis également dans un autre but : savoir ce que ressentait Honoré envers sa soeur.

–Je dirai... bonne... et combien bonne ! Sans malice, ça,

c'est vrai. Et... différente de vous. Il n'y en a pas une qui est meilleure. Chacune est elle-même avec ses grandes qualités pis... ses petits défauts...

Honoré continuait de travailler, le dos tourné à sa visiteuse. Elle le poussa plus loin dans le coin avec sa phrase suivante :

–Ça vous a touché fort au coeur, hein, ce qui est arrivé hier à la pauvre Marie ?

Le jeune homme comprit qu'Émélie cherchait à fouiner dans son coeur. Il comprit aussi que sa chance était enfin venue. Et il ne la rata pas. Il se redressa, se retourna. Elle avait osé s'approcher très près. À croire que le ciel s'en mêlait pour les réunir enfin. Avec la même délicatesse et la même force qu'il avait utilisées pour emporter Marie dans son lit la veille, il s'empara de la personne d'Émélie qu'il retint par la taille sans l'étreindre :

–J'aime beaucoup Marie, tu sais, Émélie.

–Je le savais, dit-elle, le regard rapetissé.

Elle pouvait voir ses yeux briller, sentir son odeur de propreté, d'autant que la journée était encore jeune et que la chaleur attendrait une heure ou deux pour se montrer.

–Je l'aime... comme ma petite soeur... pis toè, Émélie, je t'aime comme une femme...

–J... je... mais...

Il ne lui laissa pas le temps du dernier mot et l'embrassa droit sur la bouche. Un baiser qui dépassait de loin les limites d'un souhait du jour de l'An... Un baiser qui ne laissait aucun doute sur son coeur. Émélie avait voulu savoir, pensat-il, maintenant elle savait. Et s'il devait perdre sa place, tant pis ! Il irait travailler chez son frère à Scott, tiens...

Aussi résolument qu'il s'était emparé d'elle, aussi résolument la laissa-t-il pantoise, quittant le hangar sans rien ajouter...

*Marie qui avait tout entendu par les portes ouvertes sou-
rit dans son lit. Et remercia le ciel. Et se dit qu'il valait la
peine de se casser une jambe pour souder deux coeurs.*

*(Les os de la jambe de Marie ne devaient pas se souder
correctement et jamais plus elle ne marcherait comme avant.
Même que sa claudication serait prononcée et gênante... Elle
offrirait à Dieu ses souffrances en lui demandant de les
ajouter à celles de Jésus en croix pour la rédemption des
péchés du monde. À commencer par les siens...)*

"Et tu sais ce qui m'est arrivé ce soir-là, dans ma chambre, sous un rayon de lune ? "

"Ici, on sait tout, on voit tout du passé, du présent, du
futur... Mais pas toi... allons te voir t'endormir ce soir-là... "

*Ce soir-là, dans son lit à l'étage, les yeux qui brillaient
sous les rayons de lune, Émélie songeait...*

*Au bout d'un long temps, elle eut le dernier mot contre
elle-même à déclarer tout haut en tutoyant :*

–Je pense que je t'aime, Honoré Grégoire...

"Je pars maintenant, Émélie. Je m'en retourne dans mon
univers..."

"Attends un peu... dis-moi quand je vais y être à mon
tour... quand, Marie, dis-moi ?"

"Bientôt, très bientôt. Et c'est pour ça que je suis venue
te visiter."

"Bientôt, c'est quand ?"

Marie baissa la tête, mit les mains sur son visage, comme
un être de chair. Sa soeur sut y lire un grand désarroi. Que
voulait-elle donc annoncer par là ? Sans doute une grande
souffrance. Émélie était-elle donc née pour ne faire que souffrir dans son corps et dans son coeur ?

"Quelqu'un d'autre vient qui va te faire grand plaisir. À

bientôt, Émélie, à bientôt... à bientôt..."

Et Marie disparut, s'évanouit dans l'image de la chapelle qu'elle emporta avec elle pour ne laisser derrière sa lumière pendant un moment que le noir délinéament de la maison Racine.

Le prochain visiteur se précisa dans une clarté floue qui entourait son entité. Elle reconnut bientôt Eugène qui s'approchait sans hâte, la tête sans doute remplie de poésie et le coeur à la tendresse. Il resta dehors mais sa mère ressentit sa présence tout auprès d'elle.

"Maman, suis venu vous dire comment je suis parti sans souffrir, emporté au paradis par les plus beaux sentiments de la création. Voulez-vous me voir mourir ?"

"Non, j'ai trop souffert quand tu es mort."

"Mais vous ne souffrirez pas et ma mort vous apparaîtra comme une grande amie."

"T'es parti depuis onze ans et je pense à toi tous les jours, Eugène."

"Je sais. Je vous entends penser à moi."

"Je t'écoute."

(Extrait *Les nuits blanches*, chap. 14)

Eugène appuya sa tête au mur et ferma les yeux. Il lui parut comme une autre fois ce jour-là que des gens approchaient puis entouraient la cabane en se tenant par la main. Pas plus que précédemment, il ne les reconnaissait. C'étaient des ombres qui tendaient leurs bras vers lui sans toutefois le menacer. Mais il avait crainte. Alors les ombres se rapprochèrent encore, traversèrent les trois murs et leur visage parut... Il y avait Mary Foley-Mercier, il y avait son fils Joseph Mercier, il y avait le garçonnet Paul Mercier, il y avait Odile Blanchet-Martin, il y avait une inconnue qu'il devina être Rose-Anna Pomerleau tant elle ressemblait à Éva, il y avait Édouard Lambert, Odias Bégin, Marie-Anne Carrier, Clotilde Poulin et tous les autres que la grippe espagnole avait emportés dans l'autre dimension. D'autres encore comme Charles Ferland, fils du sellier Archillas, mort à 23 ans. Comme la pauvre Flore Carrier, fille de Pierre, décédée à 14 ans.

"Qu'est-ce que vous voulez de moi ?"

"On a besoin de toi," dit Mary Foley qui parlait au nom des autres.

"Pourquoi ?"

"Pour entrer au paradis."

"Mais... je ne suis pas prêt..."

"Personne ne l'est jamais, Eugène."

"Je dois finir mes études."

"Tu sauras tout dans l'autre monde."

"Je dois épouser Alice Talbot : elle ne sera pas là."

"Elle y sera dans peu de temps."

"Combien de temps ?"

"Dans... 47 ans..."

"C'est énorme."

"Ici, ce n'est rien du tout, 47 ans..."

"Qui prendra soin d'elle ici-bas ?"

"Il y aura quelqu'un... Omer... Paradis."

"Mais... Alice, c'est avec moi qu'elle veut faire sa vie."

"Elle en fera un bout avec Omer... mais pas longtemps... il nous rejoindra rapidement, lui aussi... comme toi... Dans quinze ans, il sera avec nous..."

"Je ne veux pas partir."

"Si tu restes, tu continueras de te sentir coupable en ton for intérieur. Tu ne pourras pas gagner ta vie et te sentir heureux en même temps, et cela ta gardera dans la douleur..."

"La douleur fait grandir pourtant..."

Les ombres pâles s'échangèrent des regards, comme si elles étaient en train de se consulter. Puis Paul Mercier se détacha du groupe et s'approcha en tendant la main. Il dit de sa voix enfantine :

"Viens, Eugène, avec nous autres..."

Mais Eugène refusait mentalement. Il glissa sa main et défit le lacet de sa chaussure qu'il ôta avec l'intention de s'en servir pour chasser sans pitié ces entités qui lui voulaient trop de bien.

"Allez-vous-en, je dois écrire un poème pour ma mère."

"Ton départ sera pour elle un poème immensément douloureux, mais elle doit l'entendre, le lire, le vivre."

"Ma mère a déjà eu son trop grand lot de souffrances."

"Son destin est d'en prendre encore davantage."

"Mais pourquoi Ildéfonse n'est-il pas avec vous ? Et grand-père Allaire ? Et tante Marie ?"

"Ils sont partis. Ils sont de l'autre côté de la porte au bout du couloir de lumière..."

Eugène battit l'air avec sa chaussure. Il ne parvenait plus à ouvrir les paupières. Et s'allongea pour se protéger des ombres. Il crut entendre Chasseur siler au loin. Le petit Paul Mercier resta tout près à l'attendre, le regard tendre...

Quelques minutes s'écoulèrent. La volonté d'Eugène fondit comme la neige du printemps sous les rayons chauds du soleil. Il commença de ressentir la chaleur des rayons des ombres : un immense bien-être l'envahit. Les ombres cessèrent d'être grises et prirent une couleur bleu métallique; elles lui parurent alors d'une incomparable beauté. Le bonheur en lui se décuplait chaque instant... Une phrase de son père lui revint : "On meurt plus aisément quand on s'endort avant..."

Puis ses parents, ses frères et soeurs, son amie de coeur, ses amis, tous ceux qu'il avait connus disparurent; et il ne *resta bientôt près de lui que les êtres de lumière... venus de l'ombre...*

"Venez... venez me prendre... venez..."

Émélie prit une longue respiration pour dire :

"C'est donc comme ça que ça s'est passé ?"

"La mort me fut si douce."

"Mais si cruelle à ceux qui sont restés pour te pleurer, mon fils."

"Vous ne pleurez jamais sur ceux qui sont partis, ma mère, et vous avez mille fois raison."

"Et ce poème que tu étais à construire ?"

"Il était pour vous. Je vous le lirai quand vous serez avec nous tous, ici."

"Tu l'as donc complété ?"

"On m'a redonné mes sentiments humains le temps nécessaire."

"Pourquoi ne pas l'avoir apporté avec toi en venant ici ce soir ?"

"Le temps n'est pas venu, ma mère. Le poème vous aidera à escalader la montagne qui vous conduira à nous."

"La montagne ?"

Eugène ne voulut rien ajouter. Elle dit :

"Je m'incline..."

"Et moi, je dois vous quitter pour que votre temps se poursuive ici-bas. Et puis d'autres ont à vous parler. Ildéfonse est tout proche, tout proche..."

Eugène commença de s'estomper, glissant dans l'air noir vers la résidence puis sa mère le perdit de vue. Le remplaça son frère disparu en 1908 par un grand soir d'orage.

"Ildéfonse ! C'est toi ! Incroyable !"

"Ce n'est que mon âme, ma mère ! Mon corps n'y est

plus et sous la terre, il n'en reste à peu près rien."

"Tout ce que j'aurais voulu te dire avant que tu partes."

"Vous me l'avez dit par votre coeur brisé ensuite."

"Presque vingt-deux ans ont passé depuis ton départ."

"Ici, le temps n'existe pas. C'est l'éternel présent."

"Eugène vient de me montrer sa mort, je ne veux pas voir la tienne, je l'ai bien assez vue la première fois."

"Non, je vais vous faire voir mon bonheur avant mon départ. C'était après la chute du corps céleste en Sibérie... Je marchais avec Laura dans le 9..."

"Je t'écoute."

(Extrait *La moisson d'or*, chap. 38)

–C'était pas un mauvais signe, c'était un bon signe.

Laura évoquait le passage de ce qu'elle appelait une étoile filante voilà quasiment un mois déjà dans la voûte céleste, ce soir agréable de la fin juin.

–Si tu le dis, c'est sûrement vrai, commenta doucement son compagnon de marche.

Elle et son ami avaient emprunté le rang neuf sous le clair de lune de ce vingt-six août. Il était rare qu'ils se voient le mercredi, mais ils avaient voulu profiter de la douceur du soir avant que septembre et l'automne ne s'installent dans toute leur crudité.

–Mon père dit que c'est certainement un miracle si l'humanité a pas été anéantie par l'astéroïde.

–Un miracle du frère André peut-être.

Ils rirent tous deux. Lui commenta :

–Le frère André dit que c'est pas lui qui fait les miracles et que c'est saint Joseph qui obtient des faveurs pour les personnes malades.

Tous deux possédaient une foi profonde et priaient tous les jours pour une raison ou pour une autre. Et c'est ensem-

ble qu'ils iraient réciter le rosaire à l'église le jour suivant, vingt-sept du mois, car tous deux faisaient partie de la garde d'honneur de Marie.

Ils se prirent par la main et se parlèrent encore du bon frère André devenu le thaumaturge du Mont-Royal et qui vivait comme un saint sur terre, dans la pauvreté et l'humilité. Et qui faisait preuve de compassion constante envers les démunis et les plus souffrants...

Ildéfonse soupira :

–Il a 63 ans. Je me demande ce que je serai, moi, à l'âge du frère André. 63 ans, c'est vieux en torrieu...

Elle échappa une phrase qu'elle eût voulu garder dans son coeur :

–J'espère qu'à 63 ans, on sera encore ensemble comme à soir...

Émélie prit la parole au présent :

"Tu trouves donc que c'est vieux, 63 ans, Ildéfonse ? J'en ai 64, tu sais, depuis le 31 décembre. Et j'en aurai peut-être 65 le prochain jour de l'An... si je me rends jusque là."

"Il ne nous est pas possible de révéler aux vivants le moment de leur départ."

Elle se montra contrariée :

"Savoir où l'on va quand on prend le train, c'est pas une mauvaise chose."

"Le temps n'existe pas ici; en parler est dérisoire."

"Tu n'as pas besoin de m'en parler, je sais que mes heures sont comptées. Je porte en mon ventre le signal de la fin. J'entends le tic tac tout comme j'entends le bruit de la canne de ton père tous les jours. Chacun de ses coups de canne me dit que ma fin est imminente."

"Vous savez quelle image j'ai de vous ici ? Celle de vos vingt ans. Dans votre robe de noce... comme sur la photo."

Elle soupira :

"L'image de la jeunesse... qui nous est enlevée avant même qu'on en connaisse toute la valeur et la vraie valeur."

"Ici, vous l'aurez en dehors du temps."

"La chair, elle, refuse de quitter ce monde de misère."

"Je laisse ma place... "

"Non, reste encore un moment."

"Que voulez-vous savoir ?"

"Aurais-tu... pris notre place au magasin sans ton départ pour l'autre monde ?"

"Non."

"Et pourquoi ? Tu t'y intéressais pourtant."

"J'aurais voulu d'un commerce de gros... à Québec ou à Montréal. C'est à Freddé que le magasin devait revenir."

"Il l'aura à lui tout seul bientôt... si la faillite ne nous engloutit pas, tous."

"Elle ne vous engloutira pas."

Et sans rien ajouter, Ildéfonse disparut subitement. Émélie ferma les yeux puis les rouvrit pour recevoir l'image de sa mère sur son lit de mort dans un lointain, si lointain passé.

(Extrait *La forêt verte*, chap. 22)

Il faisait sombre à l'intérieur. Toute la maison semblait profondément endormie. Deux enfants, Marie et Joseph étaient absents, gardés chez de la parenté du voisinage. Pétronille somnolait dans sa faiblesse et le bébé dormait dans son ber au pied du lit de sa mère malade.

Émélie se mit dans l'embrasure de la porte à moitié ouverte et regarda cette image de désolation que sa pauvre mère présentait. Philomène s'arrêta derrière elle et regarda aussi sans pouvoir empêcher un frisson de la parcourir. Si jeune et si mal en point, songea-t-elle. Pâle comme ses draps et sa jaquette, Pétronille avait les yeux fermés, des yeux cernés de bistre et qui semblaient se renfoncer à l'intérieur d'elle de plus en plus chaque jour, comme si son crâne était sans fond.

La fillette tourna la tête vers la femme. Des éclairs dans ses yeux profondément noirs parurent lui demander de répondre à son désarroi.

–Elle dort, souffla Philomène. On va la laisser se reposer ben comme il faut.

–Elle est beaucoup malade ?

–Elle va revenir à la santé... tu verras, ma petite Mélie, au printemps... quand c'est que le soleil va se remettre à nous réchauffer, il va lui guérir les sangs... Pis on va tous aller à la cabane, elle itou... en waguine... tout le monde... on va rire pis chanter tous ensemble...

Philomène en mettait le plus qu'elle pouvait pour rassurer la petite et ramener un peu de bonheur dans le coeur de cette enfant qui à six ans tout juste, perdait sa grand-mère et risquait de perdre bientôt sa mère par ce mal qui la rongeait et dont il semblait que tous ignoraient la nature, surtout les docteurs.

Olivier ne put s'empêcher de bardasser un peu en entrant et le bruit sortit Pétronille de son univers onirique. Elle ouvrit les yeux, murmura :

–C'est toé, Mélie ? Viens donc voir maman un peu...

–Pis c'est moé, Philomène, dit la femme Leblond restée à moitié dans l'ombre. On vient reconduire ta fille. Ton mari va revenir tantôt. Tu comprends, fallait qu'il reste avec les gens au corps.

–Ben oui, ben oui...

Émélie s'approcha, marcha le long du lit jusque près du visage de sa mère tourné sur le côté dans son oreiller profond.

–*T'as ben prié pour ta grand-maman ?*

–*Oui.*

–*Tu sais qu'elle est au ciel asteur.*

–*Oui.*

Pétronille les voyait si grands, ces yeux, si brillants sous le faible éclairage de la lampe sur tablette, buveurs de mots, reflets de son esprit limpide ouvert à tout. Il fallait qu'elle sème quelque chose d'important, d'indélébile dans ce coeur en cette heure où l'enfant venait de voir de près la mort d'un être cher, une personne bien connue de la petite depuis qu'elle avait pris conscience de la vie et des humains qui la balisent, qui encadrent et sont encadrés, qui moulent et sont moulés.

–*Écoute-moé ben, ma petite fille. Grand-maman Josephte est pas loin, tu sais. C'est comme s'il y avait une porte invisible entre elle pis nous autres. Elle nous entend. Elle nous voit. Mais nous autres, on peut pas... Tu sais, peut-être que betôt dans pas grand temps, ça sera moé... qui sera partie avec grand-maman... Faudra pas que tu pleures. Parce que je vas être juste de l'autre côté de la porte invisible pis que je vas te voir pleurer. Pis te voir pleurer, ça va me faire de la peine. Tu comprends-tu ça, Émélie ?*

Pétronille s'empara de la main de la fillette et la serra entre les siennes :

–*Tu vas t'en rappeler tout le temps de ta vie ? Quand y a quelqu'un que t'aimes qui meurt, faut pas que tu pleures... faut pas que tu pleures... faut pas que tu pleures... Quand y a quelqu'un que t'aimes qui va mourir, tu t'en iras quelque part où c'est que tu seras tuseule, pis là, tu te berceras, pis tu te diras : faut pas que je pleure, faut pas que je pleure, faut pas que je pleure... Parce que si je pleure, je vas faire de la peine à la personne chérie qui est partie, mais qui me regarde, pis qui m'entend, pis qui me sourit...*

Philomène se retira et retrouva son mari. Il lui semblait

qu'il se déroulait dans la chambre une scène dont personne ne devait être témoin, une rencontre entre deux coeurs qui requérait l'abri de l'intimité, de la discrétion.

Pétronille demanda à sa fille de fermer les yeux; et elle reprit en d'autres mots le message qu'elle voulait imprimer à jamais en elle, mais sans modifier le leitmotiv : *faut pas que tu pleures*. Et pourtant, la pauvre petite, en ce moment même, était submergée par des flots intérieurs qu'elle n'arriverait peut-être pas à dominer. Il y avait dans sa tête l'image d'un corps étendu sur la table de la cuisine, comme celle de sa grand-mère, mais il s'agissait de sa mère, endormie pour toujours, muette dans l'éternité, les paupières fermées pour ne plus jamais se rouvrir. Des soubresauts rapides se faisaient sentir dans sa poitrine et ses épaules commencèrent de sautiller comme des folles incontrôlables... inconsolables... Sa mère lui redisait sans cesse de sa voix la plus douce :

–Faut pas que tu pleures, faut pas que tu pleures, faut pas que tu pleures...

Et l'enfant éclata en sanglots à la fin. Sans doute parce que sa mère n'avait jamais été aussi tendre envers elle. Émélie n'avait d'ailleurs pas souvenir que sa main ait été ainsi emprisonnée dans autant d'affection. Alors sa mère changea ses mots pour :

–Mais si tu pleures, c'est bon : ça va vider ton coeur. Pis ensuite, tu vas être soulagée pour voir en avant dans ta vie.

Pétronille savait qu'elle ne verrait pas le prochain jour de l'An, aussi voulait-elle transmettre à sa fille aînée le courage de ne pas sombrer mais également celui de se relever quand le malheur la submergerait. Une autre vision qu'elle détestait bien plus encore que celle de sa mort, c'était celle lui montrant cette pauvre Émélie toute sa vie durant déchirée par la disparition soudaine d'êtres chers qui lui seraient ravis, arrachés brutalement. Une vague prit naissance dans sa poitrine, mais malgré son abattement physique et mental, elle parvint à lui faire barrage. Il ne fallait pas qu'elle pleure pour montrer à sa fille à ne pas pleurer.

Quand Émélie se calma, sa mère lui parla à mi-voix :

—Asteur, tu vas aller ôter ton manteau, pis tu vas demander à mon oncle Olivier de mettre une attisée dans le poêle, parce qu'il fait pas mal frette dans la maison.

—Maman, r'gardez c'est quoi que ma tante Émélie, elle m'a donné.

La fillette montra sa croix de bois dans sa main gauche.

—Elle est donc fine, ma tante Émélie. Ça, ça va te porter bonheur. Tu la garderas tout le temps. Mais il faudrait pas que tu la perdes, par exemple.

Ce que disait sa mère ressemblait en tous points à ce que lui avait dit sa tante et l'enfant se demandait où elle pourrait garder la croix pour ne jamais la perdre.

—Tu sais ce qu'on va faire ? On va la mettre dans mon petit coffre, là, sur la commode. Pis le petit coffre... je te le donne avec tout ce qu'il y a dedans. C'est le cadeau que je te fais pour tes six ans.

Émélie se sentit à la fois heureuse et inquiète. Heureuse de trouver une cachette pour sa croix. Incapable de comprendre que sa mère se sépare de son coffre. Encore moins capable de voir que ce don était celui de quelqu'un qui sait que de toute façon, elle ne posséderait plus l'objet bientôt.

—Vas-y, mettre ta croix dedans.

L'enfant contourna le pied du lit et se glissa devant la commode. Elle porta doucement sa main droite vers le coffret pour l'ouvrir dans un respect infini. Il s'agissait d'une boîte en cèdre rouge à couvercle bombé orné d'un tiroir à double bouton en céramique à sa base, et assemblé en queue d'aronde. Devant, près des coins, deux coeurs étaient gravés et depuis qu'elle les avait vus la première fois, si loin en arrière pour elle si jeune, Émélie n'avait cessé de les admirer chaque fois qu'elle venait dans la chambre de ses parents. Et pourtant, jamais elle n'avait osé ouvrir ce coffre mystérieux. Et voici que sa mère le lui faisait faire. Sa main tremblait.

–Ouvre le tiroir en bas, Mélie.

L'enfant tira sur un bouton et le tiroir glissa vers elle.

–Asteur, cache ta croix au fond, en arrière de mon collier en pierres du Rhin.

Émélie fit ce que lui suggérait sa mère. Ses doigts touchèrent au collier en passant. Quelle drôle d'impression ! Si agréable ! Elle en porterait un aussi plus tard, pensa-t-elle, sans se faire à l'idée encore que celui même qu'elle venait d'entrevoir et d'effleurer lui appartenait.

–Asteur, tu peux le fermer. Vas-tu t'en rappeler, que le petit coffre, c'est à toé ? Je vas le dire à ton père quand il va revenir tantôt.

"S'il épouse une autre femme après ma mort, se disait-elle au même moment, je ne veux pas qu'elle ait mes petites choses, je veux qu'elles soient rien qu'à ma fille."

Cette pensée n'avait rien à voir avec un rejet par avance de la femme qui la remplacerait dans cette maison, sûrement une bonne personne traversant tout comme elle cette inévitable vallée de larmes menant au paradis de l'autre monde.

–Asteur, Mélie, va dire à mon oncle Olivier de mettre une attisée parce que maman, elle se sent comme de la glace partout dans son corps.

Le corps étendu de Pétronille devint éthéré. Tout avait été dit par le souvenir de 1872 dont elle venait de baigner sa fille de 1930. Dans la rue sombre, elle lui parla d'avenir par un merveilleux sourire, sans dire quoi que ce soit. Puis son lit s'éloigna, s'éleva au-dessus des maisons abandonnées et prit de la distance jusqu'à s'effacer dans la voûte étoilée sans que le sourire, lui, ne quitte jamais le coeur d'Émélie.

Pour un moment, personne ne parut. La sexagénaire se dit que le chapitre des rencontres de ce jour en était arrivé à sa conclusion. Son père Édouard qu'elle avait tout de même bien mieux connu que sa mère Pétronille ne viendrait-il donc pas à son tour ? Et les bonnes amies comme Lucie Foley ou Restitue Jobin ? Et la petite Georgina, pauvre malheureuse qui...

Sa pensée fut interrompue :

"Je n'ai souffert qu'un moment de ma vie terrestre," dit une voix enfantine qui semblait toute proche de l'oreille d'Émélie.

La femme tourna la tête et crut un instant que c'était Bernadette l'année du départ d'Ildéfonse, alors que, âgée de 4 ans, elle jasait comme une pie et parlait à tout le monde. Mais l'entité qui ondulait dans la nuit était plutôt celle de la magnifique petite Georgina aux boudins blonds et à visage d'ange.

"J'ai encore ta mèche de cheveux, tu sais."

"Bien sûr que je sais ! Et je sais aussi que tu as prié le ciel durant toute mon agonie pour que ma souffrance te soit transférée. Dieu t'a exaucée."

"Non, puisque je n'ai jamais souffert atrocement comme toi."

"Le prix... c'était ta douleur morale à la mort de tes fils... et ta douleur physique à venir..."

"Voudrais-tu savoir si je veux toujours payer et le payer jusqu'au bout ?"

"Oui, je voudrais savoir," dit l'enfant tristement.

"Donne-moi l'image de tes journées d'agonie et je te dirai ensuite..."

"Ajouter une nouvelle souffrance à ta souffrance..."

"Fais-le, Georgina."

"D'accord."

(Extrait *La forêt verte*, chap. 25)

"Et sans autre vêtement que sa robe noire, Émélie courut dans la neige, le souffle coupé mais sans s'arrêter, jusqu'à l'étable où elle entra en hurlant des mots épars qui pourtant portaient en leur ensemble de la cohésion :

–Faut venir... Georgina... ébouillantée... va mourir...

Émélie connaissait mieux la mort depuis qu'elle l'avait vue rôder dans la maison l'été précédent et une autre fois chez ses grands-parents Allaire au dernier jour de l'An.

–Dis donc pas des affaires de même, toé !

–Elle se berçait pis le chaudron a tombé sur elle...

Édouard comprit la gravité de l'accident. Il avait bu du thé à la fin du repas et se souvenait que le chaudron était au moins à moitié rempli d'eau bouillante. Il revint à la maison en courant plus qu'un fuyard, et pourtant, c'est vers l'horreur à l'état pur qu'il se jetait. D'un coup d'oeil en entrant, il imagina la scène qui avait dû se produire à voir les éléments qui la composaient : la chaise, le chaudron, le plancher mouillé et la poupée gisant dessus. Il se dirigea à la chambre dont il provenait des gémissements qui exprimaient une blessure morale insupportable.

–Faut l'emmener su'l docteur; faut l'emmener su'l docteur.

Sophie répétait sans cesse les mêmes mots qui au fond contenaient divers sentiments de culpabilité, d'impuissance et de douleur profonde.

Cette deuxième scène fit comprendre au père que sa fillette était perdue, qu'elle rendrait l'âme dans les minutes à suivre ou bien dans les prochaines heures. Il ne restait qu'à prier le ciel pour que vienne la mort au plus vite afin d'éviter à la petite des souffrances atroces pour le cas où elle émergerait de son coma.

Émélie referma la porte laissée ouverte par son père et se dirigea à son tour à la chambre. Elle entra et se tint à côté, contre le mur, comme si souvent du temps de la maladie de sa mère. Et elle regarda sa pauvre petite soeur que le jour entrant par la fenêtre éclairait et montrait.

Marie quant à elle avait redescendu l'escalier à moitié et s'y était assise, chapelet à la main, la tête tournée vers la fenêtre qui se trouvait plus bas, au pied, incapable de rejoindre Émélie, donnée tout entière à sa prière répétitive qu'elle imaginait devoir être exaucée.

Georgina gisait sur le drap blanc, sa petite robe bleue trempée de cette eau mortelle qui après l'avoir assassinée était redevenue froide. Son visage boursouflé, ses paupières terriblement enflées, sa peau rouge témoignaient du terrible et irréparable dommage qu'elle avait subi. Elle respirait néanmoins, mais sa poitrine se soulevait d'un coup et se rabaissait de la même façon : elle ne tenait plus à la vie que par soubresauts et le fil risquait de se casser à tout moment.

–On va la graisser comme il faut avec du beurre pis ensuite, on va l'envelopper ben comme il faut, pis je vas l'emmener su'l docteur, mais... j'ai ben peur...

Le beurre était le seul remède que connaissait Édouard pour soulager une brûlure et l'aider à guérir. Il savait que toutes les tentatives faites pour sauver la petite fille ne sauraient avoir pour effet pernicieux que celui de prolonger sa souffrance. Et Sophie, prisonnière de ce fatras de sentiments violents, ne parvenait pas à sortir d'elle-même afin d'agir.

–Mélie, va chercher du beurre, lui demanda son père.

Tremblante, l'enfant se rendit dans la dépense. Elle en ramena un vase de faïence contenant un gros morceau de beurre dur. Édouard le prit et le mit sur le deuxième pont du poêle afin que la substance ramollisse au plus vite.

–Mélie, tu vas la graisser, ta petite soeur, avec du beurre, partout dans la face... partout où c'est qu'elle s'est fait brûler. Moé, je m'en vas atteler... Bon... Sophie...

Mais sa belle-soeur était toujours à moitié là et à moitié

dans l'univers tordu de ses émotion navrantes. Édouard la prit par les épaules et la secoua :

–Sophie, Sophie, c'est pas de ta faute. C'est pas de la faute à Mélie. C'est pas de la faute à Marie. C'est pas de ma faute. C'est de la faute à personne. Là, ce qu'il faut faire, c'est faire quelque chose... Braille pas, faut faire quelque chose... Aide Mélie ou ben que Mélie t'aide... Je m'en vas atteler, comprends-tu ?

Sophie parvint à faire des signes de tête affirmatifs.

–Je vas revenir la chercher dans une dizaine de minutes. Qu'elle soit prête ! Graissée avec du beurre pis enveloppée ben au chaud...

–Ça va être fait, Édouard, ça va être fait.

Sophie redevint responsable. Elle vit à enduire la peau brûlée de beurre ramolli puis enroba Georgina dans une couverte de laine et une épaisse catalogne. Émélie en fut réduite à regarder. Édouard vint prendre l'enfant et l'emmena...

Il revint trois heures plus tard. La docteur n'avait rien pu faire d'autre que de dire qu'elle ne pourrait survivre et qu'on avait fait ce qu'il fallait jusqu'à maintenant. Déjà des visiteurs venus fêter le jour de l'An se trouvaient dans la maison, atterrés, muets et qui, comme Émélie et Marie, regardèrent Édouard entrer avec dans les bras ce paquet de misère qu'il se rendit déposer sur le lit de la chambre.

–Elle a pas repris connaissance, dit l'homme gravement au sortir de la chambre. C'est une question d'heures... elle va mourir... Tout un jour de l'An, hein, Sophie, nous autres qu'on avait tout fait pour faire oublier la mort aux enfants pis les voir sourire !...

Il pencha la tête. Marie, toujours assise au même endroit le regardait en priant. Debout près de l'escalier, Émélie ne bougeait pas; son visage empreint de tristesse restait figé dans la glace. Sophie et sa belle-soeur en visite pleuraient;

l'autre homme secouait la tête, serrant les mâchoires.

–C'est quoi qu'il s'est donc passé ? demanda-t-il afin de mobiliser les esprits faute de pouvoir soulager les coeurs.

–Sophie, tu me l'as pas dit, enchérit Édouard.

–Je le sais pas trop trop... On lavait la vaisselle... pis la petite a grimpé sur la chaise pour se balancer comme ça lui arrivait... elle a perdu son ballant, faut croire... quelque chose a dû s'accrocher dans l'anse du chaudron... Elle a poussé un cri de mort... Quand on s'est retourné de bord, c'était déjà fait...

Édouard retint les mots 'quelque chose a dû s'accrocher dans l'anse du chaudron'. Il posa ses yeux sur la poupée de chiffon et comprit que sa fille mourrait à cause de l'étrenne damnée qu'il lui avait offerte. Le bonheur qu'il avait voulu lui faire causait sa perte. Alors il se rendit près du poêle, se pencha, ramassa la 'catin' maintenant asséchée et la regarda un moment en la bougeant légèrement, puis il ouvrit la porte du poêle et la jeta au feu.

Il apparut aux yeux de tous, surtout ceux si grands d'Émélie que la poupée avait été la cause directe de l'acci-dent et donc de la mort annoncée de sa pauvre soeur. Son père lui parla à ce moment :

–Mélie, tu vas rester avec Georgina... pis à toutes les deux, trois heures, tu vas la frotter avec du beurre...

Édouard avait pensé que son aînée, la seule qui n'avait pas versé une seule larme à la mort de sa mère, était donc celle qui possédait la meilleure maîtrise de soi ou peut-être que la nature l'avait dotée de carapaces enrobant ses senti-ments. Il ignorait que Pétronille avait montré un an plus tôt à sa plus vieille à ne pas pleurer en cas de deuil...

Mais il n'y avait pas encore le deuil : Georgina survivait et peut-être que si le bon Dieu s'en mêlait comme l'espérait tant Marie... Mais Dieu s'en mêle rarement...

Émélie prit son poste au chevet de la fillette au seuil de

la mort. Elle la frotta comme on l'avait demandé. Et pleura, pleura, pleura sans arrêt, par crises interminables qui recommençaient et recommençaient... On la releva pour la laisser dormir. Vidée, morte de chagrin, elle entra dans des sommeils profonds, cauchemardesques... Son martyre moral dura le même temps que l'agonie incroyable de Georgina.

La délivrance survint enfin l'après-midi du surlendemain, 3 janvier, un vendredi. Georgina décédait à quatre jours de ses quatre ans. Sophie était dans la chambre alors.

Elle l'annonça à voix blanche aux autres réunis dans la cuisine, à Édouard en premier qui restait assis dans sa chaise près du poêle, prostré dans l'inutile, à réfléchir sur son avenir et celui de sa famille, et à s'en vouloir de n'avoir pas confié ses enfants à d'autres mains à la mort de Pétronille. Ce qu'il ferait au plus tôt avant qu'ils ne meurent tous dans cette maison qui semblait l'objet d'une malédiction...

Émélie ne pleura plus.

Quand plus tard l'occasion se présenta, elle trouva des ciseaux dans le tiroir de la commode de la chambre et en secret coupa une mèche de cheveux de sa petite soeur décédée. Elle lui parlerait à travers cette chose qui ne périrait jamais. Tout comme sa croix de bois et son coffre, elle préserverait pour toujours le boudin blond, non pour pleurer quand elle le toucherait mais pour dire à l'oreille de Georgina qu'elle l'aimait de tout son coeur...

Et elle lui parlerait aussi les jours de pluie quand le temps lui demanderait de déployer son parapluie. Et à ses côtés marcherait l'âme de Georgina qu'elle tiendrait par la main. Et toutes deux souriraient de bonheur alors... Et elle entendrait sa petite soeur chérie rire aux éclats...

"Je veux le payer jusqu'au bout, le prix ! Que la souffrance qui me fut transférée pour que la tienne soit moins atroce me reste. Je vais aller au bout de cette rédemption."

"Tu n'es pas obligée de le faire, Émélie."

"Je l'ai voulu, j'ai supplié Dieu de le faire et je le vivrai jusqu'à la fin."

Georgina vint coller sa joue contre celle de sa grande soeur puis s'éloigna et disparut dans la nuit.

La dernière vision d'Émélie, ce soir-là, serait celle de son père apparu en laboureur. En fait, du laboureur qu'il avait longtemps été dans sa vie et avait toujours voulu être.

"Je suis en train de voir le film de ma vie et ça veut dire que ma fin est proche."

"C'est pas le film de ta vie que tu vois défiler devant tes yeux, Mélie, c'est ceux que tu as beaucoup aimés qui te rendent visite chacun leur tour. Les événements de ta vie seront redonnés à ta mémoire et à ton imagination sur ton lit de mort, pas avant. Attends ton heure !"

"Bon... disons d'abord."

"Je vais te conter ce qui m'est arrivé un jour que je labourais ma terre du 9..."

(Extrait de *La maison rouge*, chap. 13)

Puis il parla à Marie-Rose... lui dit qu'il avait aimé la terre ce jour-là comme elle le lui avait conseillé, demandé. Et son imagination ouvrit dans la brunante une scène belle et neuve. On était dans un siècle futur. Une femme en blanc possédant l'âme de celle qui n'était plus s'avançait vers lui depuis ce champ labouré, ses pas à peine portant sur la terre qui n'en subissait aucune marque. Quand elle fut tout près, il vit son visage. Un visage qui aurait pu être celui de n'importe quelle femme au monde. Et qui, pour cette raison, ne pouvait appartenir qu'à Marie-Rose. Car l'âme de ce visage révélait l'identité de la personne par sa douceur, sa chaleur, l'harmonie de ses caractères... Mais elle ne dit rien. Elle était femme de silence, femme de distance et pourtant femme d'amour, et de rêve, et de rapprochement. Et vint s'asseoir à son côté, tout près, le frôlant de son épaule puis touchant sa main rugueuse de la sienne fraîche comme un baume et chaude comme un rayon de soleil.

Il murmura sans voix ou presque :

–C'est toi, Marie-Rose ?

–C'est moi.

En fait, le doux spectre demeurait muet et c'est Édouard, homme d'un siècle futur, qui répondait à ses propres questions. La maison derrière était devenue un moulin ancien que des touristes venaient visiter. Et devant coulait une large rivière aux eaux vaporeuses.

–Est-ce que tu sais comme je t'ai aimée ?

–Je sais tout de toi.

–La vie, c'est l'amour toujours ?

–La vie, c'est la naissance, c'est l'amour, c'est la mort.

–Ça ne changera jamais ?

–Ça ne changera jamais.

Et l'homme du futur pencha la tête, et le spectre du futur pencha la tête. Et les deux têtes se touchèrent, se mélangèrent, se comprirent.

–Je sens ton esprit s'infiltrer par ma main.

–Ma main est venue vers toi pour t'inspirer.

–Je vous aime, Marie-Rose.

–Je vous aime, Édouard.

Puis, comme dans tous les rêves, le paradoxal et l'abracadabrant se confondirent pour exprimer quand même les sentiments les plus puissants de la personne humaine; et le rêveur fut projeté dans le passé, à ce carrefour qui les avait unis pour toujours...

"De votre vivant, vous m'avez conté votre rencontre avec madame Larochelle sur le chemin de Sainte-Marie, mais pas votre rencontre avec son âme sur votre labour du 9..."

"Là, tu vas savoir."

"Mais dans l'éternité, êtes-vous avec ma mère Pétronille ou avec madame Marie-Rose ?"

"Avec qui voudrais-tu que je me trouve dans l'éternité ?"

"Avec celle que vous avez aimée le plus sur cette terre."

"Le plus et le moins, ça existe pas dans l'éternité."

"Comment comprendre ça quand on n'est qu'humain ?"

"On cherche pas à comprendre."

"J'ai peur du grand voyage, et pourtant..."

"Et pourtant tu l'espères ! Quand notre bout de terrain est fini de labourer ici-bas, quelque chose nous dit que le temps de partir est venu et on y aspire. C'est pas de la résignation à mourir, c'est l'espérance de la vraie survie."

–La mère, fait pas chaud comme ça proche des portes.

Une voix humaine cette fois et non spectrale venait de remettre la rêveuse dans la réalité du moment. Émélie se rendit compte que tout son corps frissonnait. La voix de son fils se fit de nouveau entendre :

–Vous allez attraper la mort si vous restez là trop long-temps, savez-vous ça ? Ou pire, la consomption...

–Si la mort, c'est pour tout la monde, la consomption, c'est rien que pour d'aucuns.

Armand fut saisi d'entendre ces mots. Il s'inquiétait par-fois entre deux périodes d'insouciance quant à son état de santé. Les augures de la 'Patte-Sèche' lui revenaient en tête de même que ces semaines de toux sèche qu'il attribuait à une bronchite récurrente.

Il aida sa mère à retourner à sa chambre tandis que le fantôme heureux poursuivait son travail de laboureur...

***

Chapitre 7

1930

"C'est au printemps seulement qu'Émélie se décida fina-
lement à aller voir ce docteur (recommandé par Cédulie),
mais il était trop tard. Le médecin la garda huit jours à l'hô-
pital Saint-Sacrement. Lorsqu'elle revint à Saint-Honoré, ce
fut pour s'aliter définitivement. Elle pesait alors moins de la
moitié de son poids d'ordinaire..."

Un clocher dans la forêt, page 35

*

Alfred entra sans trop d'égards, selon son habitude, dans
la chambre de sa mère et lui fit une annonce avec encore
moins de ménagement :

–Augure Bizier est mort à matin. Le docteur sait pas trop
de quoi.

–Un autre qui a trouvé son heure sur son chemin !

Malgré un certain cynisme d'Émélie, son coeur était profondément troublé par cette funeste nouvelle. D'un autre
côté, elle se consolait à l'idée qu'elle aurait la chance de revoir bientôt leur vieil ami dans l'au-delà.

Alfred répéta le même manège une semaine plus tard :

–Amabylis Bizier est morte à matin.

–Comment ça, Freddé ? Augure l'autre jour et sa femme à matin ? Tu t'es trompé la semaine passée ?

–Ben non, ben non ! Sont morts tous les deux. À sept jours d'intervalle.

–C'est parfait, ça ! Mais tu m'as dit qu'elle était au service d'Augure.

–Oué ! Pis à matin, est morte à son tour. C'est de même que c'est. Faut croire qu'elle voulait pas continuer tuseule.

–Est morte de quoi ?

–Sais pas. Je vas m'informer pis vous le dire.

Malgré ce cancer qui était à détruire son ventre à partir de son utérus, et les souffrances abominables qu'il lui fallait endurer, Émélie gardait encore toute sa raison. Mais les affaires du magasin ne l'intéressaient plus guère. Il n'y avait plus que les êtres chers et leur sort qui la préoccupaient encore. Et ce jour-là, quand son fils voulut lui faire un rapport d'activités, elle l'interrompit :

–Désormais, le magasin, c'est ta responsabilité pleine et entière. Ton père a cessé de s'en mêler depuis sa thrombose; à partir d'aujourd'hui, c'est fini pour moi aussi. Tu es le seul grand patron du magasin H. Grégoire, toi, Alfred. On va faire une demande auprès du gouvernement fédéral pour que tu deviennes le maître de poste officiel.

Un grand poids alourdit les épaules d'Alfred. Un autre à sa place aurait pu se sentir soulagé, mais pas lui qui avait toujours posé ses pieds sur du solide : son père et surtout sa mère. Et voici qu'en plein début d'une dépression mondiale, présente partout y compris Saint-Honoré, la charge des affaires retombait sur lui seul. Il soupira, baissa les yeux et repartit sans rien dire.

Émélie regarda longuement la porte qu'il avait refermée en se rappelant des souvenirs que son imagination dépoussiérait à mesure qu'ils lui revenaient...

*

Berthe descendit de voiture et s'arrêta un moment pour embrasser du regard le magasin et la résidence. La joie et la tristesse se partageaient son coeur. Elle n'entendit pas l'auto conduite par Armand qui reculait pour aller se stationner sous le porche du hangar.

Elle connaissait par le courrier l'état de santé précaire de sa mère et savait ses jours comptés. D'autre part, dans sa valise se trouvait un diplôme Lettres-Sciences qui lui valait un sentiment de fierté simple n'allant surtout pas chercher dans l'autosatisfaction dérisoire et vaine. Elle présenterait son diplôme comme elle savait que son frère Ildéfonse avait présenté sa médaille d'excellence en 1908, deux ans avant sa naissance, à elle : dans la modestie et pour faire plaisir à ses parents. Ce serait pour Émélie un bonheur du jour dans le terrible marécage de ses douleurs physiques et morales.

On était fin juin, début des vacances scolaires. Un soleil radieux incendiait la flèche de l'église. Les feuilles des arbres semblaient toutes regarder la jeune fille de vingt ans qui venait ajouter son éclatant rayon de lumière à ce coeur de village que se disputaient la désolation, l'abandon et la désertion. Berthe gravit les marches du perron puis se tourna pour voir les trois maisons vides d'en face. Elle se demandait une fois après cent autres comment aborder sa mère, quoi faire, quoi dire quand elle la verrait pour la première fois dans sa chambre de la lente agonie. Quoi dire, quand on a tout pour soi, la jeunesse, la beauté, la santé, l'énergie et surtout l'avenir, à celle qui a sacrifié en quelque sorte sa vie sur l'autel de la famille à donner la vie, à bâtir les personnalités, à empiler une à une les pierres d'un patrimoine envié ?

Berthe avait longuement réfléchi à la question. Elle avait même écrit des textes qu'elle avait ensuite appris par coeur. Mais voici que les idées se mélangeaient aux sentiments dans un pathos maintenant indébrouillable. Et cette bizarre mixture de l'âme la figeait sur place. Elle demanda le secours du ciel. Peut-être lui fut-il accordé. Toujours est-il que l'aveugle Lambert venait sur le trottoir de bois et que l'entendant frapper de la canne, elle tourna la tête vers lui et l'attendit pour qu'il lui dise n'importe quoi comme à quelqu'un qui est tombé à l'eau, et qui demande qu'on lui lance quelque chose pour l'aider à surnager, quelle que soit la dite chose.

–Bonjour, monsieur Lambert !

L'homme reconnut aussitôt sa voix. Il s'arrêta, large sourire aux lèvres, paupières cillant :

–Si c'est pas la p'tite Berthe !

–C'est ben moi ! Les vacances commencent... Mais c'est pas drôle quand je pense à ma mère.

L'aveugle se désola. En même temps, il comprenait par le son de sa voix que Berthe était loin de la petite fille de naguère, celle qu'il avait picossée avec sa canne un jour de visite de la 'Patte-Sèche', et qu'elle le dépassait au moins d'une tête maintenant.

Il leva la sienne pour dire :

–On l'a vue, ma femme pis moé, ces jours-icitte : elle fait pitié à voir. Aussi jeune encore...

Là, Berthe comprenait moins. Sa mère avait tout de même 64 ans et n'était donc plus une 'jeunesse'. Pour qui a 20 ans, les plus de 30 sont déjà vieux à leurs yeux sévères.

–Je me demande quoi lui dire en arrivant.

–Ah, t'as pas besoin de te le demander, ça va venir tout seul. On trouve les mots quand on plonge dans l'eau.

Voilà la parole que Berthe attendait. Elle remercia le ciel en silence puis l'aveugle en mots :

–Ben merci là ! Vous pouvez monter sur le perron, je vais vous ouvrir la porte.

–C'est moé qui te remercie...

Le personnage de 42 ans gravit les marches du perron en riant puis s'engouffra à l'intérieur du magasin direction bureau de poste. Berthe prit une longue inspiration et entra à son tour tandis que son frère Armand voyait à faire suivre sa valise par la voie des hangars.

On avait laissé la porte de la chambre entrouverte et Berthe la poussa délicatement puis s'insinua à l'intérieur dans le clair-obscur qui y régnait. Émélie somnolait malgré la douleur que ne soulageaient guère les seules pilules (de calcium) prescrites par le docteur à sa sortie de l'hôpital et en lesquelles, grâce à Dieu, elle avait une grande confiance, ce qui effectivement atténuait au moins un peu la douleur par effet placebo.

La grande fille resta figée debout, le coeur dans l'eau, l'âme immobile. Et attendit. Émélie sentit, comprit sa présence et dit sans ouvrir les yeux :

–Assis-toi, Berthe. Parle-moi de ton année scolaire.

L'aveugle avait dit vrai : pas besoin de se préparer pour parler à un mourant ! Tout va de soi. On a le respect. On a la présence. On dit tout ce qu'il faut dire sans rien dire du tout. Berthe prit place sur une des deux berçantes que sa mère avait fait mettre là, devant la fenêtre, pour le confort des visiteurs, celui de son mari quand il venait jaser du passé et celui des autres comme les Lambert, les Martin, les Pelchat, les Blais... Et même Eugène Foley qui était là une semaine plus tôt à l'entretenir de la beauté du paradis qu'elle verrait bientôt.

–J'ai eu mon diplôme.

–Ta note ?

–Excellence.

–J'en attendais pas moins de ta part.

Berthe se rappela que sa mère n'avait à peu près jamais de toute sa vie porté autre chose que des robes noires ou tirant fort sur le noir; cette phrase ne l'étonnait guère. Il fallait savoir y lire les félicitations que la femme retenait sûrement dans son coeur.

Émélie ouvrit les yeux :

–Sais-tu c'est quoi qui me fait le plus de peine et pourquoi je prie souvent de ce temps-là ?

–Avec vous, on sait jamais.

–Je vais te le dire... C'est de voir le coeur du village abandonné comme il l'est. Trois maisons de file avec personne dedans. Le soir, c'est noir comme su' l'loup. Et le jour, c'est calme comme la mort.

–Me semble que vous aimez ça, vous, le noir.

–Sur ma personne. Pas devant mes yeux. Pas des maisons sombres. Pas même des maisons grises. Mais des maisons vivantes comme la maison rouge autrefois. C'est surtout la maison Racine qui fait pitié. On dirait que les fenêtres nous regardent en ayant l'air de dire : *trouvez donc quelqu'un pour me mettre de la vie dans le corps, bande d'indifférents* !

Enfouie sous une catalogne, il n'y paraissait pas trop que la malade avait fondu. Mais les traits de son visage l'indiquaient par une peau flasque et une bouche creuse sous des yeux entourés de bistre.

–Il viendra quelqu'un : une belle jeune famille. Un nouveau forgeron. Des enfants.

–J'aurai pas l'occasion de les connaître.

–Vous les verrez d'en-haut.

Il se fit une longue pause. Émélie soupira et sourit :

–Je vas tout voir d'en-haut... Et je vas t'envoyer un mari à ton goût, tu verras...

Voilà qui ne toucha aucune corde sensible en le coeur de la jeune femme...

*

Ce vingt-quatre juin, jour de fête nationale, Ernest Mathieu était à ferrer un cheval dans la boutique de forge chez Arguin de Courcelles où il travaillait durant la belle saison. Chance pour lui que le forgeron soit handicapé par une cassure du bras, ce qui donnait à son voisin qu'il avait formé à ce métier, l'opportunité de se faire des gages en un temps où la misère noire sévissait jusqu'au fond des campagnes.

À 31 ans, Ernest était au sommet de sa forme physique malgré des cheveux qui avaient tendance à le déserter, ce qui lui valait une grande humiliation et l'incitait à porter une casquette de cheminot dont il avait arraché la palette pour des raisons pratiques. L'hiver, tout au long des années 20, il avait travaillé en divers chantiers forestiers du Maine, de lac Frontière et de La Tuque à titre de forgeron ou assistant. Mais voici que le ralentissement de l'économie mondiale avait fermé la plupart d'entre eux. Le jeune homme n'avait toutefois jamais manqué de travail, mais il vivait dans l'incertitude et l'insécurité. Et ne cessait de dire que le seul métier permettant à une famille de manger trois fois par jour était celui de cultivateur. En quoi il avait bien raison par ce temps de crise dont on n'entrevoyait pas la fin ni le début de la fin.

Ce qui l'intéressait au plus haut point en ce moment même n'était ni la patte de cheval qu'il avait entre les mains, ni le travail qu'il exécutait et encore moins la précarité dans laquelle vivaient les gens de petits métiers comme lui, mais bien plutôt ce que brassait en lui ce client, le propriétaire du cheval roux qu'il ferrait, venu d'un rang de Courcelles, appelé sous des rires entendus le 'rang des frappeurs'. On disait que les cultivateurs y vivant s'adonnaient à une pratique bien peu catholique : ils s'échangeaient leurs femmes. La rumeur courait sous le manteau, sous les couvertures de lit, de bouches qui soufflaient des insanités en des oreilles complaisantes. Les hommes s'en amusaient, les femmes s'en scandalisaient. On n'y croyait pas assez fort pour en parler aux prêtres. Pas encore...

–Tu me fais une bonne 'job', Ernest, dit le client nommé Achille Bilodeau.

–Quand j'pose un fer, il tombe pas le lendemain, mon ami, tu sauras ça.

–Ça se dit que t'es pas mal bon pour ferrer.

–J'prends le temps qu'il faut pour ajuster le fer comme ça doit s'faire.

Et l'homme se mit à rire en même temps qu'il clouait dans le sabot de la bête tranquille. Sa voix s'insinuait entre les coups de marteau :

–Sais-tu que... y a... des belles... créatures... dans ton boutte.

–Pas plus qu'au village.

–Des belles... femmes... ben... portantes... pis potelées...

–Ouais...

–Quand... t'en vois passer une... les bras pis les jambes... à l'air, ça te...

–Écoute-moé ben, là, toé, on le sait que y a des menteries qui se promènent dans la paroisse par rapport aux cultivateurs de mon rang, mais c'est rien que des maudites menteries, ça !

–J'sais pas trop c'est quoi que tu veux dire, fit Ernest qui s'était arrêté de clouer.

–Fais donc pas l'hypocrite ! Tu le sais comme les autres.

–Maudit torrieu, pourquoi que tu me dis ça, Bilodeau ?

–Parlons donc des élections qui s'en viennent, là... King gagne ou ben il se fait battre par les Conservateurs à Bennett, dis-moé donc ça !... T'as connu le temps de Laurier comme il faut, Ernest, tu dois être libéral au coton ?

–Au coton certain, maudit torrieu...

Quand le client fut parti, Ernest quitta la boutique. Excité par les idées qu'il avait ressassées dans l'heure précédente, il rentra à la maison pour le repas du midi. Quatre enfants étaient à table : Jeanne d'Arc, 8 ans; Cécile 6 ans; Fernande, 4 ans et Victor, 18 mois, dans sa chaise haute.

Éva servit à manger puis elle prit place. L'homme lui parla de son client en disant qu'il avait quasiment admis l'existence des 'frappeurs'. Il prit soin de choisir ses mots pour que Jeanne d'Arc et Cécile ne saisissent pas le sens de son propos. Et à la fin du repas, il dit :

–Viens dans la chambre.

–Pourquoi ça ?

–Ben...

Elle soupira :

–Écoute, c'est pas le bon temps... Y en a 4 déjà autour de la table... Sans compter un autre dans sa petite tombe...

–Envoye, viens !...

Durant l'acte d'obéissance conjugale qui suivit, Éva se rappela du bébé Fernand qu'elle avait perdu en 1925. Une mort qu'elle gardait comme un poids sur sa conscience alors pourtant que son seul crime avait été celui de l'obéissance au docteur. Il avait prescrit de l'eau de riz pour toute nourriture à l'enfant qui souffrait d'une diarrhée si forte qu'elle provoquait du sang dans les selles. Avec le recul du temps, il lui apparaissait qu'à ce régime, le bébé avait dû mourir de faim. Maigre rédemption à son regard, elle avait fait prénommer l'enfant suivant Fernande...

*

Ernest devait bientôt se mordre les doigts, mais pour une raison qui n'avait rien à voir avec la nouvelle grossesse qui lui fut annoncée par Éva sur le ton du reproche. C'est que son beau-frère, Siméon Rodrigue, l'époux de Marie-Louise (soeur d'Éva), venait d'acheter la résidence et la boutique de forge Racine à Saint-Honoré-de-Shenley. À la table du soir, Éva venait de lui faire part d'une lettre reçue ce jour-là.

–Il va faire quoi là, le Siméon Rodrigue ? C'est pas son métier pantoute, ça, lui...

–Il va apprendre comme toi, lui dit Éva.

–On apprend avec un forgeron de métier, pas par soi-même.

–Pourquoi que tu l'as pas achetée, toi ? Tu le savais que le forgeron Racine était mort.

–C'est la crise, maudit torrieu, c'est pas le temps d'acheter des maisons pis des boutiques de forge.

–Mion (Siméon) l'a fait, lui.

–Mion, il réfléchit pas toujours avant d'agir, lui.

–C'est un bon vivant, mais il est pas fou pour autant.

–En té cas... ça donne rien d'en parler d'abord que c'est fait. Ils ont ben pris garde de pas m'en dire un mot avant.

–C'est que t'aurais pu faire ? Lui couper l'herbe sous les pieds, à Mion ?

–Un conseil, ça nuit pas à personne. En té cas... ça donne rien d'en parler. Moé, j'ai un ch'fal à ferrer asteur...

***

Chapitre 8

1930

Quand vinrent les splendeurs d'automne que sa soeur Marie avait tant aimées de son vivant, Émélie commença à divaguer.

–Les arbres sont superbes, on dirait quasiment qu'ils sont en feu, dit l'épouse de Gédéon Jolicoeur venue visiter la malade à sa demande même, mais hélas ! arrivée un peu tard.

Avec elle se trouvait son mari, tous deux assis sur les berçantes, tandis qu'au pied du lit, debout, Éveline Martin et Bernadette attendaient des mots de la pauvre femme qui semblait ne plus pouvoir faire entendre autre chose que ses gémissements de douleur, affaiblis comme toute sa personne mais bien réels encore.

–Pour moi, elle va pas te reconnaître, Éveline, fit Bernadette sur un ton presque muet. Je te dis qu'il lui en reste pas long à faire.

Éveline avait un point commun avec Émélie en ce qu'elle pouvait refouler loin en elle-même les sentiments que les événements auraient pu exacerber. Le regard embrouillé de Bernadette l'incita à durcir le sien.

Soudain, Émélie ouvrit les yeux et parla :

–Le village est... en feu... Je le savais donc... qu'on échapperait pas... C'est l'année du grand feu... On va brûler... Y a du monde partout avec des masques... On va brûler...

Tous comprirent que les mots de Marie Lamontagne à propos des arbres en feu avaient allumé en quelque sorte l'imagination de la mourante qui puisait abondamment dans les scènes terrifiantes de l'automne 1908, quelques jours après la mort tragique d'Ildéfonse. Cette fois, c'était bel et bien une portion du film de sa vie qui lui revenait, signal de sa mort imminente...

–Faut un masque pour filtrer l'air qu'on respire... Honoré, on va brûler...

Aucune des personnes présentes n'avait vu de près le grand incendie de forêt (et de tourbe) de 1908, ni Bernadette qui n'avait pas l'âge pour comprendre ce qui se passait, ni Éveline qui habitait dans le bas de la Grand-Ligne, à une certaine distance des foyers d'incendie, et encore moins les Jolicoeur qui, au fond du Grand-Shenley, n'avaient pas même eu à subir les inconvénients de la fumée dense qui avait enveloppé le village entier et ses environs.

Chacun sachant lire ce qui est inaccessible aux yeux du corps aurait vu dans les yeux amortis d'Émélie un soir de ce feu qui l'avait d'autant plus marquée qu'il était survenu quelques jours seulement après la grande tragédie d'Ildéfonse.

(Extrait de *Les années grises*, chap. 1)

C'était veille de procession. Les villageois allaient et venaient dans le soir profond comme des fantômes errants, promenant leur inquiète lenteur sur la rue principale, guidés par les seules lumières jaunes des fenêtres de maisons noires fondues dans l'obscurité d'une nuit enfumée.

À part les fenêtres si faiblement allumées, il n'y avait plus qu'une seule couleur là, dehors : celle de l'absence de couleur. Et si c'était le prince des ténèbres qui attisait le feu! À plusieurs, on le chasserait sûrement le jour d'après. Déjà, on préparait le terrain pour la grande bataille rangée en tenant à la main un chapelet ou une petite croix. Il y avait des gens de tous âges là, dehors, à part peut-être des vieillards qui se savaient incapables de respirer l'air vicié et restaient à l'intérieur, sachant que les murs et fenêtres d'une maison servent en quelque sorte de filtre rudimentaire. Femmes suivies d'enfants, couples découragés, adolescents silencieux, jeunes filles qui gardaient un mouchoir devant leur bouche pour mieux respirer, c'était une sorte de dévotion spontanée pour demander au ciel la pluie tant espérée, la pluie vitale.

Émélie observait ces marcheurs déambuler et se questionnait sur l'appel qui les faisait sortir et aller de cette si triste manière. Certes, le soir, plusieurs faisaient une petite randonnée de désennui qui les menait au bureau de poste, au magasin ou à l'église, mais jamais autant de monde, mais jamais de ce pas funéraire. Ce n'était tout de même pas la fumée qui les faisait sortir puisqu'elle faisait s'encabaner les plus sages. Sûrement qu'on voulait devancer le curé dans la prière collective ! Mais d'aucuns, les plus vulnérables, risquaient de tomber par insuffisance d'oxygène. Il fallait sortir les masques et elle le dit à Honoré :

–On a un lot de masques depuis...

–Le déménagement du cimetière... je pensais exactement la même chose que toi, Émélie. Allons les chercher. Sont au deuxième, au fond, en haut de l'étagère... J'y vais... Dis aux gens d'approcher, on va leur en prêter pour le temps que ça va durer en attendant que cette... mauvaise soupe se dissipe.

En raison de la noirceur, il n'était possible d'apercevoir les passants qu'au moment où ils marchaient devant le magasin; là, dans chacune des deux vitrines, des lanternes dispensaient leur éclairage jaunâtre sur ce qui se trouvait devant. Puis les piétons s'évanouissaient dans le nuage de fumée. C'était au tour d'une mère qui tenait par la main un petit bout de femme, sans doute une enfant de l'âge de Bernadette. Au dernier moment, après avoir reconnu la femme adulte, Émélie retrouva le prénom de l'enfant dans sa mémoire :

–Corinne, viens ici avec ta maman : madame Grégoire va vous prêter un masque.

La femme s'approcha :

–Vous avez dit ?

–Madame Mathieu, je vais vous prêter un masque pour vous protéger de la fumée.

–Ah, c'est pas nécessaire ! La boucane, on connaît ça.

–C'est comme vous voulez, mais...

–Vous-même en portez pas.

–Mon mari s'en vient avec une boîte... je vas en mettre un... comme l'année du déménagement du cimetière.

–Nous autres, on vivait à Beauceville dans ce temps-là.

Petite, regard méfiant, la femme Mathieu restait sur ses gardes; et pourtant, elle aussi marchait pour prier et demander au ciel une pluie abondante qui puisse tuer cette bête féroce s'apprêtant à dévorer le village.

Honoré revint avec une boîte à chaussures remplie des masques de l'année 1902 confectionnés par une couturière du village afin de répondre à tout besoin urgent, besoin qu'on n'aurait pas imaginé alors devoir être celui provoqué par la fumée d'un feu aussi important et dangereux.

–Commençons par madame Mathieu et sa petite Corinne.

Se rendant compte qu'elle ne serait pas la seule à porter le masque, la jeune femme devint un peu plus confiante et accepta. Émélie en assujettit un à la fillette qui s'en montra ravie par des yeux ébahis et tout souriants :

–Vous les rapporterez plus tard... quand le feu sera fini.

Ensuite, d'autres vinrent au couple. Émélie disait à tous :

–On sait pas c'est que la fumée peut faire aux bronches

et aux poumons... ça peut les affaiblir et ensuite, la tuberculose a meilleure prise...

On entendit tousser dans la cuisine. C'était Armand. Le bruit entrait par la porte entrouverte. Émélie recommença de plus belle à divaguer :

–La consomption, la consomption... est partout... Faut se laver... tuer les microbes... Je vas me jeter dans le lac...

–Elle doit vouloir parler du lac Mégantic, dit Bernadette. Elle a passé pas mal de temps avec Alice là-bas... Par ici, des lacs, y en a pas un seul.

Les Jolicoeur se taisaient. Ils observaient sans plus. Chacun possédait une santé de fer, ce qui leur faisait paraître étrange cette agonie d'une femme à peine plus âgée qu'eux-mêmes. Quant à Éveline, elle revivait par le souvenir la mort de sa mère, mais son visage demeurait immobile, impassible.

Honoré entra. Gédéon lui céda aussitôt sa place sur la chaise et resta debout en retrait dans l'encoignure. Il prit la parole dans une élocution restée lente malgré les mois passés depuis son attaque :

–Ça fait deux, trois jours qu'elle sait plus où elle se trouve ni ce qu'elle dit. Elle prend un mot qu'on dit et part dans les airs comme un avion.

–Pourquoi dire ça de même ? s'insurgea Bernadette qui trouvait le propos de son père peu convenable en les circonstances.

Il s'impatienta :

–Ben c'est ça : quoi c'est que tu veux que je dise ? La souffrance pis la faiblesse dans la maladie, ça nous rend tous...

–Elle nous a parlé du grand feu, coupa la femme Jolicoeur. Est restée marquée par ça.

–Tout ceux qui l'ont vécu sont restés marqués. Elle avait

ben peur qu'on brûle. Et voyez-vous, c'est la pauvre Éva qui a brûlé à Saint-Gédéon.

Le nom d'Éva atteignit la malade qui se mit à la réclamer. À ce moment de lucidité, Honoré lui dit que leur fille aînée et son mari viendraient dimanche. Alors Émélie referma les yeux et sembla perdre conscience...

–Pis vous autres, la famille ? demanda Honoré. On a sympathisé avec vous autres quand votre plus vieille est partie de l'autre côté. Marie-Laure, c'était une personne de haute qualité... comme notre plus vieille, Éva... On dit que les meilleurs partent les premiers.

Les époux Jolicoeur se regardèrent. Marie soupira et, vu les circonstances, s'épancha :

–On craint pour notre deuxième, la Marie-Ange.

–Les mêmes problèmes que Marie-Laure, on dirait. Comme c'est là, elle voit le docteur Goulet.

–En tout cas Monique, notre plus jeune, on dirait qu'elle est faite pour vivre cent ans, celle-là. Onze ans, pleine de vie... Les gars, eux autres, sont forts comme des ours...

Il parut qu'Émélie avait saisi l'échange. Elle rouvrit les yeux et bredouilla avant de les refermer :

–Ovide... Ovide... c'est lui qu'il faut...

Émélie la marieuse avait promis à Berthe de lui envoyer un mari quand elle serait dans l'autre monde, et ce propos de juin revenait se mélanger en son esprit à plein d'images désordonnées parmi lesquelles le visage du fils Jolicoeur alors qu'il n'avait encore qu'une dizaine d'années. Et pendant un très court laps de temps, elle sut qui se trouvait là, tout près : le couple Jolicoeur, Éveline Martin de même que Bernadette et Honoré. Tout se passait pour elle comme dans un rêve qui aligne sur un canevas abracadabrant des réalités du passé et du présent qu'enchevêtrent dans l'impossible les volontés du subconscient.

Son délire des jours suivants s'avéra contraignant, fait de craintes fondées ou irraisonnées. L'idée de la faillite revenait tous les jours et il lui arrivait même de grommeler contre la crise et les gouvernements qui ne bougeaient pas assez pour faire changer les choses. Parfois, son visage s'illuminait. Comme lorsque le nom de Wilfrid Laurier lui revenait à la bouche. Son vieux respect reposait le débit...

Elle ne reconnut ni Obéline Racine, ni son mari, ni sa cousine Cédulie. Ses reprises de conscience se faisaient de plus en plus rares. Pampalon, Alfred, Éva, Alice, Bernadette, Armand, Berthe, aucun ne lui était familier ni ne la faisait réagir en cette deuxième semaine d'octobre.

De temps à autre, Honoré sortait de la chambre en affirmant qu'elle le reconnaissait encore. D'aucuns pensaient qu'il se faisait des idées.

Le docteur Goulet venait tous les jours et le curé Proulx espaçait ses visites de trois jours. Ce n'étaient plus les semaines de la moribonde qui étaient maintenant comptées, ni même les jours, mais ses heures de survie.

Il ne restait dans ce grand lit qu'un petit paquet d'os, image qui saisissait Bernadette chaque fois qu'elle lavait le corps de sa mère. Alors, elle blêmissait et quand la tâche était accomplie, il lui fallait aller se reposer à l'écart pour reprendre son souffle et permettre à son âme de renouer avec la vie et le devenir.

La nature se fit un devoir d'accompagner la mourante. Le dimanche, 12 octobre, un temps pluvieux et venteux arracha par grands coups de peigne humide toutes les feuilles des arbres du village. Armand, qui avait adopté une attitude assez récente de sa mère, s'était assis sur une chaise à bras devant les portes centrales du magasin pour jongler. Seul. Pas de clientèle puisqu'on était le jour du Seigneur et qui plus est en après-midi.

Les trois maisons d'en face restaient vides. On attendait

d'une semaine à l'autre la famille Rodrigue de Saint-Éphrem qui occuperait les locaux de Tine Racine, mais elle retardait à venir pour des raisons légales mal connues.

Et le vent mouillé fouettait la chair grise parcheminée du vieux presbytère ainsi que les bardeaux d'amiante de ses deux voisines plus imposantes. Quelle âme en peine aurait pu imaginer décor plus affligeant ?

Armand songeait à son état de santé physique et mentale. Et si son inclinaison à une forme d'amour dite contre nature ne l'inquiétait guère sauf pour la cacher à tous, et pour cause en pareille époque, ses voies respiratoires quant à elles lui parlaient de plus en plus de consomption. Respiration sifflante. Toux récurrente. Souffle raccourci. Malgré tout, il ne se décidait pas à subir des examens approfondis. Il lui semblait que s'il devait se jeter à l'eau, sa tête heurterait douloureusement et dangereusement une pierre au fond : celle d'un diagnostic défavorable voire insupportable.

Et la pluie en trombe continuait de battre les arbres et les habitations. Le jeune homme avait les coudes appuyés aux bras de sa chaise qui lui enveloppait le corps; et ses mains se rejoignaient devant son visage, les doigts de l'une tapotant ceux de l'autre. Son regard fixait le vague du temps gris.

Il lui traversait l'esprit comme souvent au collège la question existentielle par excellence : que suis-je venu faire en ce monde ? Sa mère née le 31 décembre 1865 allait sans doute rendre son âme à Dieu en ce jour du 12 octobre 1930, après 64 ans de drames, de deuils, de labeur, de sueur et de sang. Qu'était-elle venue faire en ce bas monde ? ! Pourquoi donc avait-elle vécu une vie entière sans jamais rire ou presque, vêtue de noir ou de sombre, esclave des us et coutumes de son temps, enchaînée par une jambe à son travail de marchande et par l'autre à ses obligations conjugales et familiales ?... Qui tirait les ficelles de la vie sur terre et pourquoi les tirait-il de cette manière ? Si Pétronille Tardif avait survécu pour élever elle-même ses enfants, le destin d'Émélie eût été bien différent. Si dans sa jeunesse, le grand-père Allaire n'avait pas rencontré cette femme trop belle sur le chemin de Ste-Hénédine, peut-être que jamais il ne serait venu ouvrir magasin à Shenley et n'aurait ainsi fait de sa fille une femme d'affaires, forte et totalement dévouée à l'entreprise.

Malgré tout ce qui l'avait opposé à sa mère, trop enveloppante à son goût, Armand se sentait des larmes au coeur chaque fois qu'il la visitait dans sa chambre, pour n'en garder ensuite que l'image dérisoire d'un être que la mort a déjà pris, mais se plaît à lui laisser un souffle illusoire prêt à s'éteindre au plus simple coup de vent.

Le jeune homme ferma les yeux. Une image non appelée lui vint : celle de la 'Patte-Sèche' arrivant de nulle part à la veille d'un jour noir, comme on disait qu'il était venu en 1908. Mais la 'Patte-Sèche' était peut-être à sécher six pieds sous terre en ce moment... Il rouvrit les yeux et sursauta en apercevant de l'autre côté des vitres, sous un parapluie gris, un homme qu'il eut tôt fait de reconnaître.

–Je peux entrer, Armand ?

–Certain ! Je débarre la porte...

Et le jeune homme fit glisser le verrou puis ouvrit. Le docteur entra et referma son parapluie qui dégouttait à grosses gouttes sur le plancher de bois.

–T'as l'air pas mal perdu, mon gars.

–Bah ! je jonglais.

–C'est toujours bon de rentrer en soi-même.

–C'est de trouver la place pour être tuseul sans se faire achaler... J'dis pas ça à cause de votre visite. J'sais que vous venez voir ma mère tous les jours...

–T'excuse pas, je comprends ce que tu veux dire et ce que tu désires. Et je te souhaite de le trouver...

Le médecin reprit son pas vers la porte de la maison privée, mais interrompit sa marche soudain pour se tourner et s'adresser de nouveau au jeune homme :

–Il me vient une idée. Tu serais pas intéressé d'acheter ma petite laiterie ? Depuis la mort de ma femme, je m'en sers plus du tout.

–Vous allez peut-être vous remarier, là, vous...

–On sait pas, hein. Mais même si c'était le cas, je vas continuer d'acheter mon lait et mon beurre de Louis Grégoire. La laiterie, tu la déménages sur votre terrain, entre le chemin Foley et les granges... Tu t'enfermes là pour lire, méditer... Moi, je dois te dire que je buvais de la boisson là, mais c'est fini. Asteur, j'suis un homme sobre. Mais toi, t'es pas un alcoolique : ce serait le lieu idéal pour un homme qui veut se retrouver lui-même. Tu pourrais faire coucher le quêteux là quand il vient...

Et Joseph se mit à rire.

Armand était songeur. Il pensait qu'il pourrait bien y recevoir son ami intime, l'abbé Fortin, autrement que deux ou trois fois l'an sur le cap à Foley. Suffirait de bien boucher les fenêtres et verrouiller la porte quand le visiteur viendrait...

–Ça me tente à plein. Si c'est pas un prix exagéré...

–Un montant symbolique... quarante piastres tiens, et la laiterie t'appartient. Un petit cabestan, un bon cheval et un set de rouleaux, et tu déménages la bâtisse que ça prendra pas goût de tinette.

Le regard du jeune homme s'agrandit :

–Je vas appeler ça... "le campe à Armand"...

–Un îlot de solitude dans un îlot de verdure, parmi la vie grouillante du coeur du village.

–Depuis la crise, ça grouille pas fort au village...

–C'est une question de temps.

–Tout n'est qu'une question de temps !

–T'es sage pour un jeune homme de ton âge, Armand.

–Je marche sur mes 24 ans quand même.

–Et moi, je marche au chevet de ta mère.

–Pour moi, elle passera pas la journée.

–On le pense depuis deux semaines, mais... la vie, c'est fort, ça s'agrippe...

–Ça serait pas plutôt le malade qui s'agrippe à la vie.

Le médecin secoua la tête sans se retourner :

–On pense comme on veut, mon ami... on pense comme on veut...

*

La nuit suivante, ce fut au tour de Berthe de veiller sa mère. Elle s'installa dans un fauteuil où elle pourrait somnoler avec, entre les mains, un autre coussin à broder, le dixième depuis le début de ses vacances en juin. Arrivée l'avant-veille, elle était en congé spécial du Mont-Notre-Dame vu la fin très prochaine de sa mère.

Il y avait sur la table de chevet un petit miroir à poignée dont on pouvait se servir pour sonder le souffle de la malade. Advenant l'absence totale de buée, il fallait avertir les autres dans la résidence et prendre le pouls tandis qu'on préviendrait le docteur. Mais il n'était pas nécessaire de s'en servir puisque la poitrine enveloppée d'un drap blanc se soulevait régulièrement. Rarement toutefois. Comme chez tous ceux qui s'éteignent à cette lenteur.

Berthe regardait parfois sa mère sans la reconnaître, sans voir ce qui restait d'elle, et à ne garder en tête que l'image si importante que sa jeunesse lui avait laissée d'une femme forte, grande et lourde, solide en toutes choses, sachant où elle allait, n'hésitant jamais avant de bouger et d'agir, réglée comme du papier à musique, capable de diriger n'importe quelle cliente comme on guide un enfant, et qui pouvait faire passer à son mari un maudit quart d'heure le dimanche à cette période précisément baptisée par lui le "maudit quart d'heure", histoire d'ironiser un peu.

Et dire que cette géante était en train de s'éteindre pour

jamais après avoir tout perdu peu à peu d'elle-même, de sa puissance, de sa lumière, de sa grandeur et de sa beauté. Entre deux points de broderie, Berthe essuyait parfois une larme. Puis reprenait son ouvrage, comme il se devait...

Le temps commença de s'endormir dans son esprit que la tristesse baignait, et dans son corps venu réclamer d'elle ses habitudes du pensionnat. Passé minuit, elle sortit de ce qu'elle pensait n'être qu'un état de somnolence. Et s'en voulut d'avoir perdu la carte par manque de vigilance. Il lui parut un court instant que sa mère avait rendu l'âme, puis la poitrine sèche se souleva doucement et revint à l'état de repos. Il y avait plusieurs heures que la malade ne gémissait plus. Comme si une partie de son être avait déjà atteint les sphères de l'après-vie où la douleur n'existe plus, où l'âme accède aux vastes territoires de la paix éternelle.

L'horloge de la cuisine fit entendre un seul coup. On était donc à une heure du matin, ce 13 octobre 1930. Berthe refit quelques points de broderie à la lueur d'une lampe sur pied qui éclairait son ouvrage. De nouveau, elle posa son regard sur la mourante qu'une autre lampe sur pied permettait de voir et de surveiller. Elle perçut un autre mouvement léger de la poitrine. La mort se contentait peut-être pour le moment du spectacle d'averses dispersées qui venaient sporadiquement frapper aux vitres de la fenêtre et se complaisait-elle à laisser vivre pour mieux prendre ensuite ?...

Berthe appuya sa tête au dossier de la chaise. Elle ferma les yeux pour ne les rouvrir que bien plus tard, quand l'horloge de la cuisine fit entendre six coups. Un septième résonna dans sa tête et c'était celui du remords.

Quelqu'un avait commencé de bardasser dans la cuisine. Sans doute Alice qui s'affairait à préparer le déjeuner. Berthe voulut lui parler, justifier ce sommeil interdit qui s'était emparé d'elle... Elle se leva doucement, posa son ouvrage sur la chaise et sortit par la porte entrebâillée.

–Berthe, t'es réveillée.

–Tu savais que je dormais.

–Oui et c'est très bien. Qu'est-ce que ça aurait changé que tu veilles toute la nuit ?

–Elle aurait pu mourir.

–Que tu dormes ou pas, elle serait morte quand même. Ça fait pas de différence...

–Mais... papa...

–Il veut que quelqu'un soit là quand elle va nous quitter, mais c'est pas nécessaire. Maman partira à son heure, quoi qu'il advienne autour d'elle.

–T'es pas fâchée parce que...

Alice s'approcha de sa jeune soeur qu'elle prit par les deux épaules en lui souriant avec tendresse :

–C'était si beau de te voir dormir dans la chaise... J'aurais même souhaité que maman s'en aille tandis que tu dormais. Elle aurait pu s'en aller en grande paix, te voyant dormir en si belle paix. Ne te fais pas de souci ni de remords, ma grande ! Tu as fait ce qu'il fallait.

Elles eurent toutes deux les larmes aux yeux.

–Asteur, retourne avec elle le temps que je fais à déjeuner. Ton père va se lever et prendre ta place... Il dit qu'il veut être là quand elle va partir. Il lui a demandé d'attendre qu'il soit là. Et peut-être que ça va se passer comme ça... Mais peut-être pas non plus...

*

Comme prévu, Honoré remplaça sa fille au chevet de la mourante. L'homme parfois se berçait, parfois ne bougeait plus, parfois fermait les yeux pour se souvenir... Parmi les images du passé qui lui revinrent l'une suscita en son être une forte émotion : celle où avec les enfants d'alors, on avait fait une visite au vieux cimetière, particulièrement à la tombe de Marie Allaire... Il ne se souvenait plus de l'année où ça s'était passé, sûrement avant 1902 puisque cette année-là, on avait déménagé le vieux cimetière sur la colline là-bas...

(Extrait de *La moisson d'or*, chap. 8)

Son mot terminé, Émélie demanda à Honoré de s'adresser à la famille. Il n'avait pas prévu la chose et dut improviser :

—Si on est unis au cours de la vie, on le sera dans l'éternité du Seigneur. La mort est une séparation... mais temporaire seulement. Il y avait une petite fille blonde appelée Georgina que le bon Dieu est venu chercher quand elle n'avait que quatre ans. Sa soeur Marie, votre tante Marie, a souvent dit que Georgina lui apparaissait et lui disait qu'elle viendrait la chercher. Et elle est venue. Et Marie viendra un jour chercher votre maman Émélie. C'est comme ça. C'est naturel. C'est voulu par le bon Dieu...

Quand il rouvrit les yeux, il lui parut que son épouse avait quitté ce monde. Les secondes s'écoulaient, interminables, et la poitrine ne se soulevait plus. Alors il appela. Alice vint. C'était une fausse alarme. Émélie vivait encore.

—Faisons venir le prêtre.

—Il doit venir demain.

—Non, tout de suite. Aujourd'hui... Je vas lui téléphoner tout de suite...

Une heure plus tard, le curé Proulx s'amena. Et il administra les derniers sacrements à la mourante.

—Ça va l'aider à survivre encore un peu, dit-il en repartant. Peut-être une journée qui sait !...

Une autre heure suivit; alors le docteur vint. Pour une raison qu'il jugerait plus tard futile, Honoré quitta la chambre et se rendit au magasin parler avec Alfred qui y travaillait sans qu'il ne s'y trouve aucun client vu le moment de la semaine, un lundi, de la journée, près de midi, et du siècle, en pleine dépression économique.

Peu de temps après, le docteur Goulet revint par la porte de la cuisine et marcha lentement, tête courbée, jusque devant les deux hommes. Laconique, il déclara :

–Ça y est, c'est fini !

Alfred mit ses mains sur son visage et ne parvint pas à réprimer des sanglots. Honoré demeura de marbre. Émélie était partie en son absence. Mais ce n'est pas ce souhait non exaucé qui le figeait dans la glace et plutôt un sentiment d'extrême solitude. Jamais il n'aurait pu imaginer qu'on puisse se sentir aussi seul en ce bas monde. Toute leur vie, malgré parfois l'éloignement à cause des chantiers, malgré les "maudits quarts d'heure", malgré la 'chambre à part' d'une année, ils avaient formé un couple solidaire dans une union tissée serré. Et leurs différends les avaient rapprochés, avaient constitué d'autres maillons à la chaîne qui les avait toujours réunis de leur plein gré.

–Freddé, demande à Pampalon de venir pour qu'il s'occupe de tout... les pompes funèbres, le notaire... Appelle Henri aux États pis Éva à Saint-Gédéon...

Ce furent là les seuls mots d'Honoré qui ensuite entra dans un mutisme presque complet, appelé à durer jusqu'à sa propre fin.

*

Des centaines de personnes défilèrent devant le corps qui fut exposé dans la cuisine le soir même et pour deux autres jours. Henri fut là le mercredi et la sépulture eut lieu le jour suivant, jeudi 16 octobre, dans une église remplie à craquer de gens tout en noir, comme la défunte aurait aimé les voir. Rarement autant de gens ne s'étaient réunis dans une même affliction et pour rendre un dernier hommage à quelqu'un. L'on se rendit compte de la place occupée par cette femme de valeur dans le coeur de la population. C'était comme si chacun avait perçu derrière sa façade de femme forte le coeur d'une femme...

Ils furent nombreux, tous des hommes cependant, à signer le registre après lecture officielle de l'inscription par l'abbé J. Arthur Proulx :

Émélie Allaire

Le seize octobre mil neuf cent trente, nous soussigné, curé de St-Honoré, avons inhumé dans le cimetière de cette paroisse le corps de Émélie Allaire épouse de Honoré Grégoire marchand, décédée en cette paroisse le treize de ce mois à l'âge de soixante-quatre ans et neuf mois, munie des derniers sacrements de l'Église. Présents : Honoré Grégoire, son époux, Alfred, Pampalon, Armand, ses fils et plusieurs parents et amis dont quelques-uns ont signé. Lecture faite.

> *F.M. Gendron, ptre, curé de St-Gédéon*
> *J.E. Veilleux, ptre*
> *J.A. Guillot, ptre, curé de St-Évariste*
> *Thomas Ennis, ptre, curé de St-Hilaire*
> *Joseph Houde, ptre, curé de St-Benoît*
> *Barthélemy Carrier*
> *Honoré Grégoire*
> *Henry Grégoire*
> *Alfred Grégoire*
> *Armand Grégoire*
> *J. Arthur Boutin*
> *Pampalon Grégoire*
> *Alfred Boutin*
> *Raoul Grégoire*
> *Adélard Roy*
> *Elzéar Quirion*
> *Théophile Guenette*

Uldéric Blais
Alexandre Melody
Frank Allaire
Henry Allaire
Édouard Lacroix
Joseph Poirier
Joseph L'Heureux
Jean-Thomas Lacroix
Jos Rouleau
Jos Lapointe
J.E. Pilon
Jean Jobin
J.L. Dancose
Jean-Thomas Grégoire

Une sépulture grandiose pour une femme exceptionnelle !

***

Le couple Grégoire vers 60 ans

Émélie est encadrée par le docteur Goulet et Honoré

Chapitre 9

1931

Dans un sens, la mort d'Émélie donna le signal d'une libération pour quelqu'un de la famille. Depuis près de vingt ans, depuis le premier jour où elle l'avait connue, l'épouse d'Alfred s'était attiré des regards de soupçon de la part de sa belle-mère. Et puis, elle avait compris que cette suspicion n'était pas due au fait qu'elle soit une bru puisque sa belle-soeur Ida n'avait pas à subir la même distance imposée par l'épouse d'Honoré.

Dérangée mentalement, Amanda n'en était pas moins très observatrice et fort intuitive. Elle ne ressentait ni haine ni dédain de la part d'Émélie, mais du rejet. Comme si elle était condamnée à rester à jamais à la porte de son coeur sans qu'il ne lui soit possible d'y entrer. Même la veuve Cormier qui pourtant avait mis le grappin sur Henri aux États avait, lors du voyage de noce du couple à Mégantic et Saint-Honoré voilà un certain temps, marqué bien plus de points auprès d'Émélie que la 'femme à Freddé' .

Honoré, lui, n'avait pas la même attitude que sa femme devant Amanda. Il la tolérait et ses frasques l'amusaient. Souvent avait-il dit au creux de l'oreille d'Émélie que leur bru avait 'la noix un peu fêlée', mais qu'il la trouvait très drôle, pas du tout méchante et bonne mère de famille. Son opinion n'avait suscité aucune ouverture de la porte du coeur d'Émélie fermée à double tour devant Amanda. Et le plus loin qu'elle pouvait aller vers sa belle-mère, à moins d'envahir de force son territoire, c'était les marches de l'escalier de chêne menant au bureau-salon maintenant désert et dont Alfred se servait de plus en plus pour entreposer des boîtes de conserve.

Novembre 1930 : déménagement.

Soulagement pour Amanda qui était alors enceinte de deux mois. Enceinte pour la onzième fois.

Et ça faisait beaucoup de monde à répartir au deuxième étage de la résidence puisque la seule du premier continuerait d'être occupée par Honoré. Il y avait à caser Alfred et son épouse, Raoul maintenant âgé de 18 ans et qui, aux études pour devenir avocat, revenait à la maison l'été et les jours de congé, Rachel, 17 ans, qui avait terminé ses études au couvent, Hélène, 12 ans, Monique, 11 ans, Yvette, 8 ans, Marielle, 7 ans, Thérèse, 4 ans, Honoré, 3 ans.

Avec la complicité d'Alice, Amanda défit la chambre-musée d'Ildéfonse devenue celle aussi d'Eugène et l'attribua à son couple. Une chambre à débarras serait celle de Raoul à ses visites et il la partagerait avec le petit Honoré. Quant aux filles, elles seraient réparties dans deux autres pièces tandis que Bernadette garderait sa chambre pour elle-même et Berthe. Armand logerait pour un temps chez Pampalon en attendant que soient effectuées les réparations à la maison Foley.

En fait, il s'agirait de la maison de Bernadette, car elle en héritait par la volonté de ses parents. Dès les beaux jours, on entreprendrait la rénovation de cette modeste demeure d'un étage et demi et quand elle serait à point, trois enfants des Grégoire s'y installeraient : Bernadette, Berthe et Armand.

Les changements de cette fin d'année 1930 et début 1931

dans la vie du couple d'Alfred devaient s'avérer nocifs pour la santé mentale de la femme de 42 ans. Elle montra des signes de plus en plus nombreux d'une maladie dont on ne savait pas encore le nom. Psychose ? Névrose ? Maniaco-dépression ? Hystérie ? Ces noms circulaient, tous ces noms, mais au grand jamais le terrible mot 'folie', pire que celui de 'consomption'. Alfred refusait de voir la réalité bien en face. Il en parla en privé avec Pampalon qui suggéra sinon l'internement immédiat, du moins une visite à un psychiatre compétent et renommé. Cela se passait dans le salon-bureau d'Émélie où Alfred avait tant de fois trouvé soulagement à ses incertitudes en la personne de sa mère. Peut-être que depuis l'au-delà, elle lui prodiguerait un autre bon conseil.

–C'est Rachel pis Bernadette qui s'occupent de faire à manger. Pis du ménage dans la maison. Elle fait rien, elle se promène en robe de chambre. Elle rit pour rien, à voir une araignée ou un rideau mal fermé...

–Dis-toi, Freddé, qu'elle est enceinte pour la onzième fois, que le départ de notre mère l'a bouleversée encore plus que nous autres, que le déménagement, ça bouscule du monde, que les enfants sont plusieurs...

–Reste 6 filles à maison, plus le p'tit Doré.

(*Tous désignaient le dernier-né sous le surnom de Doré vu la couleur de ses cheveux et parce que, homonyme de son grand-père, on ne voulait pas le confondre avec lui en parlant.*)

–Y a des personnes qui supportent pas le changement, même si c'est pour le mieux. Ta femme, c'était pas la préférée de notre mère, tu sais ça...

–Je le sais certain.

–Bon... Là, c'est Manda qui prend la place de notre mère.

–Elle dit se sentir une étrangère dans la maison.

–Ça pourrait rester de même. Au fond, c'est notre mère qui est responsable pour l'avoir toujours traitée comme une... intruse disons... À force de se faire considérer de même, peut-être que ta femme se voit de même... une étrangère dans une maison qui est la sienne asteur... Les marques en dedans, ça s'efface pas du jour au lendemain. Faudrait la faire voir par un psychiatre...

–Bah ! il dirait la même chose que toi, Pampalon.

–Tu serais plus certain de ton affaire.

–Je vas y penser ben comme il faut avant de faire ça.

–Elle est pas dangereuse pour les enfants toujours ?

–Ben non, ben non.

–Attends que le bébé qu'elle porte soit au monde. Peut-être qu'elle va avoir un petit bout de dépression d'un mois ou deux, mais elle pourrait se replacer ensuite...

Puis la conversation porta sur la famille Rodrigue nouvellement installée en face. Pampalon dit à mi-voix pour faire comprendre qu'il s'agissait d'un secret à garder, que le nouveau forgeron n'était pas très compétent dans son métier et que sa clientèle se faisait plutôt rare.

–Comme pour Éva pis Arthur à Saint-Gédéon, mais eux autres, c'est pas par manque de compétence.

–Au moins, ça fait un peu de vie de l'autre côté du chemin !

–Ouais !

*

À Courcelles, le 24 mars, par une journée de plein soleil alors que les érables des sucreries coulaient 'comme des folles', Éva Pomerleau, épouse de Ernest Mathieu, donna naissance à son sixième enfant après Jeanne d'Arc, Cécile, Fernand, Fernande et Victor. Une fille à qui, au baptême, on donnerait le prénom de Marie-Marguerite Lawrence selon le voeu de sa mère. Le bébé reçut pour parrain et marraine des gens du voisinage, Irénée Morin et son épouse Amanda Labrecque.

Ce furent ces bons voisins qui, le jour suivant, un mercredi, portèrent l'enfant sur les fonts baptismaux. Le prêtre Moïse Bernier les y attendait.

–Le père n'y est pas ? demanda-t-il sitôt le couple arrivé dans la sacristie.

Amanda répondit :

–Il est dans les chantiers. Sa femme est seule.

–A-t-elle pu avoir les services d'un médecin ? Il faisait une tempête à n'y voir ni ciel ni terre hier.

L'homme répondit :

–Le docteur Roy est venu de Saint-Évariste.

–Comment a-t-il pu venir ? Les chemins étaient fermés et le sont encore.

–Par la 'track' des 'chars'... en 'pompeux'...

–Tout un homme, ce docteur Roy ! Venir en draisine... ou comme vous dites, en 'pompeux'... Bon, alors baptisons, c'est l'heure...

Le rituel commença. Le prêtre, un grand brun d'une quarantaine d'années qui faisait rêver quelques dames de la paroisse, s'enquit :

–Quel est le prénom choisi ?

–Madame Mathieu l'a écrit sur un papier, dit la femme. Tenez...

–Quoi ? Marie-Marguerite Lawrence ? Qu'est-ce que cette idée ? Ils vont l'appeler Marguerite au quotidien ?

–Semble que non...

–Mais Lawrence, c'est un nom d'homme. Qui plus est, d'un ennemi des Canadiens français. Il a déporté les Acadiens. Où madame Mathieu a-t-elle bien pu pêcher une idée pareille ?

–Peut-être qu'elle voulait dire Laurence ?

–Vous savez ce qu'il faudrait faire ? Lui donner un prénom bien connu, populaire comme... comme Dolorès.

–Nous, on est parrain et marraine, pas les parents.

–En tant que tels, vous pouvez décider. Accepter d'être de cérémonie, c'est prendre un engagement pour la vie de l'enfant, vous savez cela ?

–Oui, dit la femme.

–Oui, ajouta l'homme en penchant la tête.

–On y va pour Dolorès en ce cas...

Le prêtre se rendait souvent dans le rang des 'frappeurs' et y entretenait une relation secrète mais étroite avec une dame mariée au prénom de Dolorès. Telle était la vraie raison de son choix.

Et c'est ainsi qu'il fallut annoncer à Éva plus tard que sa fille ne porterait pas le nom qu'elle avait choisi. Elle se rallia aussitôt au choix du prêtre et des Morin :

–J'en connais, des Dolorès... je pense que ça vient de Notre-Dame-des-Sept-Douleurs... Espérons qu'elle aura pas une vie douloureuse pour autant...

*

Ida aussi était enceinte, tout comme sa belle-soeur. Même que les deux femmes savaient que l'épouse de Pampalon accoucherait un bon trois semaines avant l'autre. Et c'est ainsi que les choses arrivèrent. Le 6 juin, elle mit au monde un garçon, septième enfant de la famille après Luc, 8 ans, Huguette, 7 ans, Jeannine, 6 ans, Gilles, 4 ans, Yves, 3 ans, Benoît, 2 ans. On prénomma le dernier-né André.

Puis le 27 de ce mois de juin, un samedi de chaud soleil, Amanda fut accouchée d'une fille par le docteur Goulet qui vint l'annoncer au père quand le soi-disant "heureux événement" fut accompli.

–T'as ben l'air soucieux, Joseph, lui dit Alfred alors que les deux hommes se tenaient au bout du comptoir du magasin, près de la balance à fléau.

–Pour tout dire, on a eu de la misère. Ce qui a fait qu'on

a eu un bébé bleu... le cordon autour du cou... Mais tout est rentré dans l'ordre. C'est des choses qui arrivent. Pas souvent mais toujours trop souvent. C'est donc une fille. Faites-la baptiser au plus vite, on sait jamais...

–On s'en occupe. Je vas appeler Blanche pis Albert...

–Sont loin ?

–Pont-Rouge.

–Ouais...

–Ils voulaient absolument être de cérémonie. Blanche, c'est la soeur de ma femme qui est mariée à l'agronome Albert Plante.

–Qu'ils viennent pas plus tard que demain !

–Facile, demain, c'est dimanche. Le bébé est-il en danger autant que ça ?

–S'agit de prendre aucun risque...

Il y eut baptême le jour suivant tel que planifié. Le bébé ne faisait entendre que de faibles vagissements et ne ressemblait pas à cent pour cent à un enfant normal. On l'appela Solange.

*

Le temps d'Honoré s'alourdit. Les jours, les mois ayant suivi la mort d'Émélie furent tristes et pesants. Durant la journée, l'homme prenait place « *sur la chaise berçante et y écrivait ses dernières volontés. Sur un petit bout de papier, il céda son cheval de couleur café à Pit Veilleux et son cheval noir à son frère, en remerciement des bons services que les deux hommes lui avaient rendus. Il rédigea un autre billet pour remercier le propriétaire de la terre "là-bas" de lui avoir laissé la permission de cultiver la terre qu'il avait "tant aimée."*

Un clocher dans la forêt, page 35

Sa dernière sortie se passa au début du mois d'août de cette année 1931. Il avait fallu un décès important pour qu'il prenne sa canne et ses dernières réserves d'énergie et de volonté, et sorte du magasin pour monter dans sa 'machine' conduite par Pampalon, direction la côte à Grégoire, non pas celle de son demi-frère Grégoire mort depuis belle lurette déjà, soit en 1919 à l'âge de 86 ans, mais celle du village, derrière la maison Lambert vers celle d'Anselme, son neveu décédé la veille, mercredi 5 août, à 64 ans.

Veuf d'Octavie Labrecque, Anselme et son épouse, du vivant de la femme, visitaient Honoré et Émélie au moins une fois par quinzaine. Ils étaient sans doute les meilleurs amis des Grégoire dans la paroisse.

Le fils d'Anselme, Louis, âgé de 37 ans et père de famille, qui habitait la maison dont il avait hérité de son père, sortit sur la galerie pour recevoir Honoré et l'aider à gravir les marches de l'escalier en lui servant d'escorte.

–On pensait pas que tu serais capable de venir, Noré, pis on aurait compris ça ben comme il faut.

–J'ai fait comme j'ai pu, fit Honoré à l'humeur de chien.

–Ça, on sait que tu fais toujours tout ton possible.

–Où c'est qu'il est, lui, que j'lui dise ses quatre vérités ?

–Qui ça ?

–Ben ton père, c't'affaire !

–Dans sa tombe.

Louis ne put s'empêcher de sourire à la question.

–Emmène-moi devant.

Ce que fit l'autre sans oser prendre le visiteur par le bras pour ne pas froisser son orgueil comme le faisait sa canne.

Toutefois, Honoré demeura muet devant le cercueil noir. Son visage resta impassible. L'homme ne s'agenouilla pas et les assistants nombreux comprirent qu'il aurait eu du mal à se relever tout seul pour se remettre debout. On ne pouvait imaginer à quel point Honoré était affecté par ce décès. Presque autant que par celui d'Émélie. S'il restait un point de suspension après la mort de sa femme, voici qu'il pouvait lire ce soir-là un point final à sa vie. Il ne lui restait maintenant plus qu'à mourir et être enterré.

Le jour suivant les funérailles d'Anselme, Honoré se sentit obligé de s'aliter définitivement. Il fit venir auprès de lui Octave Bellegarde...

"... et lui commanda un cercueil. Il fit scier et découper des arbres de son propre boisé pour le fabriquer. Il voulait être sur que sa 'tombe' ne pourrirait pas trop vite. Avec l'aide de sa fille Berthe, il décida de la finition de son cercueil tandis que le menuisier embaumeur prenait ses mesures. "Velours ou drap ?" demanda-t-il à sa fille en lui montrant les échantillons. "Drap", répondit Berthe car le velours l'ennuyait mortellement. Parmi les accessoires en option, il choisit un matelas et des poignées de cercueil... (En fait déjà achetées dans le gros à Québec et confiées à Bellegarde en 28, après sa thrombose.)

Une fois ces préparatifs terminés, il déclara à ses proches "Vous trouverez mon nécessaire de voyage chez Octave Bellegarde."

Pour éviter que son testament ne soit contesté, il se fit examiner par un médecin qui le déclara, par écrit, tout à fait sain d'esprit..."

Un clocher dans la forêt, page 35

*

Vers ce temps-là, un nouveau vicaire vint remplacer l'abbé Allen à titre d'adjoint du curé Proulx; ce fut l'abbé Albéric Couture. Sa première visite de malade fut pour Honoré qu'il conseilla en lui recommandant de ne pas couver sa chambre afin de prolonger son existence : bouger, marcher, faire de l'exercice.

Honoré trancha malgré le temps qu'il prit pour le dire :

–J'attends mon heure en paix dans ma chambre. Quant à prolonger mes jours, je me demande ben pourquoi. J'ai 66 ans. Mon règne est fini. J'ai accompli ce que je devais. Mes affaires sont à l'ordre. Mes amis sont de l'autre bord. Ma femme doit m'attendre là. Ajouter des mois, des années de misère à marcher, à parler, à rire ? Pourquoi ça ? Vous saurez que la mort est la meilleure amie du mourant. Ça vient pas de moi, mais j'aime le dire.

–La religion dit que c'est un devoir de vivre sa vie jusqu'à sa fin naturelle. On doit tout faire pour la protéger...

Cette fois, Honoré retrouva une partie de son grand rire de Grégoire qu'il avait légué à quelques descendants dont son petit-fils Luc. Puis il dit :

–C'est ça que je vas faire.

Un pieux mensonge à l'intention d'un pieux vicaire...

*

"Avec l'aide de sa soeur Alice et de son mari Stanislas, Bernadette poursuivait la rénovation de la maison des Foley située immédiatement à côté. Pour satisfaire Bernadette, plusieurs modifications importantes furent apportées aux plans originaux... La maison Foley était une petite 'québécoise' d'un étage et demi avec cuisine d'été sur le côté. Pour agrandir, on enleva le toit et on dressa un étage complet sur le dessus. Le résultat des transformations fut assez impressionnant. L'extérieur était bien réussi, mais l'intérieur l'était davantage. La nouvelle résidence avait maintenant une allure plutôt chic. Le salon du dimanche où, bien entendu, personne n'allait sauf lors de la visite du curé, était meublé avec le mobilier de salon et les bibelots d'Émélie. Au fond trônait le piano automatique qui diffusait de jolies mélodies, gravées sur des rouleaux, dès que ses pédales étaient actionnées. D'immenses fougères posées sur des colonnes non loin des fenêtres de la salle à manger déployaient leurs frondes bien vertes et grasses. La cuisine était grande, chaleureuse

et bien éclairée. Un poêle à bois, vert pâle, chauffait la pièce. Une chaise 'capitaine' placée près du poêle accueillait les visiteurs et chaque jour, Alfred venait faire son petit tour. À l'arrière de la grande cuisine, il y avait une cuisinette où se retrouvait l'évier, les comptoirs, les armoires et les appareils électroménagers. Chaque recoin situé près d'une fenêtre était occupé par des géraniums, des plants de tomate et des boutures de lierre qui trempaient dans des boîtes de tabac à cigarette. De la cave, où se trouvaient les provisions de bois de chauffage, montait une odeur de terre humide et d'écorce de bois en décomposition qui sentait bon la campagne."

Un clocher dans la forêt, page 75

***

La maison de Bernadette

Chapitre 10

1931...

–Le bandit Al Capone s'est fait coincer par le fisc américain. Avez-vous lu ça dans le journal, monsieur l'abbé ?

–Entendu à la radio, oui.

Armand et le visiteur, l'abbé Victorien Fortin, se trouvaient auprès d'Honoré à lui parler des affaires internationa-
les dont la plus captivante ces jours-là, le procès et la condamnation à onze ans de prison à être servis au pénitencier
d'Alcatraz, de Alphonso Capone dit le Balafré (Scarface) que
l'on soupçonnait de multiples meurtres sans pouvoir l'en ac-
cuser d'un seul.

–Le massacre de la Saint-Valentin en 1929, qui s'en sou-
viendrait pas ? Sept hommes d'un autre gang de Chicago
abattus à la mitraillette.

C'était Honoré qui venait de parler, preuve qu'il s'intéressait encore à la vie. C'est la raison pour laquelle Armand
allait tous les jours lire pour lui des extraits du *Soleil*.

Il reprit même :

–Le FBI ou la justice américaine sont incapables de
prouver que c'est lui, vu que Capone au moment de la tuerie
se trouvait en Floride, et vingt témoins ont pu le confirmer.

–Alibi parfait ! s'exclama l'abbé.

–C'est à se demander dans quel monde qu'on s'en va.

–On est loin de 1900, ça, c'est certain.

–C'était le bon temps, mon cher abbé. Le temps des bâtisseurs. Nous autres, on a bâti l'église, bâti le magasin, déménagé le cimetière... on a changé l'image du coeur du village... Oui, c'était le bon temps...

–D'un autre côté, faut se dire que chaque temps a son bon temps.

À ce moment, l'on entendit une voix féminine chantonner faux et passer de mots inintelligibles à des éclats de rire désordonnés. Le bruit venait de la cuisine. Honoré soupira :

–La pauvre Amanda ! On dirait la dépression. Pas assez de la dépression économique, faut avoir une dépressive dans la famille.

–Qu'est-ce qui lui arrive donc ? demanda le prêtre qui se berçait à côté d'Armand dans l'espace entre le lit du malade et la fenêtre.

–Savez-vous, je laisse le soin à mon gars de vous conter tout ça. Tu peux tout lui dire ce que tu sais, Armand. C'est pas à cacher ça que ça sera mieux pour elle pis Freddé.

Le jeune homme n'attendait que cette sorte de signal pour conduire le visiteur à son camp derrière les hangars.

–Venez, monsieur l'abbé, je vas vous montrer mon refuge, mon pied-à-terre.

Dans l'intimité, les deux jeunes hommes se tutoyaient, mais pas devant quelqu'un d'autre afin de ne pas chatouiller les questions prêtes à surgir à tout moment devant cette amitié trop particulière.

–C'est ça, fit Honoré qui depuis leur arrivée s'était assis sur le bord de son lit. Et moi, je vais me reposer. Vous reviendrez me voir plus tard. J'inviterais ben monsieur l'abbé à rester avec nous autres à souper, mais c'est notre bonne

Manda qui va prendre la mouche.

–De toute manière, je dois retourner pas tard.

–Mes meilleures salutations ! fit Honoré quand les deux quittèrent la chambre.

–C'est ça, le 'campe à Armand' ! s'exclama le jeune homme quand lui et son compagnon débouchèrent sur le terrain herbeux que bornaient le chemin Foley à l'ouest et les granges de l'autre côté.

–Le refuge de la sagesse.

Armand marmonna en guise de commentaire :

–Et du péché.

Il faisait allusion non pas qu'à leur liaison à opprobre universel mais surtout à son penchant de plus en plus marqué pour la bouteille.

L'abbé fit semblant de n'avoir rien entendu.

–Comment le docteur a dit ça quand il me l'a vendu... "un îlot de solitude dans un îlot de verdure".

–Il a bien raison.

On marchait en direction de la petite bâtisse pas plus grosse qu'une grande chambre et à toit en pente légère pour l'écoulement de l'eau de pluie ou de fonte de la neige. Pit Veilleux avait coupé le foin en juillet, mais la repousse était là, verte et folle, légèrement agitée par un vent douillet de fin d'été.

Le prêtre avait rendu visite à son ami avant le déménagement de la laiterie et les rencontres avaient eu lieu sur le cap à Foley comme la seconde fois ou en haut du magasin, là où on ne pouvait risquer un rapprochement charnel. Chacun savait, sentait qu'il se passerait quelque chose ce jour-là et le cherchait à travers son subconscient et les sensations que les fluides corporels faisaient naître en lui.

–Je vas faire recouvrir les murs tout le tour de papier

brique... pour pas que ça pourrisse.

–Bonne idée !

Un gros cadenas noir posé sur des crampes enfoncées dans un montant du cadre de porte barrait l'entrée. Armand y introduisit la clef qu'il traînait toujours sur lui et déverrouilla puis ouvrit la porte à sa pleine grandeur afin que l'éclairage du jour donne à l'image de l'intérieur sa vraie valeur.

–Entrez, mon cher ami !

Le prêtre eut devant les yeux une pièce exiguë contenant deux chaises berçantes d'un côté et un divan noir de l'autre. Deux fenêtres, une de chaque côté de la porte d'entrée, pouvaient permettre à la lumière de pénétrer à l'intérieur, mais Armand les avait pratiquement bouchées avec des tentures faites à même les restes ayant servi lors des rénovations de la maison Foley. Au-dessus du divan trônait un vieux fusil à baguette et baïonnette, suspendu en biais.

–Ça date de la guerre d'Indépendance américaine, fit Armand qui suivait le regard de son compagnon.

–Vas-tu à la chasse avec ça ?

–Mais non ! Faudrait de la poudre, une cartouche, une balle, de la guenille... ce qu'il faut pour tirer avec un fusil à baguette comme dans le temps.

–T'as que le fusil ?

–J'ai que le fusil.

Et Armand referma la porte derrière lui. Un clair-obscur apparut aussitôt dans la pièce. Il ouvrit un rideau puis alluma une lanterne posée sur une table de coin tout en parlant :

–Pas d'eau courante. Pas d'électricité. Quelques livres et la sainte paix. Pax romana...

–Tu te sens heureux quand tu es ici ?

–Y a pas mieux. Sauf quand j'ai de la visite agréable comme la tienne aujourd'hui.

–Je comprends.

–Assis-toi ! Choisis le divan ou ben une chaise.

Le prêtre choisit le divan. Armand prit une des chaises berçantes et croisa la patte en riant :

–Passer une heure ici, c'est comme faire un voyage. Soit dans un autre pays, soit dans un autre temps. Ça dépend du livre que je lis ou de mon rêve éveillé.

–Pour échapper au monde dans lequel on vit, le seul moyen, c'est de s'en isoler.

–À qui le dis-tu, Victorien, à qui le dis-tu !

–Il manque quelque chose quand même à ton intérieur.

–Quoi donc ?

–Un crucifix.

–J'attends Bernadette pour ça. Elle m'a promis de m'en donner un pour souligner l'inauguration de mon refuge, mais j'attends toujours. Est pieuse, mais pas pressée. Peut-être qu'elle a oublié.

–Tu me ferais grand plaisir si t'en acceptais un de ma part. Celui que je porte toujours sur moi... j'en trouverai un autre...

Et l'abbé sortit l'objet de sa poche et le tendit à son compagnon qui le prit. On les voyait faire en ce moment. Des yeux s'étaient mis à l'affût au coin des fenêtres, ceux de deux des filles à Freddé : Yvette et Marielle, l'une de 8 ans et l'autre de 7.

Elles furent édifiées par le geste des deux hommes.

S'ils ne voient pas une personne, des enfants de cet âge pensent que cette personne ne saurait les voir, en quoi ils se trompent souvent... Mais en ce moment, l'équation était inversée et ce sont les deux hommes qui n'auraient pu imaginer qu'on les épiait en catimini.

–Je te sers quelque chose à boire ?

Le prêtre regarda autour en se demandant où Armand prendrait le nécessaire pour servir quoi que ce soit. Il n'avait pas remarqué une porte sur le mur arrière, dont la ligne de contour se perdait dans la tapisserie et qui donnait sur un espace de la largeur d'un homme. Armand y disparut sans s'arrêter de parler :

–Ça, c'est mon lieu secret... J'appelle ça 'le bar à tuer'... J'ai une toilette, un évier... Non, j'ai pas l'eau courante, mais j'ai la tuyauterie pour me débarrasser de l'eau qui va mourir dehors dans un puisard plus loin. Ça sert à peu près pas... quand j'ai affaire, je retourne au magasin à moins qu'on soit en pleine nuit...

–Quoi, tu couches ici ?

–Quasiment les trois quarts du temps... Durant l'été... C'est sûr que pas tard à l'automne et jusqu'au printemps prochain, je vas coucher à la maison, pas ici. Pas de chauffage, ça serait pas facile... Mais je vas me faire installer un poêle l'année prochaine.

Il reparut avec deux verres d'un mélange rouge vin en poursuivant :

–C'est rien que du caribou : whisky et vin rouge. Un petit boire qui repose sans faire tourner la tête... à condition d'en prendre raisonnablement.

–Ce que tu fais toujours ?

–Toujours.

L'abbé prit le verre et le souleva à hauteur des yeux :

–À ta santé, Armand !

–À la tienne, Victorien !

Et ils burent. Puis Armand retourna dans le 'bar à tuer' dont il revint bientôt avec un marteau et un clou. Il se rendit fixer la crucifix au mur au-dessus de la porte d'entrée en s'étirant à bout de bras pour y parvenir. En se retournant, il aperçut un visage de fouine au coin de la fenêtre de droite et s'en voulut de n'avoir pas refermé le rideau après avoir allumé la mèche de la lanterne. Comme tous les gestes posés par les deux hommes jusque là avaient été bien catholiques, il sourit, mais pensa effrayer la fillette qui le surveillait afin qu'elle ne recommence pas. Vivement, il ouvrit la porte, sortit et surprit non pas qu'une jeune fille, mais deux.

–Ah ! Ha ! je vous y prends, vous autres, à sentir dans les châssis. Si vous voulez pas que je le dise à votre mère, vous feriez mieux de déguerpir pis de pas revenir.

Les fillettes craignaient bien plus leur mère que leur père et Armand le savait bien. C'est que Amanda 's'emmaliçait' depuis quelques mois en même temps que sa maladie gagnait du terrain dans son cerveau. Elle auparavant si câline avec les enfants les frappait maintenant, heureusement sur les fesses seulement et pas plus que bien d'autres mères de famille de la paroisse. Mais sa colère, si elle ne cessait de croître, risquait de traverser la ligne de la dangerosité et pour cette raison dont il était au fait, Alfred veillait...

Yvette et Marielle s'enfuirent, pattes aux fesses. La leçon porterait ses fruits et elles ne reviendraient pas de sitôt reluquer dans la fenêtre du 'camp'.

De retour à l'intérieur, Armand glissa un verrou de bois au-dessus de la clenche pour qu'on ne puisse entrer sans frapper; il ferma les rideaux de tissu épais carreauté blanc et rouge. L'on se remit à de la petite conversation tout en sirotant le verre de boisson alcoolisée...

L'on s'entretint de la crise financière mondiale qui risquait de s'aggraver selon les experts de la Société des nations réunis pour demander des crédits afin de faire face aux situations d'urgence.

Et puis les élections. On était à deux jours près d'une éclatante victoire libérale. Devenu Premier ministre du Québec en 1920 suite au départ de Lomer Gouin, voici que Louis-Alexandre Taschereau subissait avec succès pour la troisième fois l'épreuve de la démocratie, après les brillantes victoires de 1923 et 1927. "*À croire qu'il sera au pouvoir à*

vie !" se désolerait un certain Maurice Duplessis le lendemain.

L'abbé apprit à son jeune ami la fondation de l'Armée du
Salut, ce qui les réjouit tous deux car dotés d'un altruisme
certain et qui s'exerçait concrètement par des dons en argent
aux miséreux et surtout du don de soi aux organisations bé-
névoles comme celle des Terrains de jeux.

Ensuite, l'on revint au premier sujet de la journée : Al
Capone. Non en raison de son banditisme mais parce qu'il
avait été le premier à instaurer une soupe populaire à Chicago, un exemple suivi en la plupart des villes du monde par
ce temps de pauvreté artificielle. Mais bien réelle.

L'alcool fit ce que devait. Ses effets chassèrent les inhibi-
tions du prêtre. Arriva ce qui devait. Et l'abbé repartit la
guerre dans l'âme, jurant en son for intérieur de ne jamais
revenir, de ne plus céder à la tentation, d'obtenir le pardon
divin par la pénitence et la prière...

L'esprit est fort; la chair est faible...

***

Le 'campe' à Armand

Chapitre 11

1931...

Automne abominable pour le couple Boutin de Saint-Gédéon. Trois ans et demi depuis l'incendie destructeur qui avait rasé au sol leur magasin et leur propriété attenante. Deux ans depuis l'ouverture du nouveau complexe. Une clientèle décimée par la concurrence surgie dans plusieurs rangs de la paroisse. Puis cette muraille de Chine érigée par la grande dépression entre eux et la rentabilité de l'entreprise. On avait eu beau sabrer dans les dépenses, congédier à regret l'aide domestique et l'homme à tout faire, rien n'avait suffi à remettre le train sur la bonne voie. En fait, il déraillait déjà. Aucun nouvel aiguillage ne pouvait le ramener.

En ce moment d'un soir plus sombre que le deuil, Éva pleurait toutes les larmes de son corps devant son mari, dans l'espace-bureau sis au rez-de-chaussée de leur commerce en panne.

Enceinte de quatre mois, elle traversait une période difficile de sa grossesse, terriblement aggravée par l'événement insupportable qui les assommait tous deux, même l'ayant vu et su venir : la vente obligée de leur entreprise.

Il y avait désaccord dans le couple quant à la manière de

faire. Éva prônait une rencontre du couple avec son père alité afin de redresser la situation avec son aide. L'analyse d'Arthur le poussait, lui, dans une autre direction : celle du marchand général de Saint-Martin, Émery Poulin, prêt à faire l'acquisition de l'entreprise. Il serait là dans l'heure suivante pour établir des ententes générales si cela était possible, par une négociation qui permettrait de faire l'amarrage entre les intentions et désirs des deux hommes.

–Je te l'ai souvent dit, Éva, ton père est pas en état de nous venir en aide. Il est proche de la mort. Incapable de marcher, du mal à parler... Ses papiers sont faits. Il s'est même fait déclarer sain d'esprit par un médecin pour que personne ne vienne contester ses dernières volontés. Arriver là avec notre problème énorme, ce serait comme de faire marcher un éléphant dans un magasin de porcelaine.

–C'est justement parce qu'il est sain d'esprit qu'il pourrait nous aider.

–Avec la dette qu'on a à rembourser, on peut pas arriver. C'est la crise, Éva...

–Ça va finir par finir...

–On n'en voit pas le bout. J'suis incapable d'assumer le prochain paiement sur hypothèque et là, ce sera la faillite assurée. La faillite, c'est une tache pour la vie. Vaut mieux éviter ça.

–Mais si papa nous prête l'argent.

–On va survivre un an, au plus deux. Et lui, entre-temps, risque de mourir. Ce serait pelleter en avant. Plus on pellette, plus le tas monte devant nos yeux jusqu'à devenir une montagne insurmontable.

–Si monsieur Poulin veut acheter le magasin, c'est pas pour nos beaux yeux; il s'attend à faire du profit.

–Lui pourra virer à perte pendant deux, trois, cinq ans et survivre grâce à son magasin de Saint-Martin. Ensuite, la crise étant chose du passé, il reprendra l'argent perdu. Cette solution-là nous est refusée par la vie. C'est la chance qui ne joue pas en notre faveur, c'est tout. Faut dételer.

–Qu'est-ce qu'on va devenir ? Les enfants, leurs études... un autre en route...

–Le bon Dieu nous laissera pas tomber...

Éva se mit à rire à travers ses larmes :

–Tu trouves pas qu'il nous laisse assez tomber comme c'est là ?

–C'est pas ton genre de parler de même. Je sais que dans quelque temps, ça va te passer.

–Je te le demande encore : qu'est-ce qu'il va advenir de notre famille ?

–Une fois les dettes payées, la vente du magasin va nous laisser un peu d'argent. On pourra se trouver une maison à louer quelque part. Et je trouverai de l'ouvrage...

–De l'ouvrage ? Y en a pour personne excepté ceux qui travaillent pour eux-mêmes comme les cultivateurs.

–On trouvera, Éva, on trouvera. Tu verras, tu verras...

Elle s'était assise de travers sur la chaise et maintenant gardait sa tête posée sur son bras en travers du dossier. Arthur gardait la sienne basse; ses yeux fixaient le dessus du bureau à la recherche d'un avenir plus qu'incertain. Le silence lourd se prolongea jusqu'au moment où la porte du magasin s'ouvrit. Il ne pouvait s'agir que de l'acheteur de Saint-Martin. Arthur sortit de la pièce et lui cria de venir. Il le présenta à sa femme qui s'était redressée, avait essuyé ses larmes et s'était réfugiée dans un état de passivité doulou-reuse. Elle parla tout bas à l'enfant qu'elle portait :

"Que ta vie soit prospère et sereine ! Que ta santé soit la meilleure ! Que tes rêves se réalisent ! Que les obstacles inévitables soient surmontables ! Pardonnez-moi, Seigneur, d'avoir douté et protégez ce fils ou cette fille qui grandit dans mon sein..."

Elle n'entendait pas Poulin dire :

–Tout le monde connaît ta situation, mon gars, mais c'est pas moi qui essaierai d'en profiter. D'un autre côté, impossible de te donner ce que vaudrait ton commerce si c'était pas la crise. Tu m'as parlé de tes livres. Tu vires à perte. Ton inventaire est fait ?

–Il est là, sur le bureau, devant vous.

Poulin toucha son crâne dégarni, regarda le total, examina le dernier bilan, fit son offre :

–Je te donne un montant pour couvrir tes dettes plus une certaine somme de relocalisation. As-tu l'intention de rester par icitte ?

–Ça se pourrait que non. Ça pourrait être trop dur, vivre à Saint-Gédéon.

–On va aller où ? demanda Éva qui ne songeait plus qu'à l'avenir, ayant compris que les deux hommes signeraient la transaction redoutée.

–Peut-être à Shenley si tu veux.

–Bon... Là-dessus, je vous laisse finir de négocier...

Elle se leva, quitta les lieux, se réfugia dans sa chambre y noyer son impuissance avec d'autres larmes amères.

*

–Veux-tu ben me dire comment ça se fait que tu reviens rien qu'à l'automne des chantiers ? Tu me l'as jamais expliqué dans les deux lettres que tu m'as envoyées ?

–Y avait de l'ouvrage pour moé. On est dans le temps de la crise : l'ouvrage, faut pas cracher dessus. On prend ce qui passe quand ça passe.

Éva (Pomerleau) se plaignait à son mari de ce qu'il n'était pas revenu des chantiers au printemps comme les années précédentes.

–De l'ouvrage, t'en aurais eu à la boutique...

–Le forgeron d'icitte avait pas un membre cassé c't'année.

Payer un engagé, il l'aurait pas fait.

–Il m'a dit qu'il t'attendait.

–J'avais de l'ouvrage dans le bois.

Elle soupira. Il venait d'entrer dans la maison et avait laissé choir son sac sur une chaise.

–As-tu des poux ?

–Non. Ni dans mon 'packsack' non plus. À La Tuque, on se lave, on se fait mettre un 'stuff' dans les cheveux pis on fait bouillir notre linge.

–Tu fais tout ça tout seul ?

–Des bonnes femmes qui travaillent à l'hôtel. Savent quoi faire. Tous les hommes de chantier passent par là.

Les enfants s'étaient assis. Dans un silence respectueux, ils observaient leur père qui ne leur jeta pas le moindre regard. Peut-être parce qu'ils étaient figés comme des statues.

–On a un autre enfant... elle a six mois déjà... Viens la voir un peu... Je t'avertis, elle est noiraude, celle-là...

Il la suivit en grommelant, tiraillé par la faim qui l'appelait davantage que la découverte d'une nouvelle tête dans sa maison. Dolorès avait son ber dans la chambre des parents; Éva y précéda son mari qui vint se pencher au-dessus de la petite dormeuse.

–Est pas comme les autres, dit-il, mais ça fait rien, a s'ra belle pareil. Bon, là, faudrait que j'mange : j'ai un torrieu de trou dans l'estomac. T'as quelque chose à m'donner ?

–On va en trouver...

*

Le samedi, 17 octobre au matin eut lieu le service anniversaire d'Émélie. Des Grégoire, il ne manquait que Henri, appelé chez lui par son travail après avoir passé un bon mois à prendre soin de son père au cours de l'été précédent. Il avait été entendu qu'il ne serait pas là pour l'événement commémoratif d'octobre. On ne l'attendait pas. Il téléphonerait.

Les autres étaient venus. Des Grégoire des paroisses d'en bas. Jos Allaire et des membres de sa famille. Michaud de Mégantic qui rencontra privément Honoré afin de lui parler de l'impasse dans laquelle se trouvaient Éva et Arthur à Saint-Gédéon. Eût-il voulu intervenir qu'Honoré l'aurait fait trop tard : le magasin était déjà la propriété du marchand de Saint-Martin. Toutefois, il s'empressa de se porter acquéreur de la maison d'en face, celle occupée jadis par le notaire Côté afin de la mettre à la disposition de sa fille et de son gendre si durement éprouvés par le sort. Il leur en fit part avant même leur départ et le couple prit la décision de déménager dans la semaine suivante.

Ainsi, le jour même du service anniversaire d'Émélie, Honoré lui faisait un gros cadeau : il ramenait de la vie au coeur du village où maintenant, il ne restait plus que l'ancien presbytère encore inhabité entre la maison Racine devenue la maison Rodrigue et la maison Côté devenant dans quelques jours la maison Boutin.

Et la vie se poursuivait d'une autre façon. Certes, Bernadette avait reçu Eugène Foley le jour du service et le jeune homme avait repris la route de ses études le lendemain, dimanche. Mais si l'avenir de ces deux-là ressemblait à deux rails d'un chemin de fer qui ne se rejoindraient jamais tout en allant indéfiniment dans la même direction, peut-être n'en serait-il pas de même pour Berthe.

Grande, belle, diplômée, bien éduquée, fille de marchand à fort bonne réputation, elle jouissait d'un statut privilégié et s'attirait l'attention de maints garçons, et ce, depuis nombre d'années. Mais voici qu'elle demeurait maintenant à Saint-Honoré et se trouvait en quelque sorte à portée de la main.

"Au lendemain du service anniversaire d'Émélie auquel il était venu assister, Jean Ferland vint veiller un soir avec Berthe qui, peu emballée par cette visite, se montra très réservée. Prenant sa froideur pour du snobisme, le jeune

homme lui dit, avant de partir : "Si je rencontre un notaire, je te l'enverrai." Malgré la gêne qu'elle éprouva, Berthe fut bien débarrassée car elle n'avait aucune envie de quitter la maison où elle se sentait si bien."

Un clocher dans la forêt, page 87

Ferland ne fut pas le seul à s'y casser les dents.

"Marie-Louis Champagne, le fils de l'autre marchand général, se présenta chez Honoré avec des intentions bien arrêtées. Aussitôt entré dans la maison (où elle était ce jour-là et non chez Bernadette), Marie-Louis jeta sa cigarette dans le poêle et, d'un pas bien décidé, gagna la salle à manger qui tenait lieu de salon. Berthe, au désespoir, se tourna vers Freddé, devenu le chef de maison, et lui écrivit en marge d'un numéro des annales de Ste-Anne-de-Beaupré qui traînait sur le comptoir : "Marie-Louis Champagne est dans la salle à manger, qu'est-ce que je dois faire ?" Et Freddé de lui répondre : "Reçois-le !" Ce qu'elle consentit à faire de bonne grâce. Quelques jours plus tard, Bernadette (soucieuse d'enrichir la vie religieuse de ses co-paroissiens) remit à une de ses amies plusieurs numéros des annales de Ste-Anne, dont celui annoté par Berthe, avec la consigne de les faire circuler dans le village. Un beau jour, Bernadette Champagne, la soeur de Marie-Louis, entra au magasin avec la pile sous le bras. Elle déposa le paquet sur le comptoir de façon à ce que Berthe puisse bien voir le numéro sur lequel elle avait griffonné son mot accusateur. Mine de rien, elle lui décrocha un regard en coin qui en disait très long sur ce qu'elle et Marie-Louis pensaient d'elle.

Berthe se sentit bien petite dans ses souliers et souhaita se trouver à mille lieues de là, tellement elle eut honte..."

Un clocher dans la forêt, page 87

***

Berthe Grégoire à 20 ans

Chapitre 12

1931...

Entente avait été prise entre Honoré et le notaire Côté. L'homme de loi s'était même rendu sur place afin de terminer une transaction qui satisfaisait hautement les deux parties, lui parce qu'il se débarrasserait de sa maison du coeur du village pour laquelle il n'espérait pas trouver acheteur de sitôt, et le marchand retraité parce qu'il pourrait fournir un refuge à sa fille si chère et sa petite famille.

Honoré se réjouissait aussi du fait qu'il aurait la belle opportunité de mieux connaître d'autres de ses petits-enfants, les Boutin, qu'il n'avait pas vus grandir comme les enfants de Pampalon et d'Alfred.

Tout ayant été signé de parole, Éva et sa famille pouvaient déménager. La tristesse au coeur, le couple et les enfants quittèrent leur cher village de Saint-Gédéon pour venir s'installer en face du magasin général de Saint-Honoré, un lieu qui, pour l'avoir vue naître et grandir, sécurisait Éva, mais qui, d'un autre côté, tournait le fer dans la plaie béante faite à son coeur et à sa vie par l'échec inévitable subi avec leur propre entreprise à cause d'un sort défavorable.

Il y avait eu la mort de Cécile, la mort de Guy, l'incendie

dévastateur, l'opération d'Éva, la perte de leur commerce : en arrivait-on au bout de ce rouleau de mauvais augures annoncés naguère par la 'Patte-Sèche' ?

Petite femme ensoleillée et bourrée d'optimisme, Éva se le disait le premier matin où elle s'embusqua à sa nouvelle fenêtre pour scruter les environs. La guigne ne saurait poursuivre une même personne toute la vie durant. Elle avait bien assez frappé la famille Grégoire toutes ces années, peut-être irait-elle se reposer autre part pour reprendre son souffle, malgré l'imminence de la mort d'Honoré. Lui, le septième fils de sa famille, empoignerait peut-être le mauvais sort par le chignon du cou pour l'entraîner dans l'au-delà et, sur le chemin du paradis, le 'garrocher' au fond des enfers...

Éva sourit malgré sa tristesse à imaginer de telles scènes d'outre-tombe. Il lui fallait aussi voir la vie tenace malgré la morosité de ce temps de crise. L'église, si proche et si grande, lançait sa flèche vers le ciel comme un signe d'espérance pour tous les fidèles. C'est par cette flèche qu'on devait accéder au paradis à la fin de sa vie. Et de chez elle se pouvaient apercevoir aussi les pierres tombales du cimetière là-bas sur la petite colline à la ligne sombre.

L'aube n'était pas loin derrière, mais il fallait qu'elle prépare à déjeuner pour les enfants, Aline et Marielle, qui feraient leur entrée à l'école de Shenley, le couvent des soeurs, ce jour-là. Leurs aînés, Ti-Lou et Lucienne poursuivaient leurs études à l'extérieur quant à eux.

Arthur lui avait confié qu'après toutes ces nuits de veille et ces journées de misère à Saint-Gédéon, il prendrait quelques jours pour faire la grasse matinée et musarder à l'intérieur de la maison tout en disposant les choses comme l'exige toute installation dans des locaux nouveaux. Elle ne l'attendait pas à table, mais il y fut sitôt les fillettes parties pour l'école où la soeur Supérieure, prévenue par Bernadette, les attendait pour les accueillir et les guider vers leurs classes respectives.

–Pas me retenir, j'prendrais une brosse pour m'étourdir comme il faut.

–On va s'accoutumer, Arthur. Ça va prendre quelques jours, quelques semaines.

–Recommencer à zéro dans une paroisse étrangère : c'est pas le paradis, tu sauras.

Elle soupira :

–On va avoir un meilleur soutien à Shenley qu'à Saint-Gédéon.

–J'en suis certain, mais...

–Tu l'as dit toi-même à Saint-Gédéon : le bon Dieu nous envoie des épreuves, mais il nous abandonne jamais...

–T'as eu tes doutes; moi, j'ai les miens aujourd'hui.

–Après mes doutes, j'ai fait un acte de foi. À toi de faire le tien...

Il parut que la femme d'Arthur avait raison. Un vrai miracle devait se produire ces jours-là. Via une filière incluant le notaire Côté, Honoré et un jeu d'influences politiques où intervinrent le député au provincial, Édouard Fortin, un libéral élu en 29, Arthur Boutin devint agent des terres, ce qui lui vaudrait du travail jusqu'aux prochaines élections pour le moins et peut-être pour plus longtemps si le parti au pouvoir devait se faire réélire.

*

En ce premier novembre, par un ciel qui déversait de temps en temps une pluie fraîche sur des terres roussies par quelques gels prématurés, Honoré reçut de la visite intéressante, celle de représentants des familles Dulac et Lepage. D'ailleurs, les bons citoyens se succédaient à son chevet cet automne-là. Il y avait ceux qui lui devaient des sommes. Ceux qui venaient se plaindre de la crise, dans l'espoir qu'il intervienne en leur faveur par plus de crédit au magasin, ce en quoi il se déclarait totalement impuissant puisque l'entreprise était maintenant celle de Freddé et d'aucune façon la sienne. Et puis les bons amis, ceux qui savaient le malade à sa dernière année sur la terre du bon Dieu; et parmi eux, les plus humbles et les plus chers peut-être à son coeur : les Dulac et les Lepage.

"Y aura aucune différence dans la mort !" songeait-il et disait-il souvent devant ses enfants, Bernadette, Armand et Berthe. "Sont moins propres un peu que nous autres dans leurs habits et sur leurs mains, mais dans le trou du cimetière, les vers vont nous manger égal, eux autres comme nous autres..."

Il y avait donc là Cipisse Dulac et son épouse Célestine, vieille comme le chemin, cabossée comme de la tôle, yeux bistrés, cheveux noirs agglutinés depuis des lunes. Aussi leur fils Mathias maintenant âgé de 31 ans et dont déjà la peau du visage était toute parcheminée. Les trois étaient venus les premiers et se berçaient entre la fenêtre et le lit d'Honoré. Et de l'autre côté, alignés contre le mur, immobiles dans leur corps et leur esprit, Anna, Elmire et Jos Page attendaient les phrases d'Honoré ou de Cipisse pour y répondre par peu de mots et une indifférence apparente que pouvaient traverser cependant des hommes de coeur comme ceux qui se trouvaient là, et peut-être encore mieux l'Indienne enfermée dans sa personne grise et statique.

–C'est quoi que tu fais de bon, Jos, de ce temps-là ? demanda Cipisse.

–J'travaille su'a terre... Pis des fois à beur'rie du 9...

–Quel âge que t'as, asteur ? demanda à son tour Honoré.

–Moé... jhe l'sé pas trop...

Elmire prit la parole pour lui :

–T'es venu au monde en 1883. On est en 1931. Ça te donne 48 ans.

–Ça doué être comme a' dit, elle.

–Y sait pas compter, y sait pas lire.

–Mais il sait travailler et ça, c'est le plus important, dit Honoré qui malgré son état, s'intéressait aux visiteurs et à leur devenir.

Même qu'il leur parla ensuite d'un moteur nouveau mis au point par la compagnie Ford : le V8.

–Ça va faire des machines plus fortes que des ch'faux ! commenta Dulac.

À ce moment, l'on entendit du vacarme dans la cuisine. Des cris. Des menaces. Une fillette qui pleurait. Un coup que l'on savait être une main qui frappe.

–J'ai peur que ma bru commence à pas s'endurer, soupira Honoré qui, déjà redressé dans son lit, laissa tomber une jambe vers le sol, comme quelqu'un qui manifeste l'intention de se lever.

Puis la porte s'ouvrit brusquement et Marielle, petite noiraude de sept ans, vint se réfugier à l'intérieur, le regard affolé. Elle fuyait l'orage et risquait une tempête ultérieure car il était fait défense aux enfants de pénétrer dans la chambre de leur grand-père à moins qu'il n'en ait donné la permission expresse au préalable. Elle se glissa le long du mur jusque derrière les petites Page éberluées qui ne savaient que faire.

–Ben oui, ben oui, tu peux rester avec nous autres ! lui fit savoir Honoré de sa voix la plus forte, cherchant à se faire entendre aussi de la mère de la fillette.

–Madame Émélie endurerait pas ça, Madame Émélie endurerait pas ça...

Voilà ce que répétait Amanda en pénétrant dans la pièce à son tour. On crut qu'elle voulait parler de l'entrée intempestive de la petite Marielle dans la pièce, mais son esprit dérangé voguait sur des eaux bien plus agitées.

–Sortez ! Sortez, vous autres ! Les Page pis les Dulac, sortez ! Dehors ! Allez vous laver si vous voulez venir ici ! Du savon de Castille. De l'eau chaude. Allez-vous laver...

allez, sortez, sortez... Vite, vite, vite...

Et elle poursuivit par mots inintelligibles sans que son beau-père n'y puisse rien tant la crise se faisait intense. Et c'est ainsi qu'elle chassa aussi bien les Dulac que les Lepage de la chambre et de la résidence. Même qu'elle les suivit jusqu'au magasin avant de revenir dans la cuisine en morigénant quelque fantôme et marmonnant n'importe quoi.

–Ta mère est un petit peu malade, Ti-Noire. Mais on va la faire soigner betôt, là...

L'enfant avait la larme à l'oeil. La peur parlait dans la pâleur de son visage. Honoré voulait la rassurer. Il ajouta :

–C'est pas une maladie grave; on va l'envoyer à Québec et dans une semaine ou deux, elle va revenir... Peut-être même que ça sera pas nécessaire. Peut-être que dans une semaine ou deux, ça va passer itou...

Il allait parler de la dépression post-partum, mais se dit que bien sûr, un tel langage était hors de portée d'une enfant de sept ans, quels que soient son éveil et son intelligence.

–Sais-tu, Ti-Noire, tu vas attendre avec moi. Je vas écrire deux petits mots à nos amis les Dulac et les petits Page pour leur présenter mes excuses... ils vont comprendre... Toi, tu vas aller porter les enveloppes à ton père au bureau de poste de ma part pour qu'il les malle. Et tu lui diras que je voudrais le voir.

La fillette sourit un brin, soulagée, rassurée, et se mit à l'attention tandis que son grand-père fouillait dans un tiroir de son meuble de chevet...

*

Ce qui se produisait dans la tête d'Amanda pouvait s'expliquer par la psychologie bien qu'il s'agisse, à pareil degré d'excès, d'une maladie mentale. Exclue tout le temps de son mariage par sa belle-mère, une femme minutieuse, imbue d'hygiène, méticuleuse, l'épouse d'Alfred qui avait voulu conquérir Émélie par toutes sortes de gestes y compris le prénom donné à ce fils né en 1927, continuait de chercher à plaire à la disparue malgré la distance les séparant, bien plus grande que six pieds de terre. Des gens qui avaient la réputation de malpropreté ne sauraient que déplaire à Émélie si elle vivait encore, Amanda devait donc les chasser impitoyablement de la cuisine. Et les tolérer seulement dans le magasin comme Émélie l'aurait fait, ce qui, au demeurant, n'était pas tout à fait exact...

Toujours là quand il ne fallait pas... ou bien quand il le fallait, voici que deux jours plus tard s'amena à Saint-Honoré le vieux quêteux la 'Patte-Sèche'. Jamais ce personnage n'avait eu affaire à Amanda. Tout au plus l'avait-il vue lors des célébrations du cinquantenaire en 23.

À la mort d'Émélie, il n'était pas venu. N'avait pas su. N'avait pas perçu l'événement à distance non plus. Il quêtait peu. Presque pas. Seulement pour se dégourdir l'esprit. En fait, il quêtait pour parler, car il lui fallait parler pour survivre. Et s'il demandait la charité, c'était pour mieux donner de sa personne, de son don de voyance, de ses prophéties qui n'étaient pas toutes noires, loin de là. Et quand il avait prédit le pire, c'était avec l'espérance que le sachant, la personne concernée évite l'écueil peut-être ou le contourne au moins en partie.

Il savait déjà pour la maladie d'Honoré et sa survie qu'il avait d'ailleurs annoncée dans sa chambre après sa thrombose. Les Lepage lui apprirent la mort d'Émélie dès qu'il fut là avec son selké. C'est à cette maison en premier qu'il s'arrêta dans la paroisse, même si elle se trouvait un peu en marge du circuit, dans le rang 9, loin de la première habitation de Shenley du bas de la Grand-Ligne.

On lui donna à boire, à manger, à coucher.

–Si tu vas vouère Noré, dit Jos le lendemain matin. alors que Rostand attelait pour partir, fais ben attention, tu pourrais te fére sacré douhors par la bonnefemme à Freddé.

–Est pas dans son état normal, enchérit Elmire.

–Son état normal était pas trop normal. J'ai vu toutes sortes de vapeurs étranges rôder autour d'elle en 23. Mais j'ai pensé que ça pouvait être l'excitation de la fête.

–Si thu veux r'venir coucher icitte, la porte est ouvarte...

–Noré va trouver à me loger pour la nuitte...

–Noré, il a rien pus faire quand elle nous a j'tés dehors, fit Elmire. C'est elle qui mène dans la maison pis quasiment au magasin à travers Freddé. C'est pas drôle, ça...

–J'vas me défendre, fit la 'Patte-Sèche' qui prit place dans sa voiture en remerciant ses hôtes pour leurs bontés.

*

–Ah, ben baptême, la 'Patte-Sèche' qui nous arrive ! s'exclama Armand qui se tenait debout à la fenêtre du bureau de poste, mains derrière le dos, à réfléchir, tandis que Freddé finissait de distribuer le courrier dans les casiers.

–Je le pensais mort, lui.

–Il fait le mort souvent.

–Il va finir par se ramasser mort comme tout le monde.

Et Alfred se mit à rire sans méchanceté.

Mais ni lui ni Armand n'auraient pu imaginer qu'il ne pouvait arriver pire dans l'évolution de la maladie d'Amanda. Ou mieux au regard de certains thérapeutes...

La 'Patte-Sèche' avait appris bien des choses par la voix des Lepage, y compris le déménagement du couple Éva-Arthur à Saint-Honoré et l'arrivée d'un ménage nouveau dans la propriété des Racine, ces Rodrigue de Saint-Éphrem. Plutôt de pénétrer dans le magasin dès son arrivée, il fit quelques pas plus loin, histoire de jeter un oeil sur la maison Boutin et s'en faire voir par quelqu'un peut-être. Puis il regarda l'église, le cimetière, le ciel... et rebroussa chemin pour se diriger vers le perron du magasin.

On l'avait vu. Et ce 'on' atteignit vite le sommet de l'agitation. Amanda connaissait l'opinion d'Émélie sur ce quêteux de malheur. Et celle de l'abbé Proulx. Sans compter l'image défavorable qu'en donnaient bien des gens des alentours, eût-il en sa faveur l'admiration des Lambert et celle de son beau-père ainsi que la fidélité de son amitié.

–Non, non, non, non, non, non, non...

La pauvre femme devait libérer Saint-Honoré et la famille Grégoire de ce haillonneux aux noires prophéties. Et sans tarder. Cette fois, ses armes dépasseraient celles des mots et des phrases. Mais son cerveau noueux lui commanda autre chose de bien plus étrange voire loufoque : il fallait qu'elle monte à l'étage, se rende à la chambre à débarras, y trouve une robe de sa belle-mère parmi d'aucunes qu'elle avait rangées dans un coffre de cèdre pour donner à la veuve Cormier, femme d'Henri Grégoire, quand elle viendrait en visite. Phénomène d'identification ou bien, comme elle le pensait, ordre qui lui était transmis depuis l'au-delà par Émélie elle-même.

Honoré entendit les 'non, non, non' ainsi que les pas dans l'escalier et songea : "*C'est qui lui arrive encore ?*"

La 'Patte-Sèche' fut accueilli par les frères Grégoire. Dès sa poignée de main, il leur présenta ses condoléances à propos de la mort de leur mère survenue treize mois plus tôt. Une fois encore, Alfred, le fils sensible, en fut ému. Quant à son jeune frère, il détourna aussitôt l'attention par une bonne nouvelle :

–As-tu vu mon 'campe' en arrière des hangars ? Si t'es dur au froid, tu pourras passer la nuit là. J'ai un bon divan. On te donnera les couvertes qu'il faut.

–Ben... oué, je l'ai vu... c'était pas la petite laiterie au docteur Goulet ?

–En plein ça !

–J'te dirai que j'ai pas de poux comme ta mère pensait que j'avais.

–Elle disait ça pour te trouver des défauts.

Alfred qui écoutait, haussa les épaules en souriant. Il laissa les deux autres se parler et partit pour le deuxième étage quérir de la marchandise pour Bernadette qui la lui avait demandée la veille. Mais Bernadette et Berthe, toutes deux parties pour Mégantic, ne reviendraient que le jour suivant. Elles seraient déçues d'avoir manqué le quêteux s'il devait alors être reparti pour ailleurs.

–Ton père, lui ?

–Au lit. Il couve sa chambre. Marche pas. Parle presque pas. Jongle. Perdu.

–Il a toute sa tête ?

–Ça, oui ! Mais il rêve... Tanné de vivre... Il veut s'en aller dans l'autre monde. Son règne est fini, qu'il dit tout le temps. Assis-toi, l'ami !

Il y avait deux chaises près de la grille de la fournaise, laquelle dispensait une chaleur bénéfique. Le temps n'était pas si froid dehors, mais il était cru et sa fraîcheur devait être combattue de temps à autre par une attisée de bon bois sec. Les deux hommes prirent place l'un en face de l'autre, leur image présentant un fort contraste entre la jeunesse et la vieillesse. Et pourtant l'être fragile du plus jeune s'usait prématurément et, s'il continuait de boire et de se faire envahir par le bacille de Koch, ce qu'il ignorait encore mais que devinait Rostand, il finirait par rattraper cet aîné usé par la guerre, la faim, le froid, les années, l'insouciance de soi-même et cet handicap majeur qui l'obligeait à marcher avec une canne et sur une patte de bois.

–Veux-tu rendre visite à mon père plus tard ?

–Suis venu pour ça. Ton père m'a toujours voué du respect. C'est rare, ça, sur le chemin d'un homme ici-bas.

–Ils disent que les derniers de famille sont des égoïstes,

pourtant mon père en est un, un dernier de famille. Mais il a toujours respecté... c'est le mot, les gens pauvres. Il aime ben les Page pis les Dulac et c'est pas les plus riches de la paroisse.

Rostand prit le ton de la confidence :

–J'ai su que ta belle-soeur les avait sacrés dehors, ceux-là, veux-tu ben me dire pourquoi elle a fait ça ?

–Ils ont dû te le dire : elle a des problèmes mentaux. Ma mère s'en est aperçue avant que Manda se marie à Freddé et avec les années et les grossesses, les problèmes ont empiré.

Le quêteux se remit difficilement sur ses jambes, reprit sa canne en parlant :

–Sais-tu, je pourrais te revoir plus tard; pour là, j'aimerais rencontrer ton père. Il sera toujours dans sa même chambre.

–Vas-y ! Tu connais le chemin.

–Merci, Armand ! J'te revois plus tard.

Il fit quelques pas, s'arrêta :

–Peut-être que de le surprendre de but en blanc... ça serait pas mieux d'aller l'avertir quelqu'un ?

–Non, non, le jour, il se réveille tout le temps. La visite, il aime ça. Pis la tienne, comme c'est de la visite rare...

–Ben beau de même d'abord !

La 'Patte-Sèche' fut bientôt à la porte d'Honoré. Il frappa.

–Qui c'est ?

–La 'Patte-Sèche'.

–Entre, pis ça presse.

Ce que fit le quêteux qui fut accueilli par un large sourire et un regard bourré de nostalgie de la part du malade.

–Si je m'attendais à ta visite aujourd'hui !

–J'ai dû sentir que c'était le bon temps.

L'échange fut brutalement interrompu par l'entrée intempestive d'Amanda qui s'était revêtue d'une robe immense, bien trop grande, bien trop longue, noire, et que Honoré reconnut aussitôt pour l'avoir vue si souvent sur le dos de son épouse naguère.

–Dehors le fou, dehors le fou, dehors le fou... (éclat de rire)... On veut pas de toé, la 'Patte-Sèche'... On va lâcher les chiens après toé... Dehors le fou, dehors le fou...

Honoré sut que le temps était venu d'agir. Il ordonna à sa bru de se taire un moment et s'adressa à son visiteur :

–Veux-tu aller m'attendre au magasin ? Trouve Freddé pis envoie-le moi tout de suite. Amanda, bouge pas pis assis-toi.

Elle obéit. La 'Patte-Sèche' quitta les lieux. Armand était allé boire au fond des hangars. Le quêteux se souvint que Freddé s'était rendu au second étage. Il emprunta l'escalier...

Mais voici que survoltée, Amanda avait sauté sur ses jambes et ignoré toutes paroles venant de son beau-père en colère. Et puis sans doute que cette colère décupla la sienne. Incontrôlable, elle se rendit dans la cuisine, ouvrit un tiroir et s'empara d'un long couteau de boucherie. Et là courut vers la porte du magasin afin de débarrasser définitivement la place de cet énergumène qui avait tant contrarié Émélie dans le temps.

D'une voix rauque, fêlée, elle se mit à lancer :

–La 'Patte-Sèche', la maudite 'Patte-Sèche'... débarras... quêteux à marde... débarras...

Honoré saisit les mots. Il voulut se mettre sur ses jambes, mais elles refusèrent de le porter et il retomba assis sur son lit, incapable d'agir, impuissant, désolé et amer.

–Dehors... chien puant... va renifler le cul des chiens... débarras...

Les mots dansèrent sur le son du ressort de la porte puis s'écrasèrent les uns contre les autres quand la porte claqua. Le quêteux qui arrivait au milieu de l'escalier menant au second étage, en fait, à la porte du salon d'Émélie, s'arrêta net pour la voir venir. Un petit être agité à l'extrême dans une robe aussi noire, aussi longue, aussi ample et qu'il devinait avoir été celle d'une femme grande, calme, forte, mais qui ne l'aimait guère, donnait-elle l'image de quelqu'un de malade ou bien si elle n'était pas plutôt une possédée. Pas une possédée du diable, mais une possédée d'Émélie ?...

–Dehors, le chien fou ! (éclat de rire)... Dehors, le tire-laine ! Dehors, le bonhomme sept-heures ! Dehors pour tout l'temps... (éclat de rire).

En ce moment où la femme électrisée contournait à petits pas pressés l'extrémité du comptoir pour ensuite longer l'escalier, avant sans aucun doute d'y poursuivre le quêteux, voici que la 'Patte-Sèche' aperçut soudain ce long couteau brillant qu'elle tenait dans sa main droite d'une façon à pouvoir s'en servir pour poignarder.

L'homme comprit qu'elle risquait de le rattraper bien avant qu'il n'arrive sur l'espace plat entre les deux escaliers latéraux et il jugea bon se retourner afin de ne pas être surpris par derrière. Et puis il pourrait utiliser sa canne pour se défendre voire même sa jambe de bois.

Comme premier moyen de défense, il voulut utiliser plutôt le charme :

–C'est-il à moé que vous parlez, madame Grégoire ?

La femme hystérique vivait dans son monde à elle, prisonnière d'un cerveau torturé, et seul un ordre sec venant de quelqu'un en autorité aurait pu la faire réagir, surtout pas le ton doucereux de ce vieux mendiant de Mégantic.

–Dehors le puant, dehors le tannant, dehors le méchant...

(éclat de rire)

Elle emprunta l'escalier en direction de son pire ennemi de ce moment. En son cerveau troublé, elle attribuait à la 'Patte-Sèche' toutes les contrariétés, toutes les rebuffades que sa belle-mère lui avait fait subir. Émélie avait été méchante envers elle parce que la 'Patte-Sèche' avait été méchant envers Émélie; il fallait donc éliminer cet oiseau de malheur.

Alors qu'elle gravissait les marches sans pouvoir courir à cause de sa robe, elle brandit son arme. Rostand n'eut d'autre choix que de lui barrer le chemin avec sa canne qu'il tint en direction de l'épaule du bras assassin. Le choc provoqua une vive douleur à l'attaquante dont l'agitation atteignit le degré de la folie furieuse. Elle se jeta contre les marches et frappa de sa main armée. Le couteau heurta l'une des jambes de la victime et y fut si bien planté que la femme ne put l'en retirer. Chance pour le quêteux, elle avait enfoncé la lame tranchante dans sa jambe de bois.

Amanda coassait, croassait, écumait de la bouche, riait et criait en même temps. Une voix énorme la figea dans sa drôle de position :

–MANDA ! TRANQUILLE !

C'était Alfred du haut de la mezzanine. Il reprit à l'intention de Rostand :

–Saignes-tu, la 'Patte-Sèche' ?

–C'est ma patte de bois.

–Entre là, dit Freddé en désignant le salon d'Émélie. Pis barre la porte... Attends que je revienne...

L'autre obéit, sachant bien que tous ses discours, toutes ses visions, toutes ses prophéties et tous ses talents de guérisseur, rien ne saurait exercer la moindre influence sur une personne rendue presque tout entière dans un monde déréel.

En redescendant de l'étage, Alfred pensa à ses enfants. Il prit la décision de faire soigner sa femme dans un hôpital psychiatrique. À l'évidence, elle devenait dangereuse. C'est Ti-Noire, dont Amanda était visiblement jalouse, qui finirait par se faire planter une lame dans le corps.

Sur le chemin du retour des hangars, Armand saisit les cris de son frère et sut que sa belle-soeur devait traverser une autre crise. Il en ignorait encore la gravité. Quand il parut, Alfred lui lança un ordre et poursuivit sa course vers l'appareil de téléphone mural :

–Surveille-la, je téléphone à la police Bougie. Faut la reconduire en bas. (*en bas signifiant l'hôpital psychiatrique*)

Amanda restait allongée sur les marches à la moitié de l'escalier de chêne et ricanait sans cesse tout en répétant des insultes à la personne du mendiant.

Dès l'arrivée du policier municipal, Alfred lui dit :

–Faut la reconduire en bas. En attendant de s'organiser, on va devoir la renfermer dans la prison.

Contre le mur de l'hôtel Central, près du chemin mitoyen séparant la bâtisse de la maison Boutin, une petite construction de bois gris, pas plus grande que la cabane de l'engin des Grégoire maintenant démolie, servait de prison temporaire aux ivrognes et aux batailleurs. Le plus souvent, ils n'y passaient que la nuit ou quelques heures, après quoi on les libérait s'ils avaient l'argent pour payer l'amende imposée par le juge de paix.

–Je m'en charge.

Armand intervint :

–Non, c'est pas là qu'il faut la garder. Ça serait... inhumain. On va l'envoyer dans mon 'campe' en arrière.

L'idée, bien plus douce que la cellule exiguë de l'hôtel, soulagea quelque peu Alfred et l'on dirigea Amanda vers sa prison de quelques heures sans qu'elle n'oppose la moindre résistance. Il fallut néanmoins barricader la seconde porte à l'intérieur pour éviter que la malade ne s'empare d'un marteau ou d'un tournevis dans la petite pièce arrière.

–Je vas rester avec elle pour la calmer comme il faut, dit Alfred. Toi, Armand, occupe-toi du magasin. Tu diras à la 'Patte-Sèche' qui se trouve dans le salon en haut de l'escalier qu'il peut sortir.

–Il s'est passé quoi au juste ?

–Elle a poignardé le quêteux parce qu'elle dit qu'il pue.

–T'as pas fait venir le docteur pour le quêteux ?

–Ça prendrait plutôt Octave Bellegarde pour réparer sa patte de bois.

Armand ne put s'empêcher de rire et il repartit avec en tête les commandements de son frère.

Pampalon fut contacté. Honoré fut consulté. Armand fut mobilisé. Le docteur Goulet se rendit visiter la malade dans la petite bâtisse. Il lui fit prendre un remède qui apaise. Puis il téléphona à Québec et prépara son entrée à l'hôpital St-Michel-Archange.

On y serait avant la fin de ce jour même. Seraient du voyage outre la malade, son époux, Pampalon au volant et le policier Bougie en guise d'escorte. Mais avant le grand départ, Alfred réunit au salon d'Émélie six de ses enfants afin qu'ils puissent saluer leur mère voire même l'étreindre si cela était seulement possible avant son départ. Il leur expliqua, larme à l'oeil, sa maladie, de la même manière que son père l'avait fait auprès de quelques-uns dont Raoul, Rachel et Ti-Noire plus récemment.

Le fils aîné fut prévenu par son père lors d'une brève communication téléphonique. Raoul se désola mais s'y attendait. Le petit Doré et Solange furent confiés à la garde de leur tante Éva. Puis Alfred conduisit les filles, Monique, Thérèse, Marielle, Rachel, Hélène et Yvette au camp d'Armand. On leur avait parlé de quelques semaines d'hospitalisation, mais certaines dont Rachel, l'aînée, âgée de 18 ans, n'étaient pas dupes et s'attendaient à une séparation plus longue. (*Aucune toutefois n'aurait pu imaginer que dix ans s'écouleraient avant le retour d'Amanda, de sorte qu'en 1941, ses filles seraient toutes des femmes faites alors que le plus jeune, Thérèse, aurait ses 15 ans. Le bébé Solange aurait 11 ans et Doré 14.*)

Alfred déverrouilla le cadenas avec la clef noire que lui avait prêtée son frère. Lui qui n'avait pas vu d'un très bon oeil l'achat par Armand et le déménagement de cette laiterie pour en faire un refuge de solitaire, y trouvait maintenant une belle utilité. C'était un excellent endroit pour effectuer une transition entre deux mondes. Car la vie de sa femme basculait ce jour-là. Car la vie de ses enfants basculait aussi. Et la sienne encore bien plus sûrement !

Le médicament lénifiant avait permis à la malade de s'endormir sur le divan noir. Armand avait étendu sur elle une épaisse peau de carriole en chat sauvage. Et puis sa crise qui l'avait survoltée pour un temps la laissait dans un état de fatigue intense et la vissait dans un sommeil profond.

Les filles se mirent debout le long des murs, penaudes, mains derrière le dos, à s'échanger entre elles des regards affligés, inquiets, apeurés.

–La mère, la mère, tu peux te réveiller asteur, dit Alfred. Là, faut s'en aller.

Préalablement, l'homme avait envoyé Éva vers elle avec une robe d'allure pour remplacer celle que la malade avait endossée afin de se doter d'une autre personnalité que la sienne...

Amanda ouvrit les yeux et regarda tout son monde qui l'entourait. Elle ricana. Alfred comprit que la crise était terminée et que sa femme avait retrouvé son état 'normal'.

–On va aller te faire soigner, la mère. Dans un mois, on va retourner te chercher.

La femme se dégagea de la couverture épaisse qui la protégeait du froid d'automne régnant dehors et, dans une moindre mesure, à l'intérieur du camp dont l'air était cru. Et glissa hors du canapé pour se remettre sur ses jambes. Nulle objection, nulle protestation, nulle grimace, son visage demeura légèrement souriant, vague...

–O.K.

Elle se souvenait de l'incident de l'escalier. Si les souvenirs lui revenaient en clair, ils étaient déformés par la partie malade de son cerveau. C'est ainsi que la 'Patte-Sèche' était éliminé tandis qu'une autre partie d'elle-même encore capable de discerner le bien du mal, lui disait qu'on ne doit pas tuer sinon pour défendre sa propre vie. Cette succession d'images et de jugements l'amenait à se soumettre sans réserve aux décisions d'Alfred la concernant.

–Les filles, vous pouvez embrasser votre mère avant qu'on parte, là.

Deux s'avancèrent d'un pas. Leur père reprit :

–Chacune votre tour à partir... d'Yvette.

La fillette fit trois pas en avant et se tint devant sa mère qui la prit par les deux épaules et lui fit un câlin sur la joue. L'enfant retourna ensuite à sa place et la suivante la remplaça jusqu'à la dernière et plus grande : Rachel.

Elle reçut la même accolade, mais à la différence des autres, éclata en sanglots. Amanda rejeta la tête en arrière et parut étonnée. Puis elle se dirigea vers Alfred qui tendait un manteau pour l'en revêtir, l'enfila et sortit quand il lui ouvrit la porte, laissant au milieu de la place une jeune femme pantoise dans sa gracilité et qui, maintenant, pleurait doucement en silence.

L'auto attendait, Pampalon au volant, le policier en attente, adossé à un aileron, sur le chemin Foley. Bougie ouvrit la portière et la femme s'engouffra à l'intérieur, à la manière d'une star de Hollywood.

Les enfants formèrent un attroupement à l'extérieur. Ils regardèrent la voiture s'en aller puis tourner vers l'est sur la rue principale et disparaître, cachée à leur vue par le long hangar. Pour elles, le départ de leur mère était brutal, déchirant, mais la vie devrait se continuer sans elle.

Ébruitée déjà la nouvelle de l'agression subie par la 'Patte-Sèche' ! Elle avait couru d'un téléphone à l'autre, en commençant par celui du magasin alors qu'on (Armand) avait communiqué avec un bon ami du village. Des loustics avaient fait semblant de se rendre au magasin ou bien au bureau de poste pour voir de quoi il retournait. Cinq d'entre eux dont Mathias Dulac virent passer l'auto et ses passagers. Plus aucun doute n'était permis. Ils se félicitèrent intérieurement en pensant que leur famille était épargnée, elle, par la folie...

Et se désolèrent pour Alfred et sa famille.

Armand, resté à l'intérieur, sortit ensuite et annonça :

–C'est une affaire d'un mois ou deux, peut-être trois...

La 'Patte-Sèche' était resté à l'intérieur, mais il avait vu passer la voiture, lui aussi. Il soupira. Et se dit comme si souvent déjà dans sa vieille existence que la vie est bien assez cruelle comme elle est, sans qu'on ne fasse rien pour y ajouter du noir par des propos sombres, déprimants... Mais quand il y a nuage dans l'horizon d'une personne et qu'on le voit s'amener, comment ne pas la prévenir, comment la laisser à son sort sans intervenir ? Après tout, il n'était pas Dieu...

***

Les filles à Freddé quelque temps avant le départ de leur mère

À l'arrière : Monique, Thérèse, Marielle, Rachel, Hélène
À l'avant : Yvette

Raoul Grégoire, étudiant en droit

Chapitre 13

1931...

Se trouvait-il au monde un être plus sensible qu'Alfred Grégoire ? Pas chez les hommes en tout cas. Toujours est-il qu'après avoir accompli les choses nécessaires à Québec à sa manière brusque et bourrue, il rentra chez lui sans dire un seul mot de tout le voyage de retour. Pampalon le laissa dans sa solitude régénératrice et passa tout son temps à jaser avec le policier Bougie.

Il faisait presque noir dans le magasin et c'est cela que voulait l'homme si cruellement blessé. Et si abattu... Il chargea sa pipe et alla prendre place près de la grille de la fournaise sur une chaise à bras qui s'y trouvait presque toujours. Des larmes amères et abondantes, qui allaient quérir des rayons perdus d'une lune pleine, ruisselaient sur ses joues quand soudain, lumière se fit.

Ayant appris le retour de leur frère par la voix d'Armand, Bernadette et Berthe venaient le voir. Après avoir tourné le commutateur pour allumer les lumières centrales, elles s'approchèrent en silence de Freddé qui laissa venir sans bouger ni chercher à cacher son désarroi.

Bernadette avait plein de mots pour lui, mais ne parvenait pas à les faire surgir de son coeur, à briser la glace.

Berthe en de telles circonstances faisait confiance à l'inspiration du moment, une leçon qu'elle avait apprise de l'aveugle Lambert voilà plus d'une année.

C'est l'homme qui parla le premier :

—C'est quoi que je vas faire pour élever tout seul ma famille ?

—Ben voyons donc, Freddé, nous prends-tu pour des pioches ? Y a Éva toute proche, y a Berthe, y a moi. Et puis Rachel, elle va faire une 'petite mère' pour les autres. Tout le monde va t'aider. Tant que ta femme sera partie, nous autres, on va être là. Moi, j'vas pas me marier, oublie ça. Quant à Berthe... ben elle, on verra...

—Moi non plus, tu sauras.

—Arrête de brailler, Freddé, tu nous fends le coeur avec ta peine. Il faut que tu sois fort. C'est rien que ça que la vie te demande.

—Je le sais, mais... plus facile à dire qu'à faire à soir.

Berthe cita un proverbe allemand :

—Demain sera un autre jour.

—Pis après-demain un autre encore, enchérit Bernadette.

Dans l'éclairage jaunâtre, quasiment un clair-obscur, les deux femmes se tenaient devant leur frère, bras croisés, près de la grille qui laissait monter une bonne chaleur.

—Si la Solange peut être normale toujours ! se plaignit-il encore.

—Si elle l'est, tant mieux ! Si elle l'est pas, on s'en occupera deux fois plus.

—Ouais... ouais... ça devra aller comme il faut.

Bernadette appuya sur lui un regard bourré d'une détermination féroce. Si elle ne s'était pas mariée pour avoir attendu en vain une demande de la part d'Eugène Foley, si elle n'aurait jamais d'enfants à elle, le meilleur d'elle-même, elle le donnerait aux filles à Freddé et au petit Doré. Quant à

Raoul, il allait déjà son droit chemin et cette voie laissait voir bien peu d'ornières et de roulières.

–On va s'arranger : va ben falloir ! dit l'homme sur un ton lourd avec des mots lancés entre ses lèvres et le bouquin de sa pipe.

–Armand s'en vient pour te parler itou...

–Pas nécessaire ! Vous avez dit, vous autres, ce qu'il fallait...

Armand retardait à venir. Profitant du clair de lune, il fit un arrêt à son camp aux fenêtres allumées. Y logeait pour la nuit, comme convenu, le quêteux de Mégantic. Son cheval avait été conduit à la grange blanche où l'on parquait de coutume les chevaux d'Honoré, et dételé. Quelques hennissements de bienvenue avaient permis à la bête de se sentir à l'aise à l'exemple de son maître qui s'adaptait sans problème à un nouveau lit pour passer la nuit.

–La 'Patte-Sèche', c'est Armand, fit le jeune homme en frappant à la porte.

–Rentre ! C'est pas barré...

Ce fut fait.

Le visiteur alla s'asseoir sur la berçante devant le divan occupé par ce maître de céans d'une seule nuit, peut-être deux.

–Je voulais te parler de tes vieilles prédictions à mon sujet.

–C'est-il ben nécessaire ?

–Je voulais juste te dire que ça s'est avéré vrai.

–Tu parles de quoi au juste ?

–Ben... tu m'avais prédit trois maladies : j'sus pas loin de ça, là.

–C'est quoi que je t'ai annoncé, mon Armand ?

–Tu t'en souviens pas ?

–Une fois dit, j'essaie de chasser ça de mon esprit. Autrement, ça serait trop dur à porter. Les malheurs des autres, tu peux en mettre sur ton dos, mais pas trop. Suis pas Notre Seigneur Jésus-Christ, moé, j'sus rien qu'un vieux fou d'infirme.

–Là, tu fais le fou... Non, tu m'as prédit... que je serais alcoolique... ça s'en vient... que je serais consomption... ça s'en vient... que j'serais... ben pas porté vers les filles... c'est vrai.

–Je t'ai dit tout ça, moé ?

–J'suis certain que tu t'en rappelles. Tu fais semblant de l'avoir oublié.

–Asteur que tu me le dis...

Dehors, la lune dessinait une silhouette humaine sur le chemin Foley. Impossible à distance d'en savoir le sexe, encore moins les intentions par les seuls reflets de son regard intense. La nouvelle du départ d'Amanda avait fait le tour du village. On savait l'événement associé à une agression contre le quêteux. On savait même que la 'Patte-Sèche' passerait la nuit dans le 'campe' à Armand, là même où il avait fallu enfermer la pauvre femme en crise.

L'être ne bougeait pas. En discrétion, il avait suivi Armand depuis les abords de la maison à Bernadette et, le voyant pénétrer dans la petite bâtisse, s'était mis dans une sorte d'attente. Attente de qui ? Du jeune homme ? Attente de quoi ? De son départ du camp ?

À l'intérieur, l'échange se poursuivait.

–Faut que j'aille voir Freddé, là, mais je vas revenir demain matin. Je voudrais que tu me dises si ce que tu m'as dit va...

–Tu me l'as dit en arrivant, que ça s'est avéré vrai.

–Ensuite, je t'ai dit quasiment... en tout cas pour la bouteille pis mes poumons...

–J'peux ben te le dire tusuite, mon gars... ce que j'vois d'une personne, ça s'est toujours avéré vrai plus tard. J'espère tout le temps qu'en le sachant, la personne se comporte pour l'éviter, mais c'est jamais comme ça. Le destin, qu'on le connaisse d'avance ou pas, c'est le destin. Personne échappe à son ostie de destin... Quen, me v'là en train de jurer comme autrefois... Je dois retrouver un peu de ma passion d'antan...

Armand avait mis sa main sur son visage, deux doigts repliés sur la bouche et les deux autres sur sa joue. Il ne parlait pas, ne parlait plus... Le quêteux lui avait dit aussi que sa vie se terminerait avant l'âge de 50 ans et il comptait les années de misère qui lui restaient. En réalité, il en était déjà à la moitié de son existence, peut-être plus. Il changea brusquement de sujet :

–Si le curé apprend que je t'ai hébergé, il va vouloir me crucifier.

–C'est pas une honte, se faire crucifier. Ça arrive à ben du monde. En 23, le curé Proulx m'a quasiment crucifié, moé itou. C'est ton père qui a fini par poigner les clous...

–Comment ça ?

–Il l'a jeté dehors du choeur de chant, s'en est débarrassé comme chantre...

–Le père a oublié ça.

–Noré est pas rancunier. C'est un homme de tolérance pis d'oubli. J'parle d'oubli du mauvais qui lui est fait. Parce qu'il oublie jamais ses amis. Même moé... Il m'a même fait envoyer des messages par Michaud parce que ça faisait trop longtemps à son goût que j'étais pas venu le voir. Mais j'voulais pas que le curé lui fasse du trouble à cause de moé.

–Le curé, il s'entend avec personne. Y a pas un vicaire qui parvient à vivre au presbytère plus qu'un an. Les vicaires entrent par une porte pis sortent par l'autre.

Dehors, la silhouette fit quelques pas en direction du

camp, des pas prudents qui ne risquaient pas d'attirer l'attention des deux hommes à l'intérieur.

–Là-dessus, je vas aller voir Freddé. J'te dis qu'il a la falle basse à soir.

–Je vas le voir demain, moé. Je vas retourner voir ton père par la même occasion.

Armand se leva :

–Ben bon.

–Tu reviendras si tu veux qu'on se reparle de ce qui t'inquiète.

–Bah ! le destin, c'est le destin !

Et le jeune homme partit sur quelques mots de civilité. Il ne put voir la personne dehors qui attendait, embusquée au coin de la cabane, et marcha dans le petit sentier qui coupait le terrain en biais vers l'entrée des hangars.

On frappa dans la vitre.

–Rentre, Armand !

La 'Patte-Sèche' ne pouvait imaginer qu'il pût s'agir de quelqu'un d'autre, vu que le jeune homme venait tout juste de s'en aller. Sans doute avait-il oublié de dire quelque chose.

La porte fut poussée, ouverte et le visiteur entra. Puis referma.

C'était une jeune femme que le quêteux avait vue déjà à quelques reprises, mais qu'il ne connaissait guère. Elle se hancha pour dire :

–Je vous ai vu souvent, j'ai souvent entendu parler de vous, j'ai toujours voulu vous parler seul à seul : c'est pour ça que je suis venue.

–Ton nom, c'est ?...

–Éveline... Éveline Poulin... ben Martin, mais mon mari est un Poulin... de Saint-Martin...

–Huhau ! c'est mêlant, tout ça. D'abord, assis-toé. Le coussin de la chaise est encore chaud. Armand Grégoire vient de partir.

–Je l'ai vu.

Elle alla s'asseoir. Le vieil homme ne put s'empêcher de la caresser du regard. Rarement avait-il vu aussi jolie personne. Vers trente ans, âge qu'il donnait à la visiteuse, la plupart des femmes étaient déjà déformées par les grossesses répétées. Et surtout, elles se faisaient rares à conserver cette rondeur juvénile au visage. Ce premier contact visuel disposait Rostand à l'affabilité voire à la tendresse.

–Qu'est-ce qui me vaut l'honneur de ta visite, Éveline ?

–Je viens de vous le dire.

–Me parler, mais pour me dire quoi au juste ? Quelque chose à me demander ? Tu veux que je te dise ton futur ? On m'a fait une réputation de prophète, mais rien n'est moins vrai au fond.

–Madame Grégoire vous appelait "l'oiseau de mauvais augure".

–Madame Émélie avait raison, j'pense ben. Mais pourtant, j'ai jamais prédit sa mort de la manière que c'est arrivé. Quand je prédis la mort de quelqu'un, jamais je me trompe parce qu'on finit tous par mourir un jour...

Elle fronça les sourcils :

–Suis pas là pour parler de la mort. C'est pas un sujet que j'aime aborder.

–À ton âge et avec ton... ta... disons ton charme, c'est pas le temps de songer à ça non plus.

–Ma mère m'a dit que l'Indienne Amabylis... qui est morte asteur... a prédit quelque chose à mon sujet avant même que je vienne au monde, quand j'étais dans le ventre maternel...

Il avait été pas mal aisé au vieil homme de percevoir une

forte sensualité chez la jeune femme. Le trouble que lui valait sa présence ne saurait être exclusif à sa personne, car ce trouble ne lui venait plus depuis belle lurette en la présence de quelqu'un du beau sexe.

L'exprimer confirmerait sans doute la prédiction de cette Indienne qu'il avait bien connue, tout comme son époux Augure Bizier. Mieux valait qu'Éveline sache à quoi s'en tenir. Il plongea :

—Elle a dû parler de ton attirance pour... appelons ça l'amour charnel...

—Comment vous l'avez deviné ?

—Comment on devine les choses, c'est dur à dire !

Cette vieillesse écrite dans tout ce qui constituait le personnage de la 'Patte-Sèche' signifiait-elle la sagesse ? Ces vêtements gris, usés, troués en certains endroits, ce visage tout barbouillé de rides et de ridules, ces mains desséchées, ces doigts tordus, noueux, tout chez lui parlait plutôt de fin que de renaissance; comment avait-elle pu vouloir venir le consulter ? Là encore, il devina sa pensée.

—Vis le peu de liberté qui est la tienne ! Laisse pas personne encarcaner tes penchants. Mais sois prudente en le faisant. Si quelque chose bouille en dedans de toé, écoute ta nature : c'est la voix intérieure la plus saine qui soit. Le reste, tout ce qu'on veut t'imposer par la religion, les moeurs, les manières de faire des autres, laisse ça aux autres. Mais sois prudente ou ben on pourrait te... crucifier.

—C'est pas clair, ce que vous me dites là.

—Pas besoin ! T'as rien qu'à laisser mûrir ça dans toé pis ça va se débrouiller tout seul à mesure qu'il faudra.

Elle fit une sorte de coq-à-l'âne :

—Votre jambe que vous avez perdue, voulez-vous me conter comment c'est arrivé ?

—Tout à l'heure, Armand voulait comprendre les voies du

destin, comme on dit, là, c'est à ton tour, on dirait. J'aime pas ça en parler, mais si c'est pour t'aider à voir clair dans ta vie, je veux ben en dire quelque chose... C'est pas d'hier. J'étais jeune. On a entendu parler d'une guerre en Afrique du Sud...

L'homme s'adonna à un long récit, parlant abondamment des horreurs de la guerre. L'esprit de la jeune femme fut emporté hors du temps et des réalités du quotidien. Les images, parfois horribles, qu'il lui fit voir amoindrirent considérablement ses craintes à propos d'elle-même. Mère de trois enfants, Madeleine, Hervé et Félix, Éveline prenait conscience que le démon de la concupiscence dont avait parlé Amabylis n'avait guère à voir avec le péché et que le mal se trouvait bien plutôt entre les mains des démons de la haine et de l'agression par certains hommes contre d'autres hommes.

Jamais un prêtre, quel qu'il soit, n'aurait pu lui faire franchir en si peu de temps le bout de chemin qu'elle savait avoir parcouru depuis son arrivée dans ce lieu.

La 'Patte-Sèche' était aussi bien au fait des progrès qui s'accomplissaient dans l'âme de la jeune femme; il lui était donné de le lire dans les lueurs que ses regards lançaient. Ou parfois même retenaient mais qui transparaissaient.

–Ton mari doit se demander où c'est que t'es ?

–Presque tous les soirs, je fais une marche dans le village. J'aime la noirceur. Ça me fait rentrer en moi-même.

–Il est pas si tard... Tu sais ce que je dis de temps en temps aux femmes de ce monde ?

–Non, mais ça m'intéresse.

–Qu'elles devraient pas s'enfermer entre les quatre murs de leur amour. Ce que je veux dire là, c'est que... ben avant le mariage pis un bout de temps après, pour la plupart, c'est l'amour... Et là, elles prennent l'habitude de la prison. Parce qu'un sentiment, c'est une prison, tu peux me croire. Pis quand l'amour devient l'habitude, les murs de la prison se mettent à être pesants. Me comprends-tu, Éveline ?

–À cent pour cent. Ça veut dire que même si on se trouve ben dans la maison, faut savoir regarder dehors par un châssis (*fenêtre*).

–Ou plusieurs.

–Mes marches du soir tuseule, c'est un bon châssis, ça.

–Yes, madame !

–J'me doute que... ben y en a des plus grands encore...

–C'est certain ! À toé de les percer dans les murs de ta prison. D'aucuns voudront les boucher à mesure, mais tu les laisseras pas faire.

–Je vas me rappeler de ça longtemps. C'est ça qu'il fallait que j'entende à soir.

–Quel âge que t'as, Éveline ?

–J'ai 32 ans.

–Vis ta liberté... le peu que t'en as dans ce monde-icitte.

–Le bon Dieu dans tout ça ?

–Le bon Dieu intervient pas dans nos vies de tous les jours; y a que les niaiseux pour croire qu'Il répond à leurs prières égoïstes. Il s'attend qu'on fasse du bien aux autres autant qu'à soi-même. Il nous demande pas de nous flageller pour... pour racheter nos péchés. La vie se charge de nous donner les coups de pied qu'il faut pour les racheter en masse... en masse.

Il se fit une assez longue pause. Chacun réfléchissait à l'échange. Chacun était heureux de cette rencontre des coeurs et des pensées. Ni l'un ni l'autre n'avaient ressenti le froid ambiant. La 'Patte-Sèche' avait l'habitude plus trois couches de vêtements. Éveline aussi avait l'habitude et autant de 'pelures' d'oignon sur le corps dont la plus apparente, un manteau de drap noir qui lui allait à mi-jambes.

La fascination qu'exerçait cet homme étrange sur elle depuis toujours demeurait. Il fallait qu'elle le revoie chaque fois qu'il viendrait au village. Elle voulut s'en assurer :

—Arrêtez donc à la maison quand vous viendrez par ici.

Elle situa sa demeure. Il se montra favorable à son invitation, l'acceptant :

—J'y manquerai pas.

—Là-dessus, je m'en vais.

Ce qu'elle fit sur quelques civilités d'usage.

Cette nuit-là, le vieil homme eut un songe. Il se revit à 30 ans et dans toute son intégrité physique. Éveline frappait à sa porte, entrait, se laissait choir sur le divan, près de lui, tout contre lui. Tout son corps d'homme se transformait à contact aussi exaltant d'une peau halitueuse. Il devenait intensité, immensité, atteignait les cimes du désir charnel, accédait aux territoires du spirituel, du sacré. La jeune femme féline ne plaisait pas qu'à sa chair mais à son âme...

Elle se dévêtait, le dévêtait...

Le divan, par la magie du rêve, pouvait les contenir tous deux dans un agrément suprême, divin. Seuls les rayons de la lune pleine les éclairaient afin que l'image de l'un abreuve la soif exacerbée de l'autre.

"Éveline... chère Éveline..."

"Raymond... cher Raymond..."

Les mots les plus simples prenaient toutes les couleurs de l'arc-en-ciel. La pâle clarté du lieu devenait soleil de feu, de plus en plus intense à chaque douceur offerte à une chair par l'autre chair.

"Si c'est le diable qui te fait aussi belle, qu'il m'emporte où il voudra !"

"Viens à moi ! Viens !..."

Les corps s'unirent. L'étreinte fut immense et profonde. Les fluides se mêlèrent, tout en voyageant sur les ailes du plaisir infini, dans une fantaisie accompagnée par les accents mélodiques de sentiments grandioses.

Le songe ne devait pas se prolonger toute la nuit, mais le peu de temps qu'il dura devint un véhicule capable de porter le vieil homme dans l'éternité, une éternité rose et douillette. Il aurait même voulu se laisser emporter tant la nuit était bonne et belle, mais son heure n'était pas venue. Et au matin, il se réveilla heureux et reposé...

***

Chapitre 14

1932

–Une sacréyé de belle année pour mourir ! fit Honoré qui empruntait le patois favori de Freddé.

–Parlez donc pas de même, là, vous !

Pampalon visitait son père un de ces premiers jours de mars alors que le soleil resplendissait et commençait de stimuler les érablières.

–J'ai aucune utilité dans ce bas monde. Je s'rais pas mal plus utile mort que vivant.

–Vous dites ça pour me faire parler.

–Ah, j'sais ben que vous voulez pas que je parte, vous autres les enfants et les petits-enfants, mais mon règne est fini. Un homme qui a perdu l'usage de ses jambes et la moitié de l'usage de la parole est bon pour la fin, rien d'autre.

–On traversera la rivière quand on sera rendu à la rivière. En attendant, j'ai une petite nouvelle à vous annoncer. Les Rodrigue en face déménagent. S'en vont en Abitibi. Son beau-frère va venir prendre sa place comme forgeron.

–Son beau-frère ? Qui ça ?

–Un dénommé Ernest Mathieu de Courcelles.

–Ça serait pas originaire de Saint-Benoît, cet homme-là ?

–Ça se pourrait. Mais je le sais pas au juste.

–Des gens de quel âge ?

–Début de la trentaine. C'est ce que m'a dit Mion Rodrigue. Une trâlée d'enfants. C'est ma mère qui serait contente; ça la décourageait donc de voir les trois maisons vides en face du magasin.

–Ça pourrait ben être elle qui envoie ces gens-là là...

–Ça se pourrait, oué... On sait jamais... Je vas aller lui demander de l'autre bord. Ces Mathieu-là sont mieux de venir s'installer au printemps ou ben j'pourrai les voir que de par en-haut...

Pampalon en avait bien assez de ces appels à la mort que son père lançait tous les jours depuis la disparition d'Émélie, mais qu'y pouvait-il sinon fermer les yeux et tenir sa langue dans un silence réprobateur ?

*

Éva, maintenant enceinte de plus de huit mois, confia sa famille à Bernadette et partit pour Mégantic. Il y avait eu entente entre tous, Alice, Arthur, Bernadette et elle-même pour que la naissance ait lieu là-bas et non point à Saint-Honoré. On chuchotait dans le village au sujet du docteur. Il pouvait s'avérer risqué d'accoucher par ses mains vu son penchant pour la boisson, un penchant imprévisible. Et parfois trop évident. Certes quand l'homme était sobre, on n'aurait pas pu trouver meilleur praticien, mais on ne pouvait jamais être sûr d'avance... Et puis Éva demeurait fragile depuis son opération.

*

Ce même jour, le docteur Goulet se rendait au fond du Grand-Shenley visiter une malade, quasiment une mourante. Jeune femme de 29 ans, Marie-Ange Jolicoeur avait contracté la tuberculose quelques années auparavant et ne sortait que très rarement de la maison où elle s'était claquemurée.

La famille s'attendait à son départ définitif, une fin de la même sorte que celle ayant marqué la vie de cette pauvre Marie-Laure, emportée, elle, à l'âge de 26 ans en 1926, six années auparavant.

Qui avait contaminé Marie-Ange ? Qui aurait pu savoir ? Aussi imprévisible que la grippe espagnole, la consomption sautait d'une famille à l'autre, d'une génération à l'autre, de nulle part vers un être cher, et elle frappait entre dix et vingt pour cent des familles.

Marie-Ange était alitée. Affaiblie. Souffrante. À bout d'énergie à force de tousser, de cracher d'elle-même chaque heure, de pleurer à en avoir les globes oculaires tout secs et striés de veinules pourpres...

Elle occupait la même chambre que sa soeur aînée six ans plus tôt. Une même cage de draps suspendus l'enfermait dans le territoire exigu des vastes agonies.

Sans l'avouer aux autres ni à elle-même, Marie-Ange souhaitait suivre sa soeur Marie-Laure dans l'au-delà libérateur. Car elle vivait un terrible enfermement depuis qu'elle avait commencé à prendre connaissance des choses fondamentales de la vie, peut-être même avant cela. Exceptionnelle parmi des centaines de milliers d'autres, 'elle' souffrait d'une anomalie de naissance : l'hermaphrodisme. Un avatar de la nature que sa mère avait caché à tous, y compris à son mari. Seule la sage-femme à l'accouchement connaissait le secret à part la mère. Et Marie-Ange elle-même quand elle atteindrait l'âge de chercher à comprendre. Croyant mieux camoufler cette infirmité, Marie Lamontagne avait alors pris la décision de l'élever en 'fille' et non en 'garçon'. Il fallait attendre de savoir à l'époque pubertaire quelle était la proportion entre le masculin et le féminin en elle avant de la diriger vers une chirurgie qui, sans guérir, masquerait au moins les apparences.

Le temps avait passé. La mère avait suivi de près l'évolution morale de l'enfant et personne d'autre ne s'était jamais rendu compte de sa double identité sexuelle. Pour Marie-Ange qui s'était accoutumée petit à petit à la chose, il ne s'était passé qu'un seul drame : celui de son adaptation à l'idée de ne pas vivre ainsi à moitié... Non pas qu'elle ait pu se suicider vu les commandements de la religion, mais que tout son mental appelât la mort, de la même façon que tout l'être d'Honoré Grégoire appelait chaque jour la sienne.

C'était subconscient d'abord chez elle.

Et quand Marie-Laure avait été malade de la tuberculose, mille fois Marie-Ange avait enfreint les lois strictes de leur mère interdisant aux enfants de franchir les draps constituant les murs de la prison de l'agonie. Et puis jeune femme robuste de 23 ans à l'époque, le bacille aurait certes fait s'esclaffer le système immunitaire de Marie-Ange sans cette porte trop grande ouverte au niveau de son inconscient.

Ou bien sachant son incapacité de vaincre, le bacille s'était-il endormi pour quelques années dans les recoins sombres de l'être aux deux sexes et une simple grippe ayant affaibli la personne avait-elle donné l'opportunité au dormeur d'ouvrir l'oeil et de se lancer à l'attaque des voies respiratoires plus réceptives...

Approchant la soixantaine, les parents de Marie-Ange couraient bien peu de risques d'attraper la consomption, mais il n'en était pas de même de certains des enfants vivant encore sous le toit familial, notamment Monique âgée de 13 ans et Jean-Louis, 15 ans.

—Bon, comment c'est qu'elle va donc, notre jeune malade, aujourd'hui ? demanda le docteur.

—Pas trop ben ! dit Marie, sa mère, pour elle.

—Cette maladie est bizarre. La personne atteinte connaît des hauts et des bas spectaculaires. On dirait que le bacille s'amuse à les faire souffrir, à leur donner espoir pour mieux les démolir ensuite. Une abomination !

Monique était assise en retrait. C'est elle qui veillait le

plus souvent sur sa grande soeur comme l'avait fait Ovide en '26 auprès de Marie-Laure. Pendant un temps, ses parents avaient craint pour elle, avaient pensé qu'elle pouvait aussi être atteinte de la tuberculose, mais il n'en était rien. Du moins pas encore !

–Bon, le corps tout entier permet au médecin de mieux situer l'état du malade. Madame Jolicoeur, voulez-vous dénuder la malade pour ce qui est du bas du corps... Fait-elle des plaies de lit et tout ?

–Non, non, pas besoin selon moé. Elle a pas de plaies de lit. J'y vois. Je la frotte au besoin avec de l'onguent de lanoline que vous avez prescrit.

Et Marie prit place sur le lit à côté de sa fille, comme pour la protéger d'un examen inutilement approfondi et risquant de révéler une infirmité qu'elle voulait garder secrète jusque dans la mort. Mais c'était sans compter sur la brusquerie du docteur Goulet quand il avait pris un verre et se trouvait dans un état intermédiaire entre la sobriété et une ébriété apparente. Debout de l'autre côté du lit, il souleva vivement la catalogne; et le corps cadavérique de Marie-Ange fut révélé jusqu'à mi-cuisses. L'examen demeura visuel. Pour une raison fort étrange, la malade elle-même tira vers le haut sa jaquette afin de présenter à la vue sa 'monstruosité' intime. Le docteur regarda, secoua la tête... Marie détourna la sienne pour ne plus voir que le mur et y planter un regard honteux. Monique se leva et put voir à son tour. Elle qui, ayant parfois partagé le lit de Marie-Ange par nécessité et pour combler un manque d'espace dans la maison, se doutait de l'erreur que la nature avait commise à l'endroit de sa soeur, en eut là une navrante confirmation.

Le docteur se pencha et rabattit la jaquette blanche sur les genoux osseux de la malade; et sans rien dire, il remit à leur place les couvertures déplacées le moment d'avant.

Alors le regard de Marie-Ange rencontra celui du médecin. Elle lui demanda quelque chose par lueurs qui racontaient son état d'âme et sa vie entière. Il comprit son terrible désarroi. Hocha la tête. Baissa la tête. Ferma les yeux. Il ne pouvait pas abréger ses souffrances physiques et morales, il ne le pouvait pas. Le serment d'Hippocrate le lui interdisait formellement.

Il prit la main droite de la malade et la serra entre les siennes pour lui dire dans une paternelle affection :

–Ça va aller, Marie-Ange, ça va aller.

Le visage émacié parvint à esquisser un sourire. La jeune femme comprenait le langage muet du docteur. Sans doute qu'elle serait bientôt libérée. Il remit ensuite son stéthoscope dans sa trousse. La malade aperçut alors sa jeune soeur qui avait le visage d'une morte. À elle aussi, il lui fut donné d'adresser un semblant de sourire. Puis Marie-Ange ferma les yeux. Elle était plus prête que jamais à prendre le train du dernier voyage...

Quelque minutes après le départ du médecin, elle entendit le piano; Monique jouait pour elle... C'était une musique céleste venue du premier étage...

***

Chapitre 15

1932...

Et la petite Lise Boutin naquit un beau jour de printemps dans cette grande maison de Mégantic. Le soleil était au rendez-vous et ses rayons donnaient à la surface glacée du lac à l'arrière l'aspect du sucre blanc dont chaque cristal étincelait sous le ciel bleu.

Le bébé fut sans doute imprégné par son environnement et celui-ci dut faire impression sur des zones cognitives déjà en alerte en son être le plus intérieur. Ce phénomène pourrait bien tracer les grandes lignes du futur de certains humains...

En fait, Lise n'était pas le huitième enfant de la famille Boutin, mais bien le neuvième. Pour nombre de mères, il se produisait des fausses couches parmi leurs nombreuses grossesses et le 24 octobre 1930, on avait inhumé dans le cimetière de Saint-Gédéon un corps anonyme, enfant d'Arthur Boutin et Éva Grégoire, à l'âge de "3 mois utérins".

–Elle est bien vivante et forte, celle-là, déclara Alice au téléphone à son beau-frère qui travaillait dans le bas du comté ce jour du 23 mars, un mercredi, et donc au beau milieu de la semaine.

Le père de l'enfant annonça qu'il rappliquerait à Mégantic

dans les heures prochaines, et y serait pour assister au baptême le lendemain, 24. Son métier lui permettait de voyager
car il disposait d'une voiture automobile pour accomplir ses
nombreuses tâches d'agent des terres, mais en ce temps de
l'année, les chemins n'étaient guère carrossables et l'homme
prit donc le train à Tring-Jonction, à cette même gare où, du
temps de son école Normale, lui et sa future épouse devaient
se séparer, elle pour prendre le train de la ligne de Mégantic
jusqu'à Saint-Évariste où l'attendait le postillon, et lui, opter
pour la ligne de Saint-Georges, là d'où il se rendait chez lui
par voiture à chevaux.

Arthur songeait à ces heures du passé quand le train se
mit en marche. Le temps qui avait commencé de se gâter
une heure plus tôt déversa bientôt sur le paysage une gibou-
lée printanière appelée à réjouir tous les sucriers car elle pro-
voquerait les érables à couler comme des folles.

Il ne tarda pas à somnoler, les yeux fermés, les bras croisés, en se demandant si lui viendraient d'autres enfants,
maintenant que son épouse avait franchi le cap des quarante
ans, en fait depuis près de trois années.

On disait que les enfants nés de mères trop âgées présen-
taient des tares. En tout cas, cette dernière semblait, au dire
d'Alice, parfaitement normale. C'est qu'il y avait inquiétude
dans la famille Grégoire. À l'évidence, Solange, fille d'Alfred, née presque deux ans auparavant, présentait tous les
signes de l'anormalité. Elle grognait des sons inintelligibles
sans être capable d'articuler un seul mot. Et son développe-
ment sensori-moteur paraissait altéré par un retard considéra-
ble sur les autres du même âge. Sans compter que son visage
avait quelque chose, en moins accentué, de François Bélanger, ce monstre au coeur d'or que les Boutin et tout Shenley
connaissaient bien.

Le ciel fut bientôt bouché par de la neige épaisse qui
collait aux vitres. Il en faudrait bien plus pour ralentir pareille locomotive que celle-là qui entraînait la suite de wa-

gons dont celui des voyageurs pratiquement inoccupé sinon par Arthur et un couple de personnes âgées...

L'homme avait été mis hors de patience ce jour-là par un personnage agressif et malhonnête qui avait cherché à le berner quant aux bornes de son lot à bois dans Beaurivage. L'échange entre eux avait été acerbe. Puis Arthur était retourné au village, à l'hôtel du lieu, d'où il avait établi un contact téléphonique avec Mégantic. Alice lui avait alors appris la naissance du bébé. Par la suite, il avait mangé. Un repas lourd à base de viande de porc. Et voici qu'après quelques doux souvenirs de jeunesse, assis sur cette banquette de train, il s'était endormi, enfermé dans ce wagon presque désert, enfermé dans cette tempête lourde, enchaîné par ces sentiments pénibles refoulés au cours de la journée... Un cauchemar s'empara de sa dignité coutumière, de sa générosité naturelle, de son amour pour sa famille... Un fatras d'images abominables s'abattit sur son être onirique et entraîna ses divagations tourmentées... comme si la locomotive noire de ce train avait été en avant de sa volonté propre et le dirigeait tout entier en crachant de la fumée noire vers des zones marécageuses situées aux antipodes de sa réalité quotidienne et familiale...

Cauchemardesque cette colère qui l'habitait alors que son être éthéré tournait en rond dans la chambre conjugale comme une bête en cage. Cauchemardesque ces cris aigus qu'il lançait contre Éva que la transformation de son mari atterrait. Cauchemardesque ces mains violentes qui écrasaient les bras de son épouse au point de s'y encaver. Cauchemardesque cette rage incontrôlable par laquelle ses bras soulevaient de terre le corps de la pauvre femme pour le précipiter hors de la pièce avant de l'y reprendre pour le précipiter, cette fois, dans l'escalier. Cauchemardesque ce hurlement de loup venu du fond de ses entrailles. Cauchemardesques ces doigts qui poussaient sur lui, sur son épaule, cette voix intemporelle répétant sans cesse :

–Monsieur, monsieur, réveillez-vous, réveillez-vous !

Arthur retrouva son état de conscience et ouvrit les yeux. Les deux personnes âgées le regardaient, presque effrayées mais remplies de sollicitude et sachant que le pauvre avait été emporté par un terrible rêve, ce qu'indiquaient les gestes incohérents que ses bras et ses mains faisaient et les grimaces douloureuses que son visage fabriquait, à chaque instant, une autre plus hideuse que la précédente.

–Jeune homme, vous avez sûrement fait un cauchemar, dit la vieille dame aux cheveux d'argent.

–Pis vous aviez l'air d'avoir mal en batêche ! enchérit le vieillard.

Arthur secoua la tête :

–En effet, j'ai fait tout un cauchemar. Le pire cauchemar qui soit... Y a rien de pire que de faire du mal aux personnes qu'on aime... Seigneur, le cerveau ! De ce qu'il peut nous jouer des tours quand on dort !

–Mais peut-être itou que c'est un avertissement, dit le vieux monsieur.

–Comment ça ?

–Le cauchemar... ça pourrait vouloir dire que ça va arriver un jour ou l'autre...

–Vous êtes malade ! Jamais j'toucherais à un cheveu de la tête de ma femme... et là, dans mon rêve barbare, je la poussais dans l'escalier. J'étais devenu un... vrai monstre.

–Monsieur, le monstre, c'était peut-être le mauvais sort... pas vous. Peut-être que ce rêve affreux vous permettra de le conjurer, ce mauvais sort. Peut-être que grâce à ce cauchemar, vous allez empêcher votre épouse de dégringoler dans un escalier un jour dans l'avenir.

La femme enchérit :

–C'est bien vrai, ça ! Le cauchemar, c'était peut-être un don du ciel après tout...

Arthur secouait doucement la tête. La femme demanda :

–C'est que vous avez mangé à votre dernier repas ?

–Du lard.

–Cherchez pas plus loin. On dirait que c'te bête-là se 'revenge' quand on la mange.

–On est pas la nuit quand même.

–Ça fait rien pantoute ! clama le vieil homme. Du lard, ça donne des cauchemars. Bon, asteur, on va retourner à notre place. Vous faisiez pas beau à voir, on a voulu vous réveiller pour...

–Vous avez fait ce qu'il fallait : merci tous les deux... Si vous voulez jaser, on pourrait s'asseoir sur des banquettes voisines.

–Bonne idée ! dit la femme. En nous parlant de votre rêve pis de votre passé, on pourrait trouver des explications.

–Et vous en sortirez plus fort devant le sort pis sa misère noire...

Visiblement ces gens possédaient de la culture et un certain raffinement malgré leur langage pas toujours châtié. En tout cas, ils intéressaient Arthur. Ils se dirent des Jacob de Saint-Samuel.

Arthur demanda :

–On a tout notre temps jusqu'à Mégantic. C'est là que vous allez ?

–C'est quasiment là qu'on va...

Et le trio fut animé jusqu'à la gare de Saint-Samuel où le vieux couple descendit. Arthur songea qu'ils avaient été comme des anges gardiens tout au long de ce voyage. Il leur avait parlé de sa famille, des épreuves subies, des difficultés que sa femme connaissait avec sa santé, des enfants nés de leur union... Et même de la famille Honoré Grégoire. Et les deux auditeurs avaient trouvé des liens entre tout ça, les événements du jour et son mauvais rêve qui, en fait, n'en était pas un... C'était, comprit-il de leurs dires, un sain exutoire à l'amertume que les coups du sort lui avaient valu, à lui et toute sa famille.

À leur descente, Arthur se remit à somnoler. Les images furent belles, cette fois. Et l'une d'elles se rendit chercher toute sa tendresse souriante. C'était une photo qu'il avait prise lui-même de Ti-Lou et Lucienne ainsi que du chien Noiraud voilà une quinzaine d'années à Saint-Gédéon...

***

Ti-Lou et Lucienne Boutin
vers 1918

Chapitre 16

1932...

Et la joie éclata chez Berthe et Bernadette quand leur grande soeur Éva fut de retour à Saint-Honoré avec le nouveau bébé par un superbe samedi de mai. Elles le prirent en joyeuse adoption dès qu'elles le virent tout comme elles l'avaient fait toutes deux dans leur coeur à l'annonce, fin mars, de l'heureux événement.

Arthur, heureux espiègle, klaxonna à plusieurs reprises, comme à une noce, devant la porte de la maison à Bernadette dès son arrivée. Berthe se précipita à l'extérieur et monta en voiture pour voir la petite, la prendre dans ses bras et accompagner le couple à leur maison où Bernadette les regardait venir, sur le pas de la porte, deux enfants, Marielle et Raymond, près d'elle dans le haut de l'escalier.

–Comment va papa ? furent les premiers mots d'Éva.

–Comme de coutume.

–Je vas aller lui montrer ma petite.

–Tu me la montres d'abord, à moi, hein, fit Bernadette, l'oeil autoritaire.

–Ben oui, ben oui ! Tiens, Berthe, va donc lui montrer la petite Lise.

Berthe descendit de voiture. Éva lui donna le bébé. Et descendit à son tour. Arthur remit en marche pour aller stationner le véhicule sur le chemin mitoyen, voisin de l'hôtel Central.

Et Bernadette, tout en prenant le poupon dans ses bras, s'exclama d'une voix assez forte pour faire croire aux passants qu'elle venait de prendre la princesse Élisabeth d'Angleterre, nièce du roi Édouard VII, une enfant qui avait vu le jour six ans auparavant, le 21 avril 1926.

—En dehors de ça, demanda Éva, tout va bien avec les enfants ? Raymond t'a pas trop fait étriver ?

—Des anges, tu sauras, quand ils sont avec moi, prévint Bernadette.

—Quoi, penses-tu que c'est des petits diables quand ils sont avec moi ?

—C'est pas ça que j'ai dit pantoute, Éva...

—Bon, redonne-moi le bébé, je vas aller voir notre père dans sa chambre de malade.

Bernadette y mit de l'ironie pour lancer :

—J'peux t'annoncer d'avance c'est quoi qu'il va te dire. T'aurais quasiment pas besoin de le voir...

—C'est quoi ?

—Que le temps est venu pour lui de donner sa place à ceux qui viennent au monde. Que la petite Lise va être la dernière de la famille à venir au monde avant que lui, il quitte ce monde pour un meilleur... Il dit ça à tous ceux qui vont le voir... Un vrai graphophone à rouleau !

—C'est embêtant, Bernadette, peut-être qu'il va dire autre chose cette fois-là...

—Tiens le bébé ! Tu m'en diras des nouvelles. Veux-tu que je reste pour faire à manger ?

—Non... Arthur va s'occuper de ce qu'il faut. Tu peux retourner à ta maison. Berthe aussi. Je vas vous revoir plus tard, toutes les deux.

–Ben correct !

Et tandis que la femme traversait la rue avec son enfant pour se rendre à la résidence Grégoire, ses deux soeurs retournaient à la maison chez Bernadette en se promettant d'aller chercher la petite aussi souvent qu'on le permettrait.

–Je viens vous montrer la petite Lise, lança Éva à travers la porte à l'intention de son père, se disant que s'il dormait, il n'entendrait pas et resterait muet.

Mais il répondit, la voix bourrue même si affaiblie :

–Entre, Éva, y a pas de cadenas sur la porte !

Ce qu'elle fit. Et s'approcha du lit pour lui faire connaître sa petite dernière :

–S'appelle Lise.

Il demeura impassible :

–Ah !

–Elle ressemble à qui, vous pensez ?

–Sais pas... À son père, on dirait...

–Aux deux, je trouve.

–Aux deux d'abord !

Éva comprit que son père conservait son cynisme des dernières années et qu'il ne s'en départirait jamais avant le tombeau puisque la vue d'une enfant, même de son sang, ne semblait pas beaucoup l'émouvoir. L'homme couché, la tête engoncée dans ses oreillers, semblait plus détaché de l'existence terrestre que jamais. C'était devenu un vieillard de 67 ans que la lumière de la vie désertait de plus en plus chaque jour et qui semblait maintenant plus âgé que son demi-frère Grégoire au temps de sa mort à 86 ans en '19.

Qu'est-ce qu'elle aurait pu dire encore ? Il parla à la manière d'Émélie :

–Ton mari, il te traite ben comme il faut, toujours ?

–Ben voyons, pourquoi me demandez-vous ça ? C'est la première fois...

–Ben... c'est une question de testament... J'ai pas pris toutes mes décisions là-dessus.

–On vous demande rien, vous avez assez fait pour nous autres. Tâchez d'être égal pour tout le monde !

–Dans un testament juste, égal, ça veut dire ben de quoi. Et pas ce qu'on pense...

–Comme ?

L'échange fut interrompu par quelqu'un qui poussait la porte entrebâillée :

–J'peux entrer un peu, pour voir la petite nouvelle dans la famille Grégoire ?

C'était Armand.

Éva lui ouvrit la porte toute grande par ses mots :

–Ben rentre. Viens la voir, la petite Lise ! Tout le monde la connaît à part toi, Armand...

Le jeune homme s'arrêta, toussa à plusieurs reprises. S'excusa :

–Dans le hangar, y a de la poussière qui me prend à la gorge. C'est trop sec là-dedans...

*

Quelques jours plus tard, Berthe eut avec son père un échange sans témoin. Cela concernait son futur. Depuis sa sortie des études, Alice et Bernadette, *"qui travaillaient activement pour l'éclosion de vocations religieuses, en profitèrent pour convaincre leur soeur de prendre l'habit. Se laissant emporter par leurs arguments, Berthe fit des démarches auprès de la Congrégation Notre-Dame pour qu'elle l'accepte dans ses rangs..."*

Un clocher dans la forêt, page 89

–J'ai besoin de votre idée.

–Qui a besoin de l'idée d'un mourant ?

–Berthe Grégoire.

L'homme alité prit un moment de réflexion qui parut l'emporter loin :

–T'as toujours été la plus distante de mes enfants.

Elle hocha la tête :

–J'ai toujours eu peur de vous.

–As-tu peur d'un mourant ?

–Non, c'est pour ça que je viens vous voir. Je veux avoir votre idée sur mon avenir.

–Dis-moi ce que tu veux savoir.

–Alice et Bernadette m'ont convaincue de prendre l'habit de religieuse.

Il commenta aussitôt avec le plus de voix qu'il put trouver dans sa poitrine :

–Ça, ça vaut pas de la 'marde'...

Berthe qui restait immobile dans sa berçante en eut le visage figé :

–Se faire soeur, c'est pas de la...

–C'est pas être soeur qui est de la 'marde', c'est de se faire soeur parce que ses soeurs t'ont convaincue de te faire soeur.

–Leur idée et ce que j'ai dans le coeur, ça peut coïncider, vous pensez pas ?

–Non.

–Eh ben !...

–C'est que la 'Patte-Sèche' t'a dit sur ton avenir ?

Elle s'insurgea malgré sa vieille crainte de cet homme :

–Vous pensez toujours pas que ce que dit... ou a dit la 'Patte-Sèche' est parole d'évangile ?

–C'est aussi bon que ce que pensent Bernadette pis Alice sur ton avenir, ma fille.

–Vous pensez...

–J'pense certain ! C'est qu'il t'a dit, la 'Patte-Sèche', en fin de compte sur ton avenir ?

–Que je me marierais, que j'aurais des enfants, j'sais pas combien, et que je vivrais longtemps.

–T'aimes pas mieux croire à ça ? T'aimes mieux t'enfermer dans un couvent, dans le silence, la solitude... Un couvent, c'est l'enfer du rien... l'enfer du vide...

–Ma mère aurait voulu que je fasse une soeur, elle.

–Ta mère aurait voulu que toutes ses filles, Éva, Alice, Bernadette pis toi, vous fassiez des soeurs. Elle avait pour son dire qu'elle avait trop d'enfants et elle voulait pas que ses filles passent par le même chemin. Mais... au fond... En tout cas, ça non plus, c'était pas une bonne raison pour se faire soeur. Pas vouloir d'enfants, ça donne pas la vocation. À part de ça que c'est Lui, en-haut, qui décide. Tu vois, Alice en a pas, tandis que ta soeur Éva en est à son neuvième.

–Suis venue vous demander votre idée... et aussi votre permission pour aller à Montréal me faire faire une robe de novice. La prise d'habit se ferait au Mont-Notre-Dame. Je veux dire 'se fera au Mont-Notre-Dame' dans un mois...

–Berthe... quel âge que t'as asteur ?

–Vingt-deux ans.

–À vingt-deux ans, t'as pas de permission à me demander. Pis comme je t'ai dit : on demande pas de conseils à un vieux bonhomme qui se meurt. J'en ai pour un mois ou deux, pas plus... Un peu plus pis j'aurais mes poignées de tombe vissées après l'corps...

Elle ne put s'empêcher de sourire. Son père gardait son sens de l'humour malgré sa déprime et bien qu'il s'agît d'un humour plutôt noir. Après un pause, il conclut :

–Va faire faire ta robe de novice ! Avance sans te sentir obligée d'avancer par tes soeurs, par moi, par les religieuses, par personne. Tu vas voir à mesure des événements...

"*Berthe se rendit à Montréal pour faire faire sa robe de novice. Mais le soir de la cérémonie de la prise d'habit, la robe resta dans la penderie du couvent. Berthe comprit à temps, avant de prononcer ses voeux, que sa place était à Saint-Honoré avec sa soeur Bernadette et, surtout, avec la petite Lise, la fille d'Éva, le premier bébé qu'elle pouvait enfin 'catiner'...*"

Un clocher dans la forêt, page 89

***

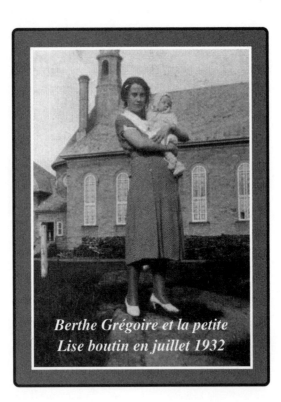

*Berthe Grégoire et la petite
Lise boutin en juillet 1932*

Chapitre 17

1932...

Eugène Foley se rendit à Lewiston aux épousailles de son frère Emil avec Blanche Roy. Il fit un détour par Saint-Honoré pour y prendre à bord de sa voiture son frère Édouard et son épouse.

Au retour de là-bas, il s'arrêta chez les Grégoire pour une pause avant de repartir pour Sherbrooke et ses études sacerdotales. Bernadette en eut le coeur tout chaviré comme chaque fois qu'elle le voyait, qu'elle lisait une lettre de lui, qu'elle pensait à lui, qu'elle rêvait de lui.

Elle le reçut à dîner. On était trois à table. Berthe n'aurait pas pu s'absenter aussi aisément que son frère Armand. Ce fut un échange joyeux et animé entre Bernadette et le futur prêtre. Berthe emmagasinait les paroles suivant son habitude de jeune femme discrète et peu loquace.

—Asteur, on va aller se prendre en portrait. J'me suis acheté un beau 'kodak'; je vas l'étrenner. Venez tous les deux, on va aller en arrière de la maison rouge.

L'appareil attendait sur une petite table derrière la porte. Même qu'il était déjà chargé d'une pellicule prête à être impressionnée. Et Dieu sait si elle le serait par ce jeune homme qui avait décidé de se consacrer à son entier service tout au long de sa vie.

On laissa la vaisselle sur la table.

Et le trio quitta cette maison dont Eugène avait un peu de mal à reconnaître les êtres, mais dont il avait pour jamais dans l'âme l'esprit sacré et tous ces souvenirs imbibés dans les matériaux anciens cachés sous les matériaux neufs installés par les rénovations récentes.

La séance eut lieu sur 'l'écrin' de cap derrière la maison rouge, tel que prévu. Bernadette prit d'abord Eugène seul. Puis Eugène avec Berthe. Eugène voulut ensuite prendre les deux soeurs ensemble. Et, cerise sur le gâteau de Bernadette, ce fut à son tour de poser avec Eugène devant l'objectif de l'appareil mis entre les mains de sa soeur.

Hélas ! la technologie moderne n'est pas toujours à la hauteur de ses promesses. Ou bien Berthe se montra-t-elle d'une certaine maladresse ? Toujours est-il que Bernadette serait déçue quand les photos lui reviendraient par la poste deux semaines plus tard. Presque toutes avaient été brûlées par une surimpression. Une seule était bonne... mais elle l'était. (*Voir fin du chapitre, page 231*)

Mais ce jour de grande chaleur du début juillet resterait gravé longtemps, en fait éternellement, dans le coeur de Bernadette, tout comme celui du baiser sous l'orage en 1923. C'est que laissés un temps seul à seul, ils se rappelèrent de ce grand soir resté sur le dessus du panier à souvenirs malgré les neuf années enfuies depuis sa grandiose splendeur...

*

Un drôle de camion entra dans la cour de la maison Racine (devenue Rodrigue en 1930) et maintenant inhabitée, face au magasin Grégoire. Il contenait un ménage, une famille et même une vache.

–Mon doux Seigneur Jésus, on dirait ben un 'truck de bohémiens' ! s'exclama Bernadette qui mesurait du tissu derrière le comptoir des dames.

–Ben voyons donc, lança Alfred, c'est pas des 'gipsies', c'est les Mathieu qui arrivent.

–Les Mathieu ? Ah, où c'est que j'avais donc la tête ?

–Le nouveau forgeron et sa famille.

–Ben oui, on le savait qu'ils arriveraient ces jours-ci. La petite madame Rodrigue nous l'avait dit avant de partir pour l'Abitibi.

Éva Pomerleau descendit de la cabine avec un bébé dans les bras. Elle regarda la maison : un long frisson la parcourut. Il lui parut que c'est là qu'elle mourrait un jour. Il lui sembla que cette maison l'appelait depuis toujours. Elle se souvenait l'avoir vue à quelques reprises et avoir ressenti un peu la même chose chaque fois, notamment quand elle avait aperçu Eugène Grégoire ce jour où son grand-père avait subi une attaque cardiaque, et puis cette journée mémorable de l'incendie du premier couvent en 1916. Eugène Grégoire était mort; un nouveau couvent avait pris la place de l'autre depuis plus longtemps encore. On savait que l'épouse d'Honoré Grégoire était décédée et même, par Mion Rodrigue, qu'Honoré lui-même agonisait.

–Ah, c'est ben important, une vache quand on a une famille dans pareil temps de crise ! commenta Bernadette qui avait délaissé son tissu pour s'approcher de la vitrine.

–Tu commences à comprendre, lui dit Freddé en riant.

–Ça fait longtemps que j'sais ça... Hey, mais la petite madame, elle a pas changé depuis le temps que je la connais. J'me rappelle d'elle comme si c'était hier. Est même venue dans ma chambre pour voir la lumière électrique; elle avait onze, douze ans. Ah ben, je vas aller la saluer pis lui souhaiter la bienvenue dans notre paroisse.

Malgré son air sévère et sa tristesse coutumière, Alfred en son coeur leur souhaitait aussi la bienvenue à tous ceux de cette jeune famille qui mettraient de la vie au coeur du village comme les Rodrigue avant eux et les Racine jadis. Et comme l'avait souhaité si vivement sa mère, Émélie. Il ne pouvait quitter son poste, mais il s'approcha de l'autre vitrine pour observer les arrivants.

Le chauffeur du camion prit un garçonnet d'environ trois ans et le porta à sa mère de l'autre côté du véhicule. Elle le fit mettre debout à son côté. L'enfant apeuré se colla à sa robe. Puis l'homme se rendit à l'arrière et déchaîna la trappe qu'il chaîna de nouveau quand elle fut à l'horizontale. Descendit alors le chef de famille dont l'image n'était pas inconnue à l'observateur du magasin puisqu'ils avaient échangé quelques mots peu de temps auparavant quand Ernest était venu terminer la transaction d'achat de la propriété.

Une fillette qui n'en était déjà plus une tout à fait, jolie petite brunette, descendit à son tour et aida ses soeurs à le faire, l'une d'à peu près huit ans et l'autre de six. Elles se réunirent aussitôt autour de leur mère.

–Éva ? Éva Pomerleau ! s'écria Bernadette qui traversait la rue en boitillant.

–Bernadette ? C'est toi, Bernadette ?

–Ben sûr que c'est moi ! Je viens te dire qu'on est ben contents, Freddé pis moi, de vous voir arriver. On le savait par ta soeur Marie-Louise, que vous deviez arriver ces jours-ci, mais comme il s'est passé des choses...

Les fillettes regardaient cette femme sympathique avec grande curiosité. Bernadette se pencha un peu en avant, les yeux agrandis par de la joie pure et pétillante :

–Et ça, c'est tes enfants. Comment que vous vous appelez, vous autres ? Toi d'abord ?

–Jeanne d'Arc... pis j'ai onze ans.

–Et toi ?

–Cécile... j'ai huit ans.

Fernande lui emboîta le pas aussitôt sans laisser à Bernadette le temps de répéter sa question :

–Fernande... j'ai six ans.

Éva prit la parole :

–Et le p'tit gars un peu gêné, c'est Victor.

–Et le bébé dans tes bras ?

–S'appelle Dolorès.

–Ah, ben à tout le monde...

Bernadette se fit brusquement interrompre dans son message d'accueil. Ernest apparut dans le paysage et lança à voix autoritaire et rugueuse :

–Ôtez-vous de là, vous autres, faut reculer le 'truck' dans la cour pis descendre la vache pis toute la chibagne...

Outre la maison principale et la boutique de forge, il y avait deux hangars le long du terrain, à l'arrière de la vieille maison, et une grange tout au fond. Ernest y mena la vache quand, de peine et de misère, on l'eut fait descendre de son perchoir à l'aide de deux madriers mis en pente trop abrupte. Un peu et l'animal se cassait une patte avant d'atteindre cette terre d'accueil.

–Ben venez donc chez nous en attendant que tout soit rentré dans votre nouvelle maison ! suggéra Bernadette. Je vas vous donner du thé pis des petits biscuits. Vous devez avoir faim, j'imagine...

Éva accepta de bon gré. Elle avait aimé Bernadette dès la première fois où elle l'avait vue enfant qui frottait le parquet du magasin, le front en sueur et le regard menaçant. Cette image lui resterait toujours.

–Envoyez, venez...

Il se produisit alors un événement important que personne toutefois ne remarqua à part les deux êtres concernés. Un garçon d'une dizaine d'années parut sur le trottoir du côté de l'église. Luc Grégoire se rendait visiter son grand-père. Sa curiosité l'amena à poursuivre jusqu'à l'entrée du magasin plutôt que d'aller emprunter celle de la résidence. Là, il vit Jeanne d'Arc. Là, Jeanne d'Arc le vit. Ils avaient tous les deux les cheveux noirs. Les yeux noirs. Si l'on était au coeur de la misère noire, ce sont des regards plutôt roses qui furent échangés par ces deux jeunes adolescents. C'était comme s'ils se reconnaissaient l'un dans l'autre...

–Viens-tu, Jeanne d'Arc ? lui dit sa mère qui conduisait ses enfants avec Bernadette vers chez elle pour y prendre la collation proposée.

La jeune fille sourit à Luc. Il en fut intimidé et s'empressa d'entrer dans le magasin...

***

Jeanne d'Arc
Mathieu à 9 ans

Berthe Grégoire et Eugène Foley en 1932

Chapitre 18

1932...

Ovide Jolicoeur atteignait sa majorité en cette année-là. Son père, aux abords de la soixantaine, s'était affaibli considérablement et avait dû passer le sceptre à toutes fins pratiques à ce fils qui devint ainsi cultivateur. Surtout, parmi ses garçons, Ovide avait été le seul à montrer toutes les aptitudes pour prendre sa relève, et parmi elles, l'amour de la terre, un sentiment pas loin de s'avérer aussi pur et intense en lui que celui du beau-père d'Honoré Grégoire, Édouard Allaire, dont toute la paroisse avait fini par connaître la légende indestructible.

Grand et fort, Ovide s'acquittait de ses nombreuses tâches d'une manière que semblait savoir lire la terre, laquelle, en retour, se faisait prodigue de ses dons.

Toutefois, la famille vivait de rudes épreuves. Après la mort en 26 de Marie-Laure, fauchée en pleine jeunesse par l'impitoyable tuberculose, voici que Marie-Ange agonisait à son tour, après avoir souffert de la même maladie pendant presque trois années.

Le jeune homme ressentait la même affliction que voilà six ans. Au moins le navrant spectacle du dépérissement de sa soeur lui était-il épargné en grande part en raison des exigences du barda quotidien mais aussi parce que sa mère avait confié à Monique le soin de veiller sur la malade quand elle ne se trouvait pas à l'école du village. Pas même les dimanches, Ovide ne pouvait-il se faire l'ange gardien de sa soeur, défense, inexplicable et, lui semblait-il, injustifiable, lui ayant été faite par leur mère de rester plus de quelques minutes dans la chambre de Marie-Ange. (*Il faudrait bien des années avant qu'il ne lui soit révélé –et encore sous voile et sans certitude véritable– le secret de l'infirmité de la jeune femme.*)

Chaque midi et chaque soir, Ovide se rendait voir sa soeur pendant quelques minutes, jusqu'au moment où Marie, la mère, lui criait de descendre. Il paraissait à tous ce dimanche-là, quelques jours après la dernière visite du docteur Goulet, que la jeune malade en était à ses derniers souffles. À telle enseigne que les parents prirent la décision de téléphoner au village afin d'alerter le curé et le médecin. Tous deux annoncèrent leur venue prochaine en ce jour de grand soleil mais aussi de grand vent.

Comme si elle avait su hors de tout doute que la fin était imminente, la mère défit le mur de draps suspendus et laissa ceux qui le désiraient s'asseoir autour du lit pour prier et pour attendre...

Marie-Ange avait perdu conscience. Elle ne toussait plus. Et respirait à peine. Il fallait un oeil attentif pour déceler un mouvement dans sa poitrine. L'inspiration se faisait légèrement plus accentuée toutes les minutes. Parfois, l'une des personnes présentes regardait l'autre pour se désoler et l'état de veille silencieuse se refaisait aussitôt.

Il y avait les parents du côté droit, entre le mur et le lit. Au pied avaient pris place Ovide et son frère Jean-Louis, un jeune homme de seize ans. Du côté gauche, entre le lit de la mourante et la bouche de l'escalier, Jeanne, vingt ans, et sa jeune soeur Monique restaient muettes de crainte respectueuse et ne cessaient de dire et redire des Avé, comme si le ciel avait pu intervenir au dernier moment alors qu'il n'avait rien fait en faveur de Marie-Ange jusque là, sinon de l'appeler dans son éternité.

–Monique, va attendre monsieur le curé en bas, lui demanda la mère. Et monsieur le docteur... Si tu veux, tu peux jouer du piano, ta soeur entendrait peut-être pis ça l'accrocherait un bout de temps jusqu'à voir arriver le docteur et le prêtre.

–Oui, maman.

–Je peux y aller avec elle ? demanda Jeanne.

–Tu peux.

Les deux jeunes filles descendirent au salon. Monique s'installa au piano pour y interpréter des airs populaires sur un mode lento, entremêlés avec des pièces classiques de Frédéric Chopin: préludes et nocturnes... Et du Brahms...

Elle possédait un talent majeur pour cet instrument. L'avait appris par des années de leçons au couvent des soeurs et surtout par la pratique intensive chaque jour de l'année. On ne se lassait pas de l'entendre. Son avenir, pensaient plusieurs, serait celui de la virtuose qu'elle était déjà. Même Gédéon, un homme plutôt terre-à-terre, croyait qu'elle était une sorte d'enfant prodige et que, malgré la misère noire de ce temps de crise, elle finirait par gagner sa vie grâce à sa maîtrise du piano.

Les notes s'égrenèrent comme les Avé d'un chapelet. Elles montaient jusqu'à la chambre de la malade, sortaient par les fenêtres ouvertes pour atteindre la grande forêt des concessions toute proche et enchanter les bêtes nombreuses qui la peuplaient.

Le curé arriva en premier. On vit son auto noire. On aperçut la soutane noire en descendre. Puis le prêtre demeura un moment immobile à regarder tout autour. Il jaugeait la terre des environs, sondait le ciel au-dessus et tirait de la forêt voisine des évaluations bizarres fort éloignées de la réalité du moment.

Monique crut qu'il fallait l'accueillir dehors et non attendre qu'il frappe à la porte. Elle sortit avec Jeanne qui salua la première :

–Bonjour, monsieur le curé !

Le prêtre fit un léger signe de tête sans rien répondre par la bouche. Il regarda encore le ciel en plissant les paupières.

–Bonjour, monsieur le curé ! dit à son tour Monique.

L'adolescente attira l'attention de l'homme qui la détailla de pied en cap, un tel regard exploratoire étant naturel vu qu'il se trouvait en bas de l'escalier à cinq marches et elles en haut, sur le perron.

Il lui trouva la maturité nécessaire pour se marier, lui prêtant quinze ans, elle qui n'en avait pourtant que treize encore. L'abbé Proulx était familier avec ce visage à la beauté classique, juvénile et adulte à la fois, lui rappelant celui d'une étoile de cinéma américain, pour l'avoir vu souventes fois au couvent lors de remises de bulletins, à l'église, à la messe ou à quelque cérémonie des grandes liturgies catholiques. Mais de pouvoir la regarder ainsi, presque isolément, lui donnait à réfléchir autrement. C'est qu'il connaissait aussi, et cela importait bien plus que son visage, son grand talent pour le piano. Il ferait en sorte de le pousser, ce talent, afin que la gloire qu'il pourrait un jour générer rejaillisse sur sa paroisse et par conséquent sur lui-même...

–Comment est la malade ?

–Mourante, fit Jeanne.

–Je lui apporte les secours de la sainte religion.

Il ouvrit la portière arrière et y prit une trousse semblable à celle d'un docteur puis allait s'engager dans l'escalier quand la vue d'un nuage de poussière au loin le retint.

–Ça doit être le docteur Goulet, dit Jeanne.

–Il a préféré venir par ses propres moyens comme toujours. C'est son choix. On aurait pu voyager à deux dans la même 'machine'.

On aperçut l'auto qui venait à toute allure et l'on attendit. Bientôt, elle stoppa dans la cour et quand le médecin fut descendu, le prêtre le taquina :

–Je comprends pourquoi vous ne voulez pas voyager avec moi : suis bien trop lent pour vous.

–On me dit que j'ai le pied pesant sur l'accélérateur, mais d'autres comme monsieur Uldéric Blais l'ont plus pesant encore que moi.

Monique ressentait un profond malaise. Sa pauvre soeur était sur le point de rendre l'âme et voici que le curé et le médecin perdaient leur temps en badinages au pied de l'escalier. Le mieux à faire, songea-t-elle, serait de retourner à son clavier et, comme l'avait dit sa mère, de retenir Marie-Ange en ce monde par la musique jusqu'à ce qu'elle reçoive les soins d'accompagnement appropriés, de la médecine et de la religion, ces deux 'pas-pressées' qu'une pièce musicale rappellerait peut-être à leur devoir.

Tout alla vite ensuite.

Les deux hommes se rendirent au chevet de Marie-Ange. Le docteur comprit et dit qu'elle partirait d'une minute à l'autre. Le curé lui donna l'Extrême-Onction.

De tout ce temps, Monique ne s'arrêta pas de jouer.

–Ce sont les derniers moments les plus émouvants auxquels j'aie assisté, déclara le prêtre que la musique enchantait tout comme le docteur Goulet.

–Je ne vous le fais pas dire, enchérit le médecin qui essuya une larme à son oeil gauche.

Soudain, les doigts de la musicienne se figèrent. Un son faux fait de notes entremêlées et discordantes fut entendu et elle s'arrêta net de jouer. Quelque chose lui disait que Marie-Ange avant quitté cette maison. Le docteur alla sonder le pouls.

–Elle nous a quittés ! dit-il avant de recouvrir le corps tout entier à l'aide d'une des couvertures.

Ovide qui, jusque là, avait refoulé ses larmes, pencha la tête et oublia qu'il était un homme. Le visage de sa mère devint plus dur qu'il ne l'était déjà.

–Vous autres, dit-elle à ses fils, allez-vous en en bas. Gédéon, va me chercher un grand plat d'eau. Je vas laver le corps. Tu vas téléphoner à Octave Bellegarde pour l'embaumement...

Ovide sortit de la maison et se rendit marcher en solitaire sur le chemin des bêtes entre la grange et la maison. Bientôt sa jeune soeur Monique le rejoignit. C'est à lui qu'elle voulait poser sa grande question :

–Pourquoi la vie si elle nous condamne à la mort ?

–Pour gagner notre ciel, comme les prêtres disent. Dans le fond, plus on vit vieux, plus le prix de la vie est élevé.

–Autrement dit, plus on meurt jeune, mieux c'est ?

–Pour celui qui meurt en tout cas... Mais toi pis moi, on a long à faire avant ça. Tu vas être célèbre et moi... ben je serai le cultivateur le plus prospère de la paroisse de Saint-Honoré-de-Shenley...

Il parut à Monique que les prédictions de son grand frère sonnaient faux dans sa bouche. Peut-être qu'il ne possédait pas le talent de la 'Patte-Sèche' pour entrevoir le futur ?... Peut-être que le grand vent ébouriffait ses idées comme il le faisait pour sa chevelure ?...

***

Chapitre 19

1932...

Voici que l'état de santé d'Honoré donnait de plus en plus d'inquiétude à la famille.

"De grosses ampoules s'étaient formées sur ses talons, probablement à force d'être alité. Alice vint un beau matin pour soigner son père. Elle mit une cuvette sous ses pieds et perça les ampoules d'où jaillit du sang.

Le dix août, Honoré reçut la communion et dit à Alice :

"Ildéfonse va venir me chercher aujourd'hui."

Comme il avait l'air plutôt bien ce matin-là, personne ne fit attention à ses paroles. Il mourut quelques heures plus tard d'un oedème pulmonaire et d'hydropisie. Son départ s'était fait apparemment sans souffrance... Sa tête était tournée contre l'oreiller, du côté de la fenêtre. Le dernier regard de cet homme de 67 ans avait été pour l'enseigne "Bureau de poste""

Un clocher dans la forêt, page 36

"Le jour des funérailles, quand on voulut mettre son corps dans son cercueil, fait soi-disant sur mesure, on se rendit compte qu'il était trop petit. Malgré tout, l'embaumeur

---

239

réussit, on ne sait comment, à fermer le couvercle...

Les obsèques d'Honoré furent dignes d'un Premier minis- tre. Elles furent célébrées le (lundi) 15 août dans une église remplie à pleine capacité de parents, d'amis et de personna- lités politiques. L'église de Saint-Honoré avait revêtu, pour cette occasion, ses plus riches tentures de deuil. Un choeur de 33 personnes venant de toutes les paroisses voisines in- terprétèrent les plus beaux chants religieux. Les offrandes de messe et les fleurs, les bouquets spirituels, les témoignages de sympathie parvinrent en grand nombre, autant des parti- culiers que des fournisseurs avec qui Honoré faisait affaire. Parmi les gens qui assistèrent aux funérailles figuraient le sénateur Henri-Séverin Béland, le député Édouard Lacroix, le juge Pierre Bouffard. Une motion spéciale fut votée afin de rendre hommage à celui "qui a rempli sa charge de 1921 à 1928, se rendant utile en toutes circonstances sans épar- gner ni ses démarches ni ses peines pour l'avantage des constituants du comté de Beauce"."

Un clocher dans la forêt, page 36

*

Le corps d'Honoré Grégoire fut inhumé dans le cimetière paroissial à côté de celui de son épouse, tout près de l'entrée principale, à côté du calvaire. Un curieux attroupement fut signalé auprès de sa fosse un peu avant la brunante ce soir- là. Les humbles, comme s'ils s'étaient donné le mot ou bien avaient répondu à un appel d'outre-tombe de la part d'Ho- noré, tous vêtus de noir, étaient là, en un cercle inégal pour lui faire un dernier adieu. Parmi eux Napoléon Lambert venu par ses propres moyens, lui qui connaissait par coeur et d'instinct le chemin et qui, même, avait creusé la fosse l'avant-veille au bord de la nuit. Et puis les Dulac, Napoléon dit 'Cipisse' ainsi que ses trois fils, Sévère, Mathias et Phi- lippe. Et aussi trois représentants de la famille Lepage du rang 9 : Elmire, Anna et Joseph...

Au même moment, Auguste Poulin se présenta dans la porte avant grande ouverte de la boutique de forge et s'adressa à Ernest avec qui il avait fait connaissance quelques jours auparavant :

—Y a du monde dans le cimetière, sais-tu qui c'est ?

Le forgeron connaissait trop peu les paroissiens encore pour être capable de les identifier en les nommant, bien qu'il ait vu marcher ceux dont parlait son interlocuteur sur le terrain de la fabrique, en biais là-bas, en direction du cimetière.

—Non, mais on pourrait aller voir.

—Viens, on va savoir pourquoi ils s'en vont là...

Le lieu ne se prêtait guère aux présentations. De toute façon, malgré sa gentillesse et son ouverture aux autres, Auguste ne s'y entendait pas trop avec ces drôles de civilités. Les deux hommes restèrent donc en retrait du cercle en prière, comme si de vouloir s'y ajouter eût pu briser une volonté, un secret, un partage.

À la demande de son père, Mathias Dulac dirigeait la récitation d'un demi-chapelet, peut-être tout un si la fantaisie lui en prenait. Tous gardaient les yeux fermés. Parfois des paupières se dessillaient et, dans une sorte de clin d'oeil à l'inverse, la personne captait une image qu'elle engrangeait pour la vie dans son album à souvenirs. Et cela, invraisemblablement, arrivait même à Napoléon Lambert qui pouvait voir à l'intérieur de ses globes vidés quelque scène indélébile du passé ayant mis en scène le défunt et d'autres.

Mais c'était pour le repos de l'âme d'Honoré que ses bons amis parmi les moins fortunés se trouvaient réunis autour de sa fosse, fraîchement comblée par une terre brune et meuble recouvrant comme un voile de paix les jours enfuis d'une vie bien remplie.

À 33 ans tout juste, Ernest commençait à songer à sa propre fin. Cela tenait au fait que sa mère en parlait depuis toujours comme d'un phénomène naturel et souhaitable. Il demanda au ciel de se rendre à l'âge d'Honoré Grégoire. Auguste avait du mal à cacher sa joyeuse impatience. Cette visite au cimetière, c'était pour passer le temps et pour parler... Mais il fallait jouer le jeu de ceux qui étaient venus spontanément, appelés là par un disparu, désireux sans doute de leur inspirer des choses nobles qu'il n'aurait pas su insuffler à l'esprit des dignitaires présents dans les bancs d'honneur à la cérémonie des obsèques à l'église ce jour-là.

Celui qui intéressait le plus Auguste était la 'Patte-Sèche' qu'il reconnut sans pourtant avoir jamais échangé avec lui plus que deux ou trois mots. Éveline lui avait confié, des mois plus tard, qu'elle avait consulté le quêteux voyant un soir d'automne. Elle avait dit qu'il s'arrêterait chez eux à sa prochaine visite dans la paroisse. Mais le vieillard goutteux ne l'avait pas fait. Les funérailles d'Honoré avaient dû prendre tout son temps.

Enfin, la prière monotone se termina. Et le cercle se disloqua d'un coup, comme si chaque personne le formant avait entendu que la visite prenait fin là et que l'hôte les avait reconduits à la porte d'entrée.

Auguste s'adressa aussitôt à la 'Patte-Sèche' que ne connaissait pas Ernest et qu'il n'avait jamais vu à Courcelles ni autre part :

—Ma femme pis moé, on pensait que vous étiez pour venir chez nous quand on a su pour la mort de monsieur Grégoire. On s'est même demandé ces jours-citte si vous étiez pas mort vous itou.

—Comme il (*avec un geste vers la tombe d'Honoré*) le disait : mon règne est pas mal fini, moé avec...

Ernest intervint :

—Quand on est capable de venir au cimetière sur ses deux jambes, il nous reste du temps en avant de nous autres.

La 'Patte-Sèche' le dévisagea. Cet homme ignorait donc

qu'il marchait aussi sur une jambe de bois :

–Qui que t'es, toé ?

–Le forgeron du village...

–C'est toé qui a pris la place à Tine Racine ?

–Pis à Mion Rodrigue par après.

Ernest fut parcouru par un frisson négatif. Les quêteux le contrariaient toujours. Difficile pour lui d'admettre qu'un homme ne veuille ou même ne puisse travailler à moins de se trouver à bout d'âge, ce qui, force lui était de le constater, était le lot de ce personnage dont il ignorait le nom.

Comme s'il avait deviné sa pensée, le mendiant se présenta lui-même :

–Moé, c'est Raymond Rostand... la 'Patte-Sèche'... Quand on décide de se faire quêteux, c'est qu'on a tout perdu pis quand on l'devient, on finit par perdre même son nom.

Auguste s'inscrivit en faux :

–Si t'as eu pour ami un homme comme Honoré Grégoire, t'es pas un homme pauvre, tu sauras ça.

–Ça, c'est vrai à plein, c'que tu dis là, à plein !

Sans qu'on ne s'en rende compte, le trio fut bientôt entouré de ceux qui avaient formé cercle autour de la tombe plus tôt. Et c'est ainsi qu'Ernest fit la connaissance des 'Page' et des autres Dulac à l'exception de Sévère qui déjà l'avait fait travailler à la boutique en juillet. On aurait pu croire que l'esprit du disparu se trouvait maintenant en osmose avec celui du mendiant. Peut-être qu'Honoré voulait faire bien comprendre à tous une fois encore que ses valeurs ici-bas avaient eu pour priorité l'humanisme et non le capitalisme, malgré la prospérité qui lui avait échu. Peut-être que ceux qu'il avait voulus près de lui en ce moment ultime se trouvaient là et qu'il leur adressait des mots et leur inspirait des pensées à travers le plus humble de tous.

Les échanges qui suivirent furent à bâtons rompus et sans

philosophie apparente. Puis l'on se dispersa. Le quêteux dit à Auguste qu'il irait chez lui le jour suivant. On apprit qu'il passerait la nuit dans le 'campe' à Armand, son refuge quand il venait à Shenley. Il partit le premier. On le regarda aller si misérablement, comme s'il avait été porté par des échasses sous son long manteau gris, comme si tout son corps n'avait été qu'un assemblage d'os en bois sec, réunis par des articulations lamentables et immensément douloureuses. Mais comment plaindre un homme qui ne possède rien à part la sagesse ? Honoré Grégoire était de ceux, rarissimes, qui avaient bien compris cela...

*

Armand sonda la porte qui n'était pas verrouillée. Il l'entrebâilla, frappa dans la vitre du majeur replié, héla :

–La 'Patte-Sèche'... la 'Patte-Sèche'... dors-tu encore ?

Silence du loqueteux personnage.

–As-tu déjà sapré ton camp de bonne heure à matin ?

Rien.

Le visiteur regarda le ciel gris et lourd qui s'apprêtait à déverser la pluie sur la terre en ce matin du 16 août. Et il entra. Et aussitôt comprit que la mort était passée par là au cours de la nuit. Le bras tombé hors de la couche en témoignait. Les yeux grands ouverts le confirmaient.

–Ah ben baptême, la 'Patte-Sèche' qui est allé retrouver le père de l'autre bord !

Et le jeune homme prit place sur une berçante pour interroger le mort en le vouvoyant :

–Là, vous le savez ce qui m'attend... faites-moi le donc savoir avec des signes ? La tuberculose ? L'ivrognerie ? Le reste, je le sais déjà...

Et Armand se mit à rire devant l'égalité de tous devant la mort. Il secouait la tête sans autrement bouger.

–Chanceux que vous êtes ! Pour vous, le petit voyage est

fini pis le grand voyage commence.

Puis il se tut sans trop savoir quoi dire, que faire.

–C'est beau, la 'Patte-Sèche', de venir mourir dans mon 'campe', mais qu'est-ce qu'on va faire de votre dépouille ? Vous avez beau être sec, on va pas vous laisser sécher encore plus icitte-dans... Ouais...

Alors Armand vit venir une vache par la fenêtre d'en avant. Puis Ernest Mathieu qui la suivait et la reconduisait au pacage. À son arrivée début juillet, l'homme avait pris arrangement à cet effet avec Alfred qui, pour une somme dérisoire, lui avait loué un droit de pacage sur la terre à Foley lui appartenant. Sans doute le forgeron était-il allé chercher sa bête plus tôt pour la traite matinale et la ramenait-il maintenant au champ pour jusqu'au soir.

–On a perdu not' quêteux, dit Armand qui sortit du camp.

–Le quêteux de Mégantic ?

–Mort de sa belle mort su' mon divan. Venez-voir ça...

Ernest délaissa la vache qui se mit à paître aux alentours. Et entra dans la petite bâtisse pour s'exclamer à voix forte et basse quand il eut vu le cadavre :

–Tu peux pas être plus mort que ça !

–Je le sais pas trop quoi faire avec le corps.

–Il a pas de parenté par chez eux ?

–Non.

–Dans ce cas-là, le corps appartient à la paroisse où c'est qu'il a rendu son âme.

–Ça voudrait dire que j'sus poigné avec ?

–J'en ai ben peur.

–C'est Freddé qui sera pas content.

Ernest qui mâchouillait un brin de foin, eut l'air de réfléchir, puis il fit une proposition à son nouveau voisin :

–J'peux faire quelque chose pour toé... Il est de bonne

heure, personne va voir... Je prends un ch'fal pis une traîne à roches, je viens icitte, on le met dessus comme une poche de patates pis on va l'enterrer soit dans le cimetière, soit en arrière du cap à Foley.

–Mais c'est une maudite bonne idée... mais... sans les secours de la religion...

–Il est mort : il est mort ! Fais toutes les simagrées que tu voudras sur son corps, il va rester mort. Mort comme un vieux chicot sec... Mort, mort, mort...

Armand n'avait pas besoin qu'on en dise davantage, lui pour qui la religion apparaissait depuis longtemps comme "l'opium du peuple". Il jeta, laconique :

–Faudrait pas que ça se parle !

–Ça va pas se parler si on n'en parle pas.

–C'est certain...

Et Armand s'adressa à la dépouille :

–On va vous trouver une place pas loin de mon père : comme ça, vous allez pouvoir vous parler tous les jours de votre éternité...

Il n'aurait pas été possible d'enterrer la 'Patte-Sèche' dans le cimetière sans être aperçu par le curé Proulx ou quelqu'un qui lui aurait rapporté la chose aussitôt. Chance pour le quêteux qui connaîtrait son dernier repos dans un lieu bien plus frais, là-bas, à l'ombre des sapins verts, par delà le boqueteau du cap...

Armand dut mentir à Freddé quant au cheval et au selké du quêteux et dire qu'il en avait fait l'acquisition pour trois fois rien avant que la 'Patte-Sèche' ne reparte pour chez lui avec un automobiliste de ses connaissances qui passait par là. Préoccupé par ses tâches de marchand, de maître de poste, de père de famille à mère absente, accaparé par son souci à propos d'Amanda, Alfred ne s'interrogea point sur la vraisemblance de cette histoire à dormir debout qu'il avala sans même y réfléchir et oublia bien vite...

Armand tairait l'événement le prochain quart de siècle et même emporterait le secret dans son tombeau.

Ernest le divulguerait quant à lui une trentaine d'années plus tard à l'un de ses fils à naître, qui aurait bien du mal à le croire... Et néanmoins qui se rendrait sur les lieux de l'enterrement du quêteux où il y connaîtrait un profond trouble de l'âme...

***

**La pierre tombale
des Grégoire**

Le 'monument' des années '30 est toujours
là, au cimetière de Saint-Honoré.

L'épitaphe contient une légère erreur :
Émélie est née en 1865 (31 décembre) et
non en 1866.

Chapitre 20

1932... en décembre

Certes, Berthe Grégoire connaissait Ovide Jolicoeur depuis longtemps. Plus âgée que lui d'un an, ils avaient pourtant 'marché au catéchisme' la même année. C'est que la jeune fille avait perdu une année scolaire pour maladie et que leur différence d'âge en avait donc été effacée devant l'événement de la communion solennelle consécutive à cet apprentissage intensif du petit catéchisme du Québec. Mais son intérêt pour les garçons n'avait jamais été que pour les faire étriver ou les laisser courir sans le faire exprès pour ensuite les semer dans le brouillard. Et les plus audacieux s'étaient rivé le nez à la porte lourde de son indifférence. Ce temps-là achevait pourtant. Le terrain se préparait en elle pour une autre attitude.

Cette année-là, Ovide reconduisait au village son frère cadet Jean-Louis qui faisait partie de la chorale paroissiale et participait aux exercices requis chaque semaine, de même que sa soeur Monique qui continuait de prendre des leçons de piano bien qu'elle ait atteint un niveau très supérieur à celui de la religieuse qui lui enseignait. Pendant qu'il les attendait, le jeune cultivateur se rendait au magasin pour se réchauffer, discuter autour de la grille de fournaise avec d'autres clients.

Un soir de ce mois peu rigoureux, Berthe arriva par les hangars pour se rendre à la résidence visiter les filles à Freddé alors qu'Ovide allait au même moment laver ses mains au lavabo. Ils faillirent se frapper et s'arrêtèrent l'un devant l'autre en bredouillant des excuses.

Bien sûr, il la savait en deuil de son père. Un deuil qu'elle portait d'ailleurs avec élégance dans une robe noire avec collerette blanche. Et elle avait mis sur sa tête un béret noir qui lui donnait un petit air de femme européenne.

Elle le savait en deuil de sa soeur. Lui ne le portait pas et ce soir-là, il était venu endimanché.

La jeune femme ne vit que ses yeux si bleus, brillant comme des diamants sous son bonnet de 'seal' noir.

–Suis venu proche de te...

–C'est un coin dangereux pour les collisions.

–J'aurais dû faire plus attention.

–Non, c'est ma faute. Une fois, j'ai fait pareil et c'est Armand qui s'est ramassé sur le...

–Derrière ?

–C'est ça...

Et la sérieuse Berthe éclata de rire. Elle fut la première surprise de sa réaction et se dira plus tard que les paroles échangées ne justifiaient pas une telle démonstration.

–Je te laisse le chemin.

–Merci !

Elle passa devant lui, se dirigeant vers la porte de la cuisine. Il dit :

–Bonne soirée, Berthe !

–Merci !

Ces trois mots tout simples la touchèrent au plus haut point. Il avait prononcé son nom avec une telle douceur dans la voix. Se pouvait-il qu'un garçon aussi fort, aussi grand, aussi beau, aussi viril, puisse posséder une voix aussi mélodieuse et autant remplie de tendresse ? se demanda-t-elle avant de s'endormir ce soir-là, tard. Non, il n'était pas comme les autres à son coeur, à ses yeux, cet Ovide Jolicoeur au nom si romantique...

*

Une semaine passa.

Ovide revint au village avec, cette fois, une mission de plus : celle d'installer sur la tombe de Marie-Ange une stèle funéraire en granit gris qu'une compagnie de Saint-Samuel avait livrée au Grand-Shenley quelques jours plus tôt en passant par la grande concession de Dorset.

Il dut venir habillé en semaine. Et creuser la terre de quelques pouces au cimetière pour bien ancrer le monument. Chose faite, il remit les outils dans sa voiture et conduisit son attelage en direction de la sortie. Près du grand 'monument' des Grégoire, il arrêta son cheval. Et s'adressa au couple disparu :

"Donnez-moi votre fille et j'en prendrai bon soin. Suis un bon travaillant, pas malin... je vas la traiter comme une reine... la reine de mon foyer du Grand-Shenley..."

Puis le jeune homme conduisit son attelage sous le porche de l'entrepôt du magasin. Berthe qui l'avait vu arriver au village et savait même qu'il avait pris le chemin du cimetière, s'était rendue au bureau de poste pour l'attendre tout en faisant semblant de n'attendre personne. Et surtout, dans le bel espoir qu'il vienne...

L'air de rien, elle surveillait la porte du magasin à travers les vitres des cases postales et finit par le voir entrer. Soulagée qu'il vienne et heureuse de le savoir là, elle alla s'embusquer dans le couloir entre la porte de cave et celle du hangar, en vue de l'évier. Son intuition la servit bien et voici que le jeune homme parut et se pencha pour se laver les mains.

Elle se glissa prestement derrière lui, ouvrit un tiroir où l'on entreposait les serviettes propres, en prit une, la déplia et revint vers lui qui l'avait repérée mais ne savait comment se comporter. Elle tendit la serviette :

–Tiens... pour t'essuyer...

–Ah... merci beaucoup !

"Ce geste pourtant banal fut remarqué par toutes les personnes présentes à ce moment-là..."

A fortiori par le principal intéressé qui retourna au Grand-Shenley le ciel dans l'âme. Avant même les Fêtes, *"Ovide demanda à Berthe si elle voulait sortir avec lui et, pour une fois, celle-ci répondit 'oui' sans hésitation et sans le regretter après."*

"Le terrain était prêt !"

***

Les textes en italique ci-haut proviennent de *Un clocher dans la forêt.*

Chapitre 21

1933

Alphonse Champagne quitta la mairie de Saint-Honoré pour des raisons vagues. Il se plaignait d'incapacité devant des travaux municipaux nécessaires en raison d'entrées de fonds insuffisantes et de taxes impayées que l'on ne pouvait percevoir à moins de ruiner les fautifs et les déposséder. Son remplaçant fut Joseph Poirier, un petit homme rondouillard qui possédait une beurrerie dans l'entrée du Grand-Shenley, plus loin que les Dulac, mais immédiatement voisin. Lui qui chaque semaine payait les cultivateurs pour leur lait connaissait par conséquent leur capacité de payer leurs taxes. On ne pouvait se donner meilleur leader de la communauté en des circonstances aussi dures et dramatiques même.

Amédée Racine conserva son poste de secrétaire-trésorier. C'était un homme compétent et aimé de la population.

En Allemagne, la misère noire n'ayant pu être soulagée par le gouvernement de la république de Weimar, le chef du parti national-socialiste dit nazi, Adolf Hitler, devint chancelier du pays le trente janvier. Dès lors, il établirait une dictature par étapes successives. Le prétexte de l'élan vers le pouvoir absolu serait l'incendie, le 25 février, du Reichstag, allumé par un illuminé, Van der Lubbe, très probablement à l'instigation des nazis et avec leur aide. Hitler accusa les communistes, les mit hors la loi et effectua des milliers d'arrestations, après avoir établi dès le 28 février un régime d'exception...

Telles étaient les nouvelles que les hommes plus instruits dévoraient dans le *Soleil* chaque jour, souvent au magasin même, en attendant que Freddé ait fini de dépaqueter la malle du soir.

Le docteur Goulet était de ceux-là, qui, un soir de grand froid, parcourait son exemplaire du journal en se demandant ce qui attendait le monde avec un pareil spécimen de la race humaine à la tête d'un si important pays d'Europe. Au moins restait-il encore le vieux président Hindenburg pour temporiser la politique là-bas, mais pour combien de temps encore ?

En face du magasin, en biais, chez les Boutin, Éva et son mari discutaient dans leur chambre du second étage. En fait, on se rappelait des bons souvenirs de Saint-Gédéon. La nostalgie flottait dans l'air sous l'éclairage réduit d'une lampe de chevet. Arthur souffrait d'un vilain rhume et il s'était couché tôt. Sa femme l'avait rejoint après avoir mis dans la fournaise une attisée qui garderait la chaleur de la maison à température élevée jusqu'à la moitié de la nuit alors qu'il faudrait de nouveau mettre des bûches à brûler.

–Tu t'ennuies de ton village, on dirait.

–Ça m'arrive, mais c'est pas une maladie mortelle.

L'homme avait la tête engoncée dans un oreiller blanc, les yeux rougis, le mouchoir à la main. Éva brossait ses cheveux devant le miroir de la commode.

–Pour toi, c'est pire l'hiver parce que tu peux pas sortir avec la 'machine'.

–En effet !

–Tu voudrais pas qu'on y aille en borlot comme on le

faisait dans le temps, de Saint-Gédéon à Shenley. On irait voir ta mère dimanche.

–Avant qu'elle meure à son tour.

–Ta mère est pas à la veille de mourir. Du bois d'Irlandais, ça reste vert longtemps.

La mère d'Arthur portait le nom d'Elisa Cooper, ce qui avait souvent fait demander à son fils par des amateurs de cinéma s'il était le neveu de Gary Cooper. À quoi il répondait invariablement oui. Et on (gens au fait) lui parlait de l'acteur américain, vedette de la Paramount depuis six ans, mais qu'on venait d'emprunter à la M.G.M. pour un film au titre de *L'Adieu aux armes* dans lequel Cooper avait pour co-vedette Helen Hayes.

Les Boutin eux-mêmes fréquentaient la salle de cinéma de St-Georges durant la belle saison et les grands noms de Hollywood, Greta Garbo, Clark Gable, Jean Harlow, Bing Crosby, Joan Crawford, sonnaient familiers à leurs oreilles.

–La mort a jamais oublié personne, Éva. Elle va pas nous oublier, nous autres non plus.

–Hé non !

La femme portait une jaquette bleu poudre. Mais la couleur devenait grisâtre sous l'éclairage mitigé de la pièce.

–Sais-tu, j'ai envie de te demander quelque chose, Éva.

–Demande. C'est toi le malade, pas moi.

–Irais-tu...

Une série d'éternuements vint l'interrompre dans sa requête qu'il poursuivit ensuite :

–... me faire un autre bouillon de poule. Il me semble que ça me ferait du bien.

–Certain que j'y vas ! Ça va me donner l'occasion de voir un peu aux enfants qui font leurs devoirs dans la cuisine.

Elle se leva. Arthur ferma les yeux et son esprit entra vite dans la somnolence, mais en fut brutalement sorti par un bruit, des cris, des gémissements venus d'en bas...

Pourtant Éva avait emprunté des centaines de fois cet escalier. Voici que pour une seule, elle avait perdu pied tout en haut et dégringolé jusqu'au plancher du rez-de-chaussée. Le sort, comme l'avait prédit le quêteux, venait à nouveau de frapper cruellement la pauvre femme. Sa jambe était fracturée et une douleur indicible la clouait au plancher tandis que ses enfants accouraient et que son mari apparaissait en haut de l'escalier dans sa robe de chambre qu'il avait enfilée en vitesse en se précipitant à son secours.

–Maman est tombée en bas de l'escalier, maman est tombée en bas de l'escalier, répétait Marielle à l'intention de son père interdit là-haut.

Il dévala l'escalier sans dire puis se pencha sur Éva qui se tordait de douleur et ne cessait de gémir en répétant "ma jambe, ma jambe, ma jambe".

Et voici qu'en un instant affreux, l'image du déjà vu se manifesta en lui. Il se souvint de ce cauchemar qu'il avait fait dans le train le jour de la naissance de Lise l'année précédente. On lui avait dit qu'il pourrait prévenir l'accident; par sa demande d'un bouillon de poule, il venait de le provoquer.

Mais l'heure n'était pas au remords; il fallait le docteur au plus vite. Lui téléphoner serait plus rapide que de courir chez lui. N'obtenant pas de réponse, il sut que l'homme se trouvait au bureau de poste puisqu'on était très tôt dans la soirée, donc encore à l'heure de la malle. Il s'habilla de n'importe quoi trouvé dans un placard sous l'escalier et courut au magasin après avoir recommandé à sa femme de ne pas bouger pour ne pas aggraver la blessure.

Le docteur Goulet s'amena. L'on transporta la blessée à un lit. Il immobilisa le membre brisé avec des éclisses de bois et des lanières de tissu afin de maintenir l'os en place. *"L'on ignore quel mauvais sort s'acharnait sur Éva car sa jambe ne reprit jamais sa forme normale; l'os demeura proé-*

minent de sorte qu'une légère claudication affligea irrémé-
diablement la courageuse femme..."

Un clocher dans la forêt, page 49

Bien des fois, Émélie avait raconté à sa fille aînée l'histoire de sa pauvre soeur Marie. Sa chute dans l'escalier. Son
infirmité. Ce récit avait toujours arraché des larmes à Éva.
Quelque chose lui disait-il que l'histoire se répéterait mais
que le nouveau personnage en scène serait elle-même et non
plus sa tante Marie ? Ou bien –qui donc aurait pu savoir?–
peut-être que la malheureuse décédée en 1887 s'était réincar-
née en elle, venue au monde deux ans plus tard ?

*

Malgré tous ces nuages s'amoncelant à l'horizon en cette
année 1933, la plus déprimante depuis le début de la dépression économique quatre ans auparavant, de petites lueurs
s'allumaient tout partout. L'on inventait des rires pour combler le manque à sourire.

Fatigués de leur gosier sec depuis quinze ans, les Américains sonnèrent le glas de la prohibition. Fini la contrebande
d'alcool ! Fini les bars clandestins ! D'aucuns montèrent aux
barricades. *"On veut faire de nous un peuple d'ivrognes. La
boisson rend l'homme semblable à la bête."* D'autres soutin-
rent que c'était la meilleure abrogation de loi qu'on puisse
imaginer. *"Les chômeurs pourront noyer leur désarroi dans
l'alcool."* On ne se demandait pas avec quel argent ils pourraient payer leur bouteille...

Pampalon, qui rêvait toujours de franchir la frontière de
l'autre côté d'Armstrong avec un chargement de whisky, dut
en faire son deuil. C'est en économisant quelques sous par
jour qu'il parviendrait à réunir le capital de base requis pour
faire l'achat de l'hôtel voisin... quand l'établissement serait
enfin mis en vente. Peut-être qu'avant dix ans, madame Lemay se déciderait ? Et peut-être qu'avant dix ans, il aurait

vendu assez de pain et de bonbon à la cenne pour constituer le comptant requis ?...

Mais la famille demandait. Luc, Huguette, Jeannine, Gilles, Yves, Benoît, André n'avaient encore qu'entre 2 et 10 ans. Des bouches gourmandes. Des effets scolaires. Du linge et encore du linge.

*

Le premier mars, une bien triste nouvelle devait affliger Éva Pomerleau et sa famille d'origine : son père Amédée avait trouvé la mort d'une fort déplaisante manière. Trois jours plus tôt, l'homme de soixante-deux ans s'était rendu par doux temps au village de Saint-Benoît en waguine. Il avait pris un coup de trop comme cela se produisait chaque fois qu'il s'en allait ailleurs tout seul. Sur le chemin du retour, ivre-mort, il s'était sans doute endormi ou bien avait perdu conscience, ou peut-être l'un et l'autre, et en raison d'un revers de température, avait souffert d'hypothermie. À telle enseigne que son corps avait fini par tomber hors de la voiture basse, qu'il y était resté accroché par son manteau et avait traîné sur la route glacée dans la noirceur jusqu'à la maison que son cheval habitué avait regagnée d'instinct.

On avait transporté l'homme comateux à l'intérieur, réchauffé à l'aide de couvertures et briques chaudes. On avait demandé le médecin. Finalement, le coeur de l'homme, usé prématurément par la vie et l'alcool, n'avait pas tenu bon. Et le docteur Goulet, qui avait cru pouvoir le réchapper, dut revenir pour constater la mort ce midi du premier mars.

La douleur causée par cette fin navrante passa toute en larmes sèches et surtout en reproches post-mortem associés à sa mémoire et qu'on lui murmura alors même que son corps se trouvait sur les planches...

Et dire qu'on s'était remis à boire par toute l'Amérique pour oublier la misère noire de ce temps de crise !...

*

Les temps n'étaient faciles pour personne, mais Alfred, malgré la perte (temporaire ?) de son épouse, traversait plutôt aisément les difficultés du métier. Le crédit avait doublé certes et les ventes considérablement diminué, mais la propriété étant claire d'hypothèque, le marchand possédait une bonne marge de manoeuvre.

C'est dans cette marge que pigèrent ses filles, elles qui ne savaient pas trop la valeur de l'argent. On (Bernadette et Rachel) les habillait comme des cartes de mode. Elles ne toléraient pas de trous dans leurs bas. Et quand le 'pick-up' fit son apparition aux États-Unis pour faire danser la jeunesse sur de la musique endisquée, on le sut rapidement par un commis-voyageur qui en proposait. Alfred donnait vite son consentement à tout. Aurait-il pu dire non à l'une ou l'autre, lui qui n'arrivait pas à refuser quoi que ce soit au moindre de ses clients ? Et puis chacune se montrait d'une grande affection envers son père et il les aimait toutes également, y compris cette pauvre Solange dont le docteur avait fini par dire qu'elle serait muette toute sa vie, bien qu'elle ne s'avérât en grandissant ni sourde ni aphone.

Ce soir du début de juin, Éva (Pomerleau-Mathieu) et ses filles se berçaient sur la galerie quand on vit sortir de chez elle Éva (Grégoire-Boutin) que l'hiver et son terrible accident avaient confinée à sa cuisine et à sa chambre. Les deux femmes s'étaient parlé à quelques reprises depuis l'arrivée de la famille du forgeron un an plus tôt, mais n'avaient pas eu l'occasion de faire vraiment connaissance. Obligée de se servir d'une canne, Éva descendit lentement les marches, suivie de sa fille Marielle qui emportait avec elle le bébé de la famille, Lise, âgée maintenant de 14 mois. La fillette alla déposer l'enfant dans une voiturette à dossier et l'y attacha avec de la grosse corde. La petite rechigna un brin, mais sitôt que sa grande soeur se mit en marche, l'entraînant à sa suite, elle se remit au bonheur de vivre et à son gazouillement de tout à l'heure. Et leur mère les précéda vers la maison Mathieu où on les voyait venir.

Il serait bientôt question de famille, le premier sujet des femmes, quand les deux Éva furent à portée de voix. Malgré leur différence d'âge, l'épouse d'Arthur ayant 12 ans de plus que l'autre, on se tutoyait :

–Bernadette m'a dit que tu... attendais pour dans quelques jours ?

–C'est ben ça. Une semaine au plus.

–Ton sixième ?

–Non, septième. J'en ai un qui est mort au ber. Le choléra ou je sais pas trop.

En ce moment, l'accident survenu à sa voisine intéressait davantage Éva. Elle avait tout su par Bernadette, mais souhaitait lire dans la voix et le coeur de cette femme, si petite et si grande à la fois, et dont il se dégageait une aura de bonté peu commune.

–C'est qui t'est donc arrivé ?

–Ah, ça ? Une malchance...

–Dans l'escalier ?

–C'est ça.

–Mais... une jambe cassée, c'est 40 jours dans les attelles de coutume ?

–La cassure était ben mauvaise. J'ai ben peur de rester un peu infirme. Les Grégoire, on est pas chanceux des pieds. Y a mon père qui boitait terriblement à la fin de sa vie. Y a Freddé, y a Bernadette et là, y a moi. Sans compter ma tante Marie avant que je vienne au monde. Les problèmes aux pattes, ça s'attrape, on dirait, comme la consomption... Heureusement, ça fait pas mourir...

Elles rirent toutes deux et les enfants ne comprirent pas pourquoi, à part Jeanne d'Arc que tout intéressait et que les échanges entre adultes n'embêtaient jamais. D'ailleurs, elle s'était assise sur un long banc avec sa soeur Cécile tandis que les autres, Fernande et Victor, occupaient des chaises d'enfants alors que Dolorès était simplement assise par terre et regardait avec curiosité cette toute petite fille assise dans la voiturette et que promenait sa grande soeur.

Luc Grégoire avait quitté la maison au même moment que sa tante Éva et sa cousine Marielle. Et s'était glissé en douce devant l'hôtel pour ensuite emprunter le chemin mitoyen et aller s'embusquer derrière la vieille maison pour écouter la conversation. Sa curiosité n'expliquait pas tout, car il y avait cette jeune fille nouvelle qui lui souriait souvent dans la cour de l'école ou quand on prenait les rangs. Il savait son nom. Il savait son âge. Il savait sa gentillesse. Il savait son joli minois. Il savait presque tout d'elle. Et chaque jour, il sentait son coeur s'accélérer quand il voyait Jeanne d'Arc passer devant la maison...

Une voix le trahit soudain.

–Luc, Luc, viens nous voir... Luc, Luc...

C'était celle de sa cousine Marielle, pas Marielle Boutin mais bien plutôt Marielle Grégoire qui, de chez elle, devant le magasin, l'avait aperçu entre les deux maisons.

–J'ai quelque chose à te montrer : viens voir !

Le garçon se sentait fondre. On se demanderait ce qu'il fouinait là. On se moquerait de lui. On lui lancerait des reproches. Il s'élança, pattes aux fesses et déboucha entre les deux habitations pour s'engager sur la rue et la traverser. Sur le chemin, il venait un camion chargé de bois. Toutes les têtes se tournèrent vers lui. Jeanne d'Arc sauta sur ses jambes. Éva (Pomerleau) mit sa main devant sa bouche.

–Mon doux Seigneur ! s'écria l'autre Éva.

Un klaxon aux allures d'un cri de coq égorgé commença de se faire entendre, et encore, et encore... Le chauffeur avait vu le garçon courir; il savait qu'il lui était impossible avec un tel chargement de stopper son véhicule à temps. L'accident lui paraissait inévitable. Trop tard pour fourcher vers le terrain de la fabrique. Impossible de tourner dans la cour en face du magasin car s'y trouvaient une femme, une fillette et un bébé dans une voiturette. Luc était condamné...

Sur le trottoir de bois de l'autre côté de la maison Mathieu venait l'aveugle Lambert. Un sixième sens l'avertit du danger. Il leva sa canne, fit un mouvement de paupières comme quelqu'un qui cherche à ouvrir les yeux. Une voix intérieure sortit de lui en force mais en silence pour crier à pleins poumons :

"Cours, cours, cours..."

Le klaxon du camion, il le savait, ne le concernait pas et donc pouvait servir à mettre quelqu'un en alerte, sans doute un enfant. Et à cet enfant, il cria de nouveau dans un mutisme total :

"Cours, cours, cours..."

–Mon Dieu, il va se faire tuer, gémissait Jeanne d'Arc en croisant ses bras sur sa poitrine.

Les deux Éva étaient bouche bée. Marielle Boutin fit un signe de croix. Ti-Noire Grégoire, sur le perron du magasin, tenait un objet au bout d'une corde et la chose tournait sur elle-même sans jamais s'arrêter ou bien c'était pour recommencer une autre course dans le sens inverse.

La plus grande force présente, celle du soleil, était ignorée de tous. Mais il y en avait d'autres. Les prières spontanées. Le pouvoir de l'aveugle hérité du quêteux. La peur au coeur des enfants que Dieu entendit peut-être. Et puis le pouvoir des jambes de Luc, qui se décupla soudain quand le garçon prit conscience du danger qu'il courait. (*En fait, il ne courait pas si vite que ça car il avait les pieds plats.*)

Mais les freins du camion avaient chauffé en chemin et leur efficacité s'en trouvait amoindrie. Il s'en fallut de peu. L'enfant sentit le souffle provoqué par le passage du gros véhicule le pousser en avant et il se retrouva auprès de sa cousine Ti-Noire à mi-chemin entre les larmes et le rire désordonné.

Le camion s'arrêta quelque part entre le magasin et la maison à Bernadette. Le conducteur, un blondin aux cheveux clairsemés, descendit en jurant de toutes ses forces :

–P'tit tabarnac, t'es pas capab' de r'garder où c'est que tu t'en vas ? Tu vas te faire écraser ta tête folle...

Mais Luc, poussé par la nervosité, éclata d'un grand rire, si sonore que sa tante Éva crut entendre son père Honoré au beau temps de la construction du magasin en 1900 alors qu'elle avait onze ans.

Alertée, Bernadette sortit sur sa galerie. Elle ne comprenait pas ce qui s'était passé au juste. Mais l'éclat nerveux du camionneur et le rire excessif de son neveu la mirent sur la piste. Il fallait qu'elle voie ça de plus près...

Histoire de calmer le pauvre homme et d'en savoir plus, elle s'adressa à lui en s'approchant du camion :

–C'est qu'il arrive ?

–Le p'tit noir, là, on dirait qu'il veut se faire écraser.

Bernadette aperçut l'aveugle qui semblait pétrifié sur ce trottoir de bois :

–Monsieur Lambert, avez-vous...

–Nahhhh... c'est pas lui, c'est le p'tit gars sur le perron du magasin, là... Il m'a coupé le chemin pis ça le fait rire comme un fou.

–Ah, celui-là, il est ricaneux pis joueur de tours. Personne a de mal, c'est ça qui compte. Vous pouvez continuer votre chemin, vous, là...

Le jeune homme lissa ses cheveux, regarda la femme, puis les gens sur la galerie de la maison Mathieu. Ensuite ceux d'en bas. Et aussi le fautif. Puis la fillette de son âge qui le fusillait du regard comme si c'était lui, le seul et vrai coupable.

–Ouais, aussi ben saprer mon camp, moé...

Il monta dans son véhicule et reprit la route après avoir fait entendre à deux reprises le cri du coq de son klaxon comme pour dire : allez au diable, bande d'imprudents que vous êtes !

Lambert reprit ses sens et poursuivit sa marche.

Éva lança à son neveu par-dessus la chaussée :

–T'es venu proche de te faire écraser, mon petit torvisse.

–Ben non, j'avais le temps de passer en masse.

Jeanne d'Arc avait rivé ses yeux sur Luc. Il jeta les siens sur elle. Cette fois, elle ne sourit pas. Il fut troublé...

–Regarde ça ! lui dit sa cousine qui reprit son attention.

–C'est quoi ?

–Le nouveau jeu à la mode.

–C'est quoi ?

–Un yo-yo.

–Un quoi ?

–Un yo-yo... Regarde...

Elle roula le fil à l'intérieur de la fente entre les deux disques de bois puis lui donna un élan, et l'objet répondit aux forces qui lui furent imprimées. Le disque se rendit au bout de la corde et revint, repartit etc...

–Hey, c'est drôle, ça ! Tu veux me le faire essayer ?

Depuis la galerie des Mathieu, des yeux d'enfants s'émerveillaient déjà. Luc prit le jouet et s'en servit en riant. Marielle Boutin traversa la rue pour aller voir. Puis elle cria :

–Venez voir, Jeanne d'Arc, Cécile...

Mais Fernande, la fouine, n'avait pas attendu qu'on l'invite et s'était précipitée au bout de la galerie où se trouvait l'escalier menant à la cour. Éva dut retenir le petit Victor qui cherchait à suivre les autres :

–Tu iras pas là, Victor, c'est trop dangereux, ben trop

dangereux, traverser le chemin. T'as vu Luc, il est venu proche de se faire tuer.

Bernadette arriva au pied de la galerie.

–Bonjour Éva ! Bonjour Éva ! Voulez-vous ben me dire c'est qu'il se passe, vous deux ? Le gars de 'truck' est en maudit. Les enfants qui courent sur le perron à Freddé. Il manque pas de vie dans le coin. C'est notre mère Émélie qui serait contente, hein, Éva ?

–Elle voulait de la vie dans le coeur du village, elle en a... avec nous autres pis les Mathieu, c'est pas la grande tranquillité.

–Ses pieds sont au cimetière, mais ses yeux sont encore ici... Ses oreilles itou, j'en suis sûre...

Éva Pomerleau se dégagea de la berçante qu'elle n'avait pas quittée depuis un bout de temps. Il lui semblait qu'elle avait un début de contraction ? Se pouvait-il que le temps du nouvel enfant soit arrivé ?

Jeanne d'Arc s'arrangea pour se trouver près de Luc. Elle lui dit, les yeux ras d'eau :

–T'es venu proche de te faire tuer tantôt...

–Ben non, j'cours vite en masse...

Intimidé, il reprit le yo-yo et enroula la corde...

*

Peu de temps après, Éva (Pomerleau) donna naissance à un garçon qui fut prénommé Laurent-Paul mais qui hériterait plus tard, comme bien d'autres ainsi appelés, du diminutif de Paulo...

*

Henri Grégoire vint en visite quelques jours plus tard, comme tous les étés depuis de nombreuses années. Durant ces séjours, il accomplissait joyeusement divers travaux utiles. C'est lui qui avait *abattu l'énorme érable qui avait poussé tellement près de la maison rouge que ses racines en soulevaient les fondations.*

Après la mort d'Émélie, il avait continué de recevoir bon accueil de la nouvelle maîtresse de maison, l'épouse de son frère Alfred avec laquelle il s'entendait à merveille et qui ne cessait de lui rappeler, chaque fois qu'elle le voyait, leur joyeuse équipée à la poursuite de Georgette, la pauvre jument de la 'Patte-Sèche', qu'il avait fallu abattre par la suite en raison de sa blessure à la patte.

Désormais, il pourrait loger chez Bernadette, car la résidence Grégoire comptait pas mal de monde.

Henri n'était pas tout à fait le même que l'année précédente. Un événement important s'était produit au mois de décembre 1932 : il était devenu veuf. Joséphine Cormier, son épouse, avait rendu l'âme le jour de Noël. Et la femme style mégère lui avait fait un drôle de cadeau à cette occasion...

L'homme en parlait avec ses frères Alfred et Pampalon réunis tous trois dans le salon-bureau d'Émélie qui ressemblait davantage maintenant à une chambre de réserves qu'à un parloir où recevoir comme du temps jadis.

–On pouvait même pas prendre les gros chars : ça passait pas nulle part.

Pampalon s'excusait pour la nième fois de n'avoir pas été présent aux funérailles de sa belle-soeur Joséphine. En fait aucun représentant de la famille Grégoire n'avait pu se rendre à Waterville en raison du temps abominable qu'il faisait ces jours-là tant au Canada qu'au Maine.

–J'ai tout compris ça. Vous m'avez téléphoné, vous m'avez écrit : c'était assez pour elle.

–Assez pour elle ?

–Oué... assez pour elle.

Il avait circulé des rumeurs au sujet de la veuve Cormier avant même qu'elle n'épouse Henri. Émélie à qui la femme avait été présentée n'en avait jamais dit de bien, quoique pas de mal non plus. Un doute planait au-dessus de son nom et Joséphine provoquait des regards incertains.

–T'étais pas ben avec elle ?

–Elle me siphonnait à peu près tout ce que je gagnais.

–Quoi ? s'étonna Alfred.

Freddé était en mesure de comprendre puisque, tout comme son frère Henri, il lui était impossible de dire non à qui lui demandait une faveur à moins que l'on exagère d'une façon éhontée.

–Je m'en suis pas mal douté quand t'as signé un billet en ma faveur à la mort de notre mère. Mais je t'ai pas posé de questions...

–J'ai renoncé à l'héritage de notre mère pour que ça échappe à ce que j'appelle son appétit vorace... mais elle a pris sa revanche, je vous le dis.

–Sa revanche ? s'enquit Pampalon.

Les trois hommes étaient assis en cercle sur des chaises berçantes comme au temps des conciliabules dans la vieille maison devenue hangar. Alfred et Henri chargèrent leur pipe, la mirent en bouche, mais ne l'allumèrent pas par crainte d'incommoder Pampalon, un non-fumeur.

Pieds allongés, chapeau reculé à l'arrière de la tête, Alfred écoutait plus qu'il ne parlait. Pampalon restait assis plus droit et même penchait souvent la tête en avant. Henri restait immobile, bien engoncé dans sa chaise, le regard un peu perdu, entraîné dans des souvenirs cuisants.

–Elle a légué tous ses biens à ses neveux et nièces. Ils ont vidé la maison le temps de le dire. Je suis resté avec trois pots de cornichons... On pourrait dire : trois pots de cornichons avec un gros cornichon. Elle m'a lavé ben net, la veuve Cormier.

–Bout de baptême ! tu méritais pas ça, s'exclama Pampalon, les yeux démesurément grands.

—Certain ! approuva Alfred.

—T'as pas à te traiter de cornichon pour ça. Des femmes venimeuses, ça manque pas. Je pourrais en nommer plusieurs icitte même, dans la paroisse. J'fais pas mal de portes, je le sais.

—Comme on dit : c'était à moi de me tenir deboutte...

—Peut-être que t'aurais dû marier la Éveline Martin, dit Alfred avec, aux lèvres, un certain sourire malicieux.

—Elle a le coton raide, la Éveline, commenta Pampalon. Tu sauras que son 'Gus', il passe par là quand elle dit quelque chose.

—Oué, c'est elle qui mène dans le ménage, mais elle ferait jamais ce que la Cormier a fait à Henri.

—Sûrement pas ! approuva Henri lui-même avec un soupir. Mais j'avais les États dans la tête. Je les ai eus, les États pis ça m'a mis dans tous mes états pour faire un mauvais jeu de mots... Pis la belle Éveline, ben elle a sa famille asteur.

—Si elle devient veuve, on t'avertira que ça retardera pas, dit Pampalon.

—Je reviendrais pas vivre en Canada... même si j'aime ça revenir de temps en temps l'été. Parlant d'Éveline, j'haïrais pas ça la voir.

Le regard de Pampalon étincela :

—Je vas faire semblant de rien en passant par là pis je vas lui faire à savoir que t'es venu nous voir pour une dizaine de jours.

—J'voudrais pas mettre de trouble dans son ménage.

—Son mari, c'est un ben bon gars... il va pas s'énerver si tu parles avec sa femme, crains pas...

*

De connivence avec Alfred, Henri courut dans l'escalier jusqu'au salon-bureau d'Émélie quand on aperçut par la fenêtre du bureau de poste Éveline qui venait.

–Je vas te l'envoyer en haut.

–Je vas l'attendre là.

La jeune femme se rendit à 'l'office'.

–J'sais que tu viens pas pour ça, mais mon frère Henri aurait ben voulu te parler un peu. Il se trouve en haut, dans le salon à Émélie; tu sais où c'est.

–Ah, je vas aller lui dire bonjour ! Lui dire que je l'ai pas oublié depuis le temps.

–Tu dois pas le savoir, mais il est veuf depuis six mois. Parler avec toi, ça va l'aider à se consoler.

–Tant mieux si c'est de même !

–À part de ça, Gus va ben ?

–Toute la famille va bien...

–Ben beau !

–Je m'en vas en haut...

–C'est ça...

Et Alfred pencha un peu la tête en avant pour être capable de projeter son regard au-dessus de ses lunettes. À 34 ans, Éveline Martin restait sûrement la plus belle femme de la paroisse... Pourquoi un homme se priverait-il de la regarder marcher à son insu ?...

Elle poussa la porte entrouverte aux gonds qui émirent quelques grincements. Henri l'attendait, debout, mains sur les hanches et pans du veston retroussés vers l'arrière. Il souriait comme au beau temps de leur fameuse équipée de la grande parade de la Saint-Jean.

–Henri Grégoire ! fit-elle, les yeux agrandis pour mieux briller, tout en détachant chacune des syllabes.

–Éveline Martin ! dit-il de la même manière, sourire entier.

–Ben contente de te revoir !

–Ben content moi avec !

Elle s'approcha pour lui serrer la main :

–Tu changes pas, Henri.

–Toi non plus.

–Ah, une femme, ça change plus vite qu'un homme... j'ai trois enfants.

–Oui, je sais. Je me tiens au courant à ton sujet.

–Je t'oublierai jamais moi non plus.

–Assis-toi, on va jaser en se berçant... comme sur la grande plate-forme du char le jour de la parade.

–Ça s'oublie pas.

–Non.

Ils prirent place l'un en face de l'autre. Et parlèrent de tout et de rien. Elle s'enquit de son état d'âme quant à son veuvage. Il répondit :

–Faut retomber sur ses pieds... Mais... je te dirai en toute confidence que c'était pas une femme pour moi. Ce qui fait qu'on retombe sur ses pieds encore plus vite. Pour un bout de temps, je vas vivre tout seul.

–Tout seul pour un homme en exil, ça doit être dur ?

–Bah, les deux vont ben ensemble : la solitude pis l'exil, c'est comme le frère et la soeur qui vivent dans la même maison.

–Un bel homme comme toi, t'auras pas de misère à trouver quelqu'un pour meubler ta vie.

Il se dégageait de la jeune femme un parfum de lavande, discret mais réel. Voilà qui ramenait à la mémoire d'Henri des images du passé, de ce jour où elle l'avait reconduit à la gare à son départ pour loin ailleurs... Il lui avait pris la main, lui avait dit qu'elle était la plus belle, mais... il était parti quand même pour un autre pays que la Beauce, pour un avenir éloigné, pour des êtres différents...

–T'as l'air parti pour loin.

–C'est vrai... je pensais à la fois que tu m'avais reconduit à la gare... je partais pour le Yukon. C'est Pit Veilleux qui parlait du Yukron comme dans la chanson...

–Savais pas.

–Pit, il a fini par la marier, sa Rosalie ?

–Eh oui !

–Il a quel âge, le Pit, asteur ?

–Je le sais pas... Autour de mon âge... Un an de plus que moi, je pense...

–Ce qui fait 35 ans d'abord que t'en as 34, toi, Éveline.

–Tu t'en rappelles ?

–Qui oublierait l'âge de la plus belle créature de toute la paroisse ?

–Mon mari l'oublie quand c'est ma fête.

–Ah, le vilain !

–C'est pas un méchant garçon.

–Tout le monde m'a dit ça, oui. Et... t'es heureuse ?

–Autant qu'une femme peut être heureuse dans un monde fait pour les hommes.

–C'est vrai qu'on prend plus de place que vous autres, les femmes, mais une personne peut toujours se débrouiller. En tout cas aux États...

–Les États et le Canada, c'est pas tout à fait pareil.

–J'voudrais pas discuter de quelque chose qui nous met en opposition. Ben... ça nous met pas en opposition, mais... disons que je m'ennuie de ce qu'on a vécu ce dimanche-là, tu t'en souviens ?

–Si je m'en souviens, Henri, si je m'en souviens...

Le regard de l'un se mélangea au regard de l'autre et les deux se retrouvèrent dans un si beau mais si lointain passé... lors du voyage de retour de la parade de la Saint-Jean sur ce char allégorique...

Extrait suivant : *Les années grises*, chapitre 20

Le voyage de retour fut tout aussi joyeux. Par ses gestes, le vicaire était parvenu à faire oublier sa soutane et on l'avait intégré à ce cercle enjoué de pionniers insouciants. Vers Saint-Benoît, on le pria de jouer de nouveau de l'harmonica, mais quand il s'apprêta à le faire, l'averse qu'il avait éloigné par sa prière sur le coup du midi semblait devoir se transformer en orage. Il éclairait au loin. Et on entendait le tonnerre se rapprocher.

Le cocher prévint :

–Si vous voulez pas qu'on se fasse mouiller, monsieur le vicaire, falloir dire une dizaine de chapelet.

–Bonne idée, mon ami, bonne idée, vraiment !

Mais à chaque Avé, le tonnerre se rapprochait. Et à cette vitesse ou bien à n'importe quelle vitesse d'une paire de chevaux poussée au maximum, impossible d'atteindre le village de Saint-Honoré avant deux heures au moins.

Quand les premiers grains de pluie se mirent à tomber, tous, à part le cocher, se réfugièrent dans la cabane de fortune des pionniers. On ôta la petite table pour agrandir l'espace disponible.

Joseph Bellegarde avait prévu l'orage en préparant ses affaires ce jour-là comme chaque fois qu'il devait conduire le corbillard. Il avait caché un ciré noir sous la banquette. Il l'endossa, compléta son accoutrement avec un affreux saouest de marin. Le jeune homme possédait ces survêtements depuis quelques années; il les avait récupérés d'un ouvrier à la construction du magasin Grégoire en 1900.

Et ce fut la rage d'un ciel que le démon parut prendre en contrôle pour un bout de temps. Il lui donna sa teinte semi-opaque. Il lui souffla ses grondements et ses coups de fouet. Il lui lança des zébrures pour le déchirer comme le voile d'un temple. Il le tordit de ses immenses mains d'acier pour en faire jaillir des gouttes d'eau, blanches de colère, qui s'abattaient en violence sur les choses, les bêtes et les têtes.

Mais on lui opposa un cercle de vertu nationaliste. Les sept occupants du char se donnèrent le mot dès le début de l'orage : ils arrachèrent des branches des faux arbres d'ornementation fixés sur la plate-forme pour les accrocher à la structure de la cabane et ainsi faire dévier la pluie.

On prit place à l'intérieur de l'abri, chaise contre chaise, en rond, couples de pionniers restés formés comme au départ et durant la journée. Le vicaire prit la parole pour dire en ouvrant les mains :

–On a beau y faire avec nos prières, il faut que la nature à son tour ait droit de parole.

–C'est ben certain ! approuva à forte voix, regard à l'avenant, Alphonse Champagne.

–Ça prenait de la pluie pour faire pousser le foin, reprit le prêtre.

–C'est ça que mon père disait, enchérit Marie-Laure.

Le tonnerre claqua. Si près que tous en blêmirent. Éveline glissa sa main droite à travers les barreaux du côté de sa chaise et trouva la main d'Henri :

–Le tonnerre, ça me fait peur...

–Ça fait peur à tout le monde, déclara l'abbé, mais sont rares ceux qui l'avouent.

–Et vous ? demanda Édouard.

Le ciel fit claquer un autre coup de fouet; il parut que de l'électricité avait rôdé tout autour d'eux dans une sorte de grésillement inquiétant.

–Et moi de même ! avoua l'abbé Beaudet en levant le pouce et l'index. Surtout quand il frappe à ça de nos oreilles.

Henri, jusque là silencieux, voulut rassurer en parlant de l'aspect scientifique du phénomène, mais son intention tourna au morbide :

–*Paraît que si un éclair frappe quelqu'un, la personne rôtit d'un coup sec. Un boudin instantané...*

Le vicaire commenta :

–*C'est rare, ça ! Souvent, elles ont un bras arraché. Ou elles demeurent intactes, mais leur coeur s'est arrêté.*

Ce discours terrorisait Éveline. Toute pensée relative à la mort était effacée impitoyablement de sa tête dès qu'on l'y faisait surgir par des paroles ou le récit d'événements funestes ou simplement funèbres. Henri le perçut par la main de l'adolescente qui se faisait toute petite sur la sienne et tremblante, comme un chaton qui vient de naître et frissonne.

–*Alphonse, t'as une belle voix, tu devrais nous chanter quelque chose, suggéra Édouard que le ciel ne rassurait guère, lui non plus.*

Les autres approuvèrent. Le tonnerre claqua et les réduisit de nouveau au silence. Puis la voix d'Alphonse se fit entendre, d'abord lointaine et frêle, telle une mélopée d'Amabylis, puis de plus en plus puissante, comme s'il avait voulu répondre aux vilaines élucubrations d'un ciel en colère par des mots terre à terre et une mélodie simple :

...

Le chant se poursuivit ainsi au grand dam d'Alphonse mais pour le plus grand plaisir des autres. Le tonnerre n'avait plus qu'à se bien taire et laisser faire.

Puis le ciel se calma. Le soleil ne se montra pas, mais les arbres respiraient la vie renouvelée. Les feuilles mouillées, toutes d'un vert foncé, semblaient recouvertes de diamants. On quitta l'abri et les chaises furent de ce fait éloignées les unes des autres, ce que regrettait Éveline. Ce jour-là, l'eau lui avait été bénéfique. Celle du robinet dans la sacristie de Saint-Georges. Celle des tasses à table. Et celle du ciel sur le chemin du retour.

Lorsqu'on s'arrêta devant le magasin en fin d'après-midi, Émélie sortit sur le perron. Elle avait fait préparer un goûter pour tous par Denise qui l'avait servi sur la longue table entre les deux comptoirs.

–Venez manger et nous conter votre journée !

Par le seul examen de son regard, elle se rendit compte qu'il y avait quelque chose d'invisible reliant son fils et la jeune Éveline. Voilà qui lui plaisait au plus haut point. Restait à souhaiter que ce fil, ténu ou pas, se développe. Elle tâcherait d'intervenir discrètement pour que dure la relation.

–Quelle journée ce fut !

Éveline avait les yeux dans l'eau.

–J'y pense ben souvent.

–Et moi aussi !

Il se fit une pause puis Henri baissa les yeux pour dire :

–Ton mari est un chanceux d'homme.

Elle lui sourit sans dire. Il reprit :

–J'aurais dû agir pour l'être, mais... j'avais le mal de l'exil comme d'aucuns ont le mal du pays.

–T'as suivi ton chemin et c'est correct de même.

–Non, ça l'est pas ! J'te regrette, Éveline, j'te regrette pis j'te regretterai toute ma vie.

Elle se contenta de sourire de nouveau.

Tout avait été dit. Ce qui suivit leur parut dérisoire...

***

Chapitre 22

1934

Il y avait les vedettes féminines de cinéma comme Greta Garbo, Jean Harlow, Maureen O'Sullivan, Jeanette MacDonald et combien d'autres.

Il y avait les vedettes féminines de l'aviation comme Hélène Boucher en France, Amelia Earhart aux États-Unis, d'autres en Allemagne, en Russie, en Angleterre.

Il y avait les vedettes féminines de la chanson, de la course automobile, du saut en parachute. On voyait les femmes dans toutes les disciplines sportives et autres.

Même le douteux univers du crime comptait son gros nom féminin : celui de Bonnie Parker, une braqueuse de banques et tueuse de policiers, acoquinée depuis un an avec un certain Clyde Barrow tout aussi vilain qu'elle.

Puisque ce monde d'homme n'était fertile qu'au moment de générer des guerres ou des crises économiques, les dames, partout dans l'univers, se levaient pour briller dans une sphère ou dans une autre.

À quinze ans, Monique Jolicoeur était promise à un avenir d'exception grâce à son immense talent pour la musique et la chanson. Ses progrès ne cessaient d'étonner les religieuses du couvent et son entourage pour qui elle jouait plusieurs fois par semaine alors qu'on allait à table le soir. Et on l'écoutait religieusement par pur plaisir mais sans quoi la mère de l'adolescente aurait pesté contre les faiseurs de bruit voire même ceux qui auraient un peu trop bougé.

Si on avait déjà craint pour ses voies respiratoires, craint la maladie infectieuse, voici que la jeune fille resplendissait de santé. On l'avait fait photographier quelque temps auparavant pour souligner ses quinze ans et son beau talent. On lui avait donné la coiffure, l'allure d'une star et elle portait magnifiquement l'une et l'autre.

Ovide s'était fait son meilleur auditeur. Son calme naturel l'y aidait grandement. Pas un cil de ses paupières, pas un muscle de son visage, pas un cheveu de sa tête, rien de lui n'aurait pu être dérangé par autre chose que ces notes sentimentales qui remplissaient le salon et la cuisine pour aussi s'échapper vers le second étage et vers le ciel tout là-haut.

Ce soir-là, Monique chantait en s'accompagnant. Elle avait choisi deux chansons à la mode et en langue anglaise, car les mots n'en avaient pas encore été traduits dans la langue de Molière. C'étaient *Fascination* et *Blue Moon.*

En ce moment, elle entonnait la première. Le coeur d'Ovide fut aussitôt et si aisément emporté vers Berthe qu'il aurait bien voulu voir à ses côtés pour partager ces moments de grâce avec lui et eux tous. Elle aurait vu que dans une maison de cultivateur, l'on était capable de s'élever l'esprit au-dessus du quotidien, du barda, des bêtes, des odeurs imprégnées. C'est que Berthe lui semblait si peu encline à rêver de partager ce métier avec lui. Comment expliquer leur attrait mutuel alors qu'un monde les séparait : elle au village, instruite, diplômée, élevée dans le luxe; lui au fond du Grand-Shenley, au bord des concessions, ayant grandi parmi les tâches inhérentes au métier, les foins à faire, les semailles du printemps, les récoltes de l'automne et ce train de tous les matins et soirs de l'année...

On était samedi, le 26 mai.

Il avait fait un soleil superbe depuis l'aube. L'air pur et frais de la forêt se répandait sur les champs et les bâtisses pour vivifier bêtes et hommes ainsi que l'herbe et les pommiers. Le bleu du ciel n'avait jamais été aussi limpide. À chaque heure de ses travaux, Ovide s'était embarqué sur les ailes de son grand sentiment pour voler jusqu'auprès de Berthe. Et il n'avait vécu que pour l'heure où, après le souper, il attellerait pour se rendre au village la rejoindre, elle qu'il savait faire les mêmes rêves grandioses là-bas et vivre les mêmes attentes fébriles et si douces impatiences.

Ni lui ni personne d'autre n'avaient remarqué une absence presque constante du décor tout au long de cette journée. Pas même la mère de famille qui croyait sa fille absorbée tout entière par ses devoirs et ses leçons, elle si studieuse, si perfectionniste. Monique était très malade et ne l'avait dit à personne ni laissé voir dans ses agissements. Au repas du midi, elle avait peu mangé et vivement. En tout organisme vivant, c'était période de renaissance, qui eût pu croire qu'une jeune fille de cette beauté, de cette santé, pourrait tomber gravement malade ?

Monique avait dormi. Peut-être même avait-elle perdu conscience. Surtout, elle avait transpiré. Une forte fièvre mobilisait tous ses effectifs de combat. Elle se disait que ça n'avait pas de sens, que ce n'était qu'un début de grippe, que ça lui passerait d'une heure à l'autre... Mais les heures assommantes n'avaient rien fait de mieux que de se succéder de mal en pis jusqu'au moment choc où la voix de sa mère s'était fait entendre depuis le premier étage :

–Monique, Monique, viens souper !

Ce qui signifiait pour elle : *Monique, vient jouer une pièce au piano pour égayer la maison* !

Elle ne jouait pas tous les soirs, mais les samedis et dimanches certes. C'était devenu un rituel sans aucune échappatoire. Et Dieu sait si elle aurait eu besoin de répit ce soir-là ! Mais il lui aurait fallu révéler sa faiblesse, son mal, son désarroi, sa fièvre... Comment gâcher la fin du si beau mois de Marie par l'aveu d'une maladie subite appelée à reprendre son chemin pour ailleurs dans à peine un jour ou deux ?

Pour être sûre qu'on ne verrait pas son sérieux malaise, elle avait décidé de chanter...

Alors que tous les Grégoire étaient bilingues, Ovide ignorait l'anglais, et, de la chanson *Fascination*, il n'en saisissait que le titre. Et voilà qui lui suggéra d'apprendre, lui aussi, la langue de Shakespeare. En fait cette idée avait été mise dans la terre de son esprit déjà par son frère Joseph qui habitait les États. "*Tu viendras travailler pis apprendre l'anglais* !" Quelques mois, pas même un an de séparation pour lui et Berthe... Elle l'attendrait, sachant qu'il partait pour elle, pour leur bâtir un avenir meilleur...

La fascination exercée par Berthe Grégoire sur le jeune homme était totale. S'il avait donc pu comprendre les mots que sa jeune soeur chantait et les transférer mentalement à son premier et grand amour. Et qui sait si Berthe elle-même, en ce moment, n'était pas à l'écoute du même air rendu par le piano mécanique ou le tourne-disque chez Bernadette ?

Il y avait une certaine distance entre le piano et la table de cuisine ainsi qu'un début de cloison séparant les deux pièces; en conséquence, on ne pouvait bien voir toute cette sueur qui perlait au front de la musicienne et ces gouttes qui tombaient drues sur le clavier.

Sa voix, brisée par la faiblesse, exprimait encore mieux les paroles devinées et la mélodie qui les transportait. On ne se demanda pas pourquoi elle chantait autrement. Tout ce qui émanait de la jeune fille quand elle était derrière le clavier relevait, croyait-on, de son seul talent. Le vibrato de ce moment en révélait une autre facette.

Il ne fallait pas qu'elle s'arrête, comme dans un pot-pourri, et sitôt le dernier mot et la note ultime de *Fascination* offerts, elle entama *Blue Moon*...

Certes Ovide possédait en anglais une base scolaire suffisante pour lui permettre de traduire le titre en 'lune bleue', mais la suite lui échappa tout comme la précédente chanson.

Quelle importance ! Il s'envola mentalement vers le village et prit place dans la balançoire du docteur Goulet où il était arrivé qu'on passe des heures de pur bonheur entre amoureux transis par trop de bien-être. Et dire que dans une heure à peine, il frapperait à la porte chez Bernadette et que Berthe ferait la surprise en lui ouvrant, elle qui pourtant l'aurait vu venir avec son attelage, passer devant, se rendre dételer à la grange chez Arthur Boutin puis traverser la rue, marcher devant le magasin, le 'punch'...

Gédéon mangeait son gruau du soir sans se presser. Jean-Louis faisait de même. Ovide gardait les bras croisés, les yeux enfuis. Et Marie, la mère, ne bougeait pas, mains posées à plat devant elle sur la table...

Le charme se brisa soudain brutalement. La chanson fut interrompue, les mains de la musicienne devinrent massives comme des madriers, les notes se fusionnèrent pour donner un son effrayant, pétrifié, compact... Puis l'on put entendre sur les notes basses un second fatras de sons terribles et qui n'avaient plus rien à voir avec le talent. Toutes les têtes se tournèrent vers la virtuose : elle n'était plus qu'un corps incontrôlé dont la tête venait de frapper le clavier puis qui chuta lentement vers le plancher...

–Monique, Monique ! s'écria la mère.

Ovide sauta sur ses pieds et fut le premier auprès d'elle qui maintenant restait étendue de tout son long sur un tapis tressé ornant la place et protégeant du froid.

La jeune fille avait les yeux fermés; son visage ressemblait à une fleur de l'aube, parsemée de gouttelettes de rosée matinale. Il prit sa tête, la souleva...

–C'est qu'il t'arrive ? C'est qu'il t'arrive ?

–Emporte-la dans notre lit ! fit la mère.

Le jeune homme souleva sa soeur qui lui parut si légère et la porta dans la chambre de ses parents dont la porte se trouvait sur l'autre mur entre les deux pièces.

–On n'en perdra pas une troisième, grommela Gédéon qui se précipita sur le téléphone et demanda à la dame du 'central' de signaler chez le docteur Goulet.

La jeune fille ne reprit pas conscience. Quand le médecin fut là, il diagnostiqua une méningite malgré le peu de renseignements qu'il put assembler vu le silence de Monique à propos de son mal. Le praticien se basa sur divers indices : transpiration, perte de conscience, fièvre, et tout cela si subitement et dans une saison où personne autour et nulle part dans la paroisse ne subissait d'attaque par un virus grippal.

Ovide téléphona à Berthe à la brunante pour lui dire qu'il ne pourrait la voir ce soir-là. Elle fut très attristée par la nouvelle de cette maladie soudaine et promit de prier très fort pour le rétablissement de la jeune fille, et d'associer sa soeur Bernadette, plus fervente qu'elle encore, à une requête urgente que l'on présenterait à la Vierge Marie en vue de la guérison de Monique.

Mais peut-être que la Vierge Marie avait besoin d'une musicienne de grand talent pour endormir l'Enfant Jésus ? En tout cas, dans l'après-midi du dimanche, un jour de grand soleil pourtant, Monique Jolicoeur mourut.

Ce fut la stupéfaction chez tous les membres de la famille, dans le rang et la paroisse entière. Mourir si jeune, si bêtement et emporter dans la tombe un si beau talent...

Même le curé, un être perçu comme plutôt insensible, fut sous le choc un certain temps et cela transparut quand il prit la parole à la cérémonie des funérailles.

Berthe fut d'un grand soutien pour son ami Ovide en ce temps de tristesse et de cruauté du sort. Elle soigna sa plaie vive par son silence et sa présence. L'accompagna à l'église, au cimetière, le reçut à manger après les obsèques.

Bernadette qui avait besoin, au contraire de sa soeur, de dire et de dire, ne cessa de questionner le ciel sur ses façons de faire avec les personnes humaines. Ses paroles servirent d'exutoire à cette peine profonde du jeune homme que Berthe partageait si étroitement.

En soirée, quand on vit Napoléon Lambert revenir du cimetière, sa pelle à l'épaule et sa canne devant, Berthe suggéra à son compagnon de faire une dernière visite à sa soeur enterrée. L'on s'y rendit un peu avant la brunante alors que le soleil se couchait dans l'eau et le feu sur l'horizon bleu.

Le couple se tint en silence près de la fosse comblée. Ovide se souvint du jour de la mort de Marie-Ange quand Monique l'avait retrouvé sur le chemin des bêtes pour se faire rassurer sur l'avenir et sur la vie...

"Bientôt Monique le rejoignit. C'est à lui qu'elle voulait poser sa grande question :

—Pourquoi la vie si elle nous condamne à la mort ?

—Pour gagner notre ciel, comme les prêtres disent. Dans le fond, plus on vit vieux, plus le prix de la vie est élevé.

—Autrement dit, plus on meurt jeune, mieux c'est ?

—Pour celui qui meurt en tout cas... Mais toi pis moi, on a long à faire avant ça. Tu vas être célèbre et moi... ben je serai le cultivateur le plus prospère de la paroisse...

Il parut à Monique que les prédictions de son grand frère sonnaient faux dans sa bouche. Peut-être qu'il ne possédait pas le talent de la Patte-Sèche pour voir le futur ?... Peut-être que le grand vent ébouriffait ses idées comme il le faisait pour sa chevelure ?..."

—Laissons-la s'en aller dans son monde nouveau ! dit Berthe qui entraîna son ami vers la vie qui devait se continuer...

***

SOUVENEZ-VOUS DEVANT DIEU DE

Monique Jolicoeur

Fille bien-aimée de
M. et Mme Gédéon Jolicoeur

—

Décédée à St-Honoré
LE 27 MAI 1934
et inhumée le 30
à l'âge de 15 ans et 8 mois.

R. I. P.

Chapitre 23

1934...

Tout partout comme on pouvait le voir au cinéma, l'on voulait camoufler les terribles inconvénients de la crise économique derrière des rires qui ne sonnaient pas tous vrais. L'eau était à l'honneur : elle ne coûtait rien et apportait des plaisirs sains à ceux qui l'utilisaient pour se divertir.

C'était la mode de la natation et un champion du monde de cette discipline, Johnny Weissmuller, tournait film sur film où il incarnait le rôle de Tarzan, histoire de se montrer à plonger et nager devant le monde entier qui rêvait d'en faire autant ou pas loin d'autant...

Toutes les plages ensoleillées d'Amérique et d'Europe se voyaient envahir par des vacanciers en mal de sable où s'étendre et d'eau où se faire barboter. On voulait oublier les files de chômeurs qui s'alignaient devant des soupes populaires. On voulait oublier tous ces sans-abri qui cherchaient chaque jour une pitance dans les ordures ménagères des grands dépotoirs. On ne voulait pas voir la misère et les misérables...

Saint-Honoré, grande paroisse agricole, ne vivait pas vraiment ces affres quotidiennes. Dans tous les rangs, les cultivateurs et leurs enfants mangeaient trois fois par jour.

Mais au village, quelques familles ne parvenaient pas à joindre les deux bouts. Alfred avait doublé les limites de crédit imposées aux clients par ses parents au magasin durant les années de folle abondance ayant précédé le fatidique jeudi noir d'octobre 29. Le presbytère gardait l'oeil ouvert et surveillait, sans en avoir l'air, ceux qui, malgré leur discrétion honteuse, semblaient les plus mal pris.

Chez les Mathieu, on avait deux vaches maintenant et il restait chaque jour un surplus de lait écrémé que la famille Viger allait prendre pour ses besoins, sans devoir payer quoi que ce soit. Si le forgeron ne manquait pas de travail, le cordonnier Morin, dit Morin 'La Botte', lui, n'en avait pas assez pour donner à manger aux enfants à tous les repas. Un midi, une petite fille s'arrêta au bureau du docteur Goulet pour demander à se faire vacciner. Joseph était ailleurs. Son épouse Joséphine venait de sortir pour étendre du linge sur la corde. La fillette affamée aperçut un pot de pilules et s'en empara. Elle les mangea toutes pour mourir deux heures plus tard après être entrée dans le coma à son retour à la maison.

Il fallait rêver pour ne pas sombrer dans la dépression morale.

La vie était bien assez triste qu'il ne fallait pas pleurer de surcroît.

D'où l'on se baignait par toute l'Amérique cette année-là, comme pour se laver de cette interminable dépression économique qui plongeait les peuples dans une mer de morosité.

Malheureusement, Shenley ne comptait aucun lac, aucune rivière profonde, aucun étang, propres à la baignade. Pas plus en 1934 qu'au temps du 'scrupuleux' curé Faucher et de son interdit de baignade au trou d'eau de la terre à Prudent Mercier voilà quasiment un demi-siècle... Quelques ruisseaux égouttaient les terres agricoles et la forêt. L'eau y était pure et propre, et l'on pouvait y pêcher dans les noirs bassins des cédrières, de la truite grise fort vigoureuse.

Ce si beau dimanche, ce n'était pas pour pêcher que Berthe et Ovide allaient pique-niquer à la roche à Marie, c'était pour entendre le ruisseau chanter sa poésie verte, murmurer des images glanées quelque part dans les derniers mois de vie de cette tante mythique disparue un quart de siècle avant même la naissance de Berthe.

On y était venu en voiture fine. Ovide avait son meilleur cheval, un animal de couleur blanche, qu'il avait dételé pour lui laisser brouter l'herbe généreuse autour d'un érable qui se souvenait de l'idylle entre Marie Allaire et Georges Lapierre, et disait la reconnaître par ses ombres fraîches prodiguées sans réserve.

On avait étendu la nappe à carreaux rouges et blancs sur la roche plate et disposé les choses à manger dessus. L'abondance ne manquerait pas grâce aux mains habiles et généreuses de la jeune femme.

C'était la première fois vraiment qu'on passerait un bon bout de temps à cet endroit dont avait quelquefois parlé Émélie devant Berthe et Bernadette. Et puis, à mots couverts, leur mère avait aussi fait allusion aux amours de Marcellin et Odile que le sort avait brutalement séparés pour toujours afin de réunir, peut-être, Napoléon Martin et la mère d'Éveline, morte, elle, de la grippe espagnole après avoir souffert d'amour pendant nombre d'années.

Ovide aussi savait toutes ces choses autant que son amie les connaissait et soudain, sa réflexion lui donna le frisson :

–On dit : 'jamais deux sans trois' ! On va espérer que le dicton soit faux.

–Ah ? Et comment ça ?

–Marie et Georges : ça s'est mal terminé. Marcellin et Odile : ça s'est mal fini.

Berthe qui était assise dans l'herbe devant la table improvisée leva la tête et la tint bien droite pour parler avec une grande assurance :

–À nous deux, il appartient de montrer que ça peut bien se continuer et que ça finira pas mal comme les deux autres couples.

Voilà des paroles qui plaisaient fort au jeune homme. Et qui le rassuraient. S'il devait séjourner aux États, loin d'elle, les prétendants se bousculeraient à la porte chez Bernadette dans l'espoir de ravir la belle jeune femme que l'on croirait libre. Ovide Blais, Henri-Paul Campeau, Alphonse Dubé et d'autres s'endimancheraient sitôt Ovide parti pour tenter leur chance, l'un après l'autre, auprès de Berthe.

Elle faisait exprès de placer et déplacer les ustensiles afin qu'il ose lui prendre les mains. Ce qu'il fit après avoir lu son consentement dans son regard.

–Suis content que tu dises ça... que tu parles de même.

–Je le pense du fond de mon âme.

Dans un décor bucolique, les coeurs s'épanchent aisément. Les mots du beau sentiment coulent de source comme l'eau de la petite rivière d'argent; mais eux, ils restent dans la mémoire qui les entrepose comme matériau servant à bâtir l'avenir.

Et pourtant, un autre côté de chacun d'eux aspirait à la liberté. Chacun évoluait à son rythme plutôt lent, et songer à fonder une famille aurait pu les effrayer, l'un autant que l'autre. Pour l'heure du moins.

Voici que le jeune homme s'imagina une scène qui l'aurait peut-être fait fuir si elle s'était avérée bien réelle...

"On va fonder une famille, Berthe, bientôt ? Je le souhaite de tout coeur, moi."

"Et moi aussi ! Fonder sur un solage que rien ne pourra briser jamais..."

"Bien sûr, mais... tu penses à quoi en disant ça ?"

"Qui prend mari prend pays, mais..."

Elle soupira, retira sa main, ajouta :

"... tu sais que je ne veux pas vivre dans les conces-sions."

"Le Grand-Shenley, c'est pas les concessions."

"C'est tout comme..."

"Tu seras pas comme les autres... t'auras pas besoin de t'occuper des travaux..."

"Quoi ? Me laisser vivre comme ça ? Pas faire le train ? Les foins ? Les récoltes ? Les sucres ? On est femme de cultivateur ou on l'est pas. J'en parlais à madame Mathieu, en face, elle pense comme moi. Elle a vécu un an sur une terre à Lambton et dit que jamais de sa vie elle voudrait revivre ça. Elle dit qu'elle est pas faite pour ce métier-là. Moi non plus, Ovide, sans vouloir te faire de peine."

Il ne baisserait pas les bras pour autant. Peut-être que s'il la persuadait d'essayer seulement. Quelques mois. Même pas... quelques semaines, quelques jours...

"Tout va s'arranger pour le meilleur, tu verras."

"J'en suis certaine."

–T'as l'air parti loin, Ovide ? lui dit-elle pour le faire émerger de sa rêverie.

–Non... j'pensais à rien... Ça m'arrive...

On mangea.

On parla.

On rêva.

On pria même pour que l'avenir soit de la couleur du ciel et de sa pureté.

Il arriva que le jeune homme dont l'idée de rester cultiva-teur demeurait profondément ancrée en lui fasse glisser la conversation, sans même le vouloir consciemment, sur des avantages lointains de vivre au fond du Grand-Shenley.

–C'est donc de valeur qu'il nous manque de lacs à Saint-

Honoré. Toutes les paroisses autour en ont, pas nous. Saint-Benoît, Saint-Victor, Saint-Éphrem, Saint-Évariste et même Dorset, pas loin. Dans dix minutes, on est au lac des Îles, dans douze au lac des Cygnes...

Berthe esquiva le propos qui lui semblait ne mener qu'à l'impasse.

–J'ai pas mal hâte de voir mon cadeau, tu sais.

Elle avait coupé court à la pensée d'Ovide. Et le ramenait à ce qu'il lui avait dit la veille à propos d'une surprise, en fait d'un cadeau surprise grâce auquel il espérait lui plaire. Et il le cachait dans un sac à dos qu'il n'avait ouvert jusque là que pour y prendre des douceurs (biscuits et beignes) faites par sa mère et venues compléter le goûter sur l'herbe préparé par Berthe.

Elle sut qu'il s'agissait d'un cadre. Et qui dit cadre dit photo. Après avoir enlevé le papier-journal qui recouvrait l'objet, il le tint un court moment sur lui puis le tourna d'un seul coup en disant :

–C'est rien que moi... Ovide Jolicoeur...

Elle regarda longuement la photo puis le jeune homme.

–Un très bon photographe...

Et ils s'esclaffèrent tous deux...

Ce fut bientôt le départ. Le cheval fut remis entre les menoires et le jeune homme aida sa compagne à monter dans la voiture. On reprit le chemin du village...

Ce soir-là, dans son journal intime, Berthe copia les lignes suivantes :

"Ta photo

Elle est là, tout près de moi, la photo jolie. Je ne puis détacher mes yeux des tiens qui semblent m'admirer ce soir. Cette miniature de toi m'est presque aussi précieuse que toi-

même, mon chéri. Aussi, je ne me lasse pas de te regarder. J'admire tes grands yeux doux et profonds, pleins de chers souvenirs. C'est pourquoi je me sens moins seule puisque ton regard me suit toujours, caressant et tendre. En regardant ta photo, ce soir, je me rappelle de la première minute où je te vis... C'était un après-midi... Ah ! tu te souviens... comme j'étais triste. Mais en te voyant, mon ciel s'est éclairci. Je ne m'étais pas rendu compte de cette joie soudaine et je sais maintenant que 'sa' présence était pour beaucoup dans ce bonheur subit, ce désir d'être heureuse... Et puis un soir, nous nous sommes isolés, nous avons évoqué les impressions vives, la douceur captivante de nos premières amours. Tes yeux me parlaient si bien ce soir-là, leur langage était si troublant que présentement, je les vois encore se fixer sur moi en une adoration muette et j'en subis un charme qui me grise. Pourquoi t'ai-je aimé avec autant d'attachement ? Comme j'en souffre et sens que le coeur me fait mal à cause de toi ! Je voudrais surtout que tu me pardonnes comme je le fais moi-même et que désormais nous soyons heureux... tous les deux."

Un clocher dans la forêt, page 89

***

Ovide Jolicoeur

Chapitre 24

1935

–Maudit torrieu, ils vont finir par mettre le feu ! C'est pas une place pour aller jouer, ça, la vieille maison.

–Ça leur fait une place pour s'amuser, voyons !

Ernest venait de sortir de ses gonds pour ce que son épouse considérait comme trois fois rien. Fernande, que son père pourtant préférait à ses autres filles, se rendait presque tous les jours dans l'ancien presbytère séparant la maison Boutin de la maison Mathieu, et qui faisait partie de la propriété d'Ernest depuis 1932. Elle y conduisait ses amies d'à peu près son âge, Simone Poirier, Dorothée Talbot, autres fillettes de 8 ans, pour y jouer à la poupée. Parce que le courant électrique était coupé vu que la maison restait inoccupée, il fallait s'éclairer quand venait la brune à l'aide de bougies. Cela horrifia Ernest quand il s'en rendit compte. Et sans attendre une opinion plus favorable de la part d'Éva, il traversa la rue pour aller se procurer deux bons cadenas au magasin.

Il marcha le long du comptoir sans apercevoir âme qui vive. Mais, entendant la radio, il crut que Freddé se trouvait au bureau de poste comme souvent à cette heure du soir, et il se dirigea de ce côté. Personne non plus !

À la radio, un lecteur de nouvelles parlait de l'abdication du roi Édouard VII : voilà qui ajouta à l'énervement du jeune homme. Il grommela tout en tapotant la planche à bascule avec ses doigts noircis par le charbon :

–Voir si on abdique pour une femme divorcée ! Où c'est qu'on s'en va, maudit torrieu ?

Alors il pensa que Freddé pouvait être descendu à la cave chercher de la mélasse ou du vinaigre. Une odeur de terre humide le lui faisait croire. Mais, après avoir contourné le grand escalier et atteint le couloir séparant les entrées de cave et des hangars, il tomba vis-à-vis de rien encore une fois. Le bruit du ressort de la porte de cuisine vint à la res- cousse. Il tourna les talons et tomba sur une jeune fille qu'il ne connaissait pas du tout et voyait pour la première fois.

–On peut faire quelque chose ? dit-elle.

–Qui que t'es, toé ?

–Antoinette Gobeil.

–Es-tu commis ?

–Quand c'est nécessaire.

–Pis quand ça l'est pas ?

–J'prends soin des enfants à monsieur Grégoire.

–Freddé est pas icitte ?

–Est allé à la grange.

–Ah ! Ben j'viens acheter des cad'nas.

–Ça... j'sais pas si y en a.

–Ben moé, je l'sais... C'est dans le tiroir, drette-là... en arrière de toé... Tasse-toé, je vas le rouvrir...

Ernest trouva deux cadenas noirs, les plus solides, et les jeta sans ménagement sur le comptoir.

–C'est quel prix, ça ?

Antoinette l'ignorait, mais elle n'eut pas à répondre. Au même moment, deux portes s'ouvrirent. Celle des hangars d'où Alfred surgit. Celle de la cuisine d'où Rachel Grégoire apparut avec une petite fille de trois ans dans les bras, une enfant fort laide que leur voisin d'en face n'avait encore jamais vue.

–Quoi c'est qu'on peut faire pour toi, Ernest, à soir ? demanda le marchand.

–J'viens acheter des bons cad'nas pour barrer la vieille maison ben comme il faut. Les enfants vont jouer là pis ils vont finir par mettre le feu. Tout le village va y passer. Le vieux presbytère, c'est un vrai 'nique' à feu. Non, non, non, j'vas pas laisser ça ouvert à tout venant comme le moulin à Blais...

–T'en as trouvé on dirait ?

–Oué, mais elle sait pas le prix.

–Trente-cinq cennes chaque.

–C'est pas donné.

–Si t'es veux pas, t'es laisses là.

–Ah, j'vas les prendre.

Le ton rude des deux hommes effrayait Antoinette et son état d'âme n'échappait sans doute pas à la petite Solange qui se mit à grimacer. Son père ressentit son malaise et dit :

–Bon, ben vous deux, vous pouvez retourner à la cuisine.

Il s'était adressé à sa fille Rachel et à leur nouvelle servante, une jeune fille blondinette et bien maigrichonne du rang Petit-Shenley. Elles s'en allèrent.

Ernest payait quand survint un client qui approcha. En fait, c'était une cliente et son parfum révéla vite son identité.

–Y a personne à l'autre comptoir ? demanda Éveline à Freddé.

–Comme c'est là, Bernadette doit écouter l'radio chez eux... Ça parle du roi tout le temps, tout le temps. On va avoir un nouveau roi, le frère à Édouard VII... va s'appeler George VI, il paraît... On dirait que ça t'intéresse pas beaucoup, Éveline ?

Ernest connaissait la jeune femme par son mari qui la lui avait présentée en automne 32, après la mort d'Honoré Grégoire. Et chaque fois qu'il la voyait passer sur le trottoir devant la boutique de forge, il s'arrêtait de marteler le fer rouge ou de le tourner dans les braises incandescentes. Et c'est sa propre chair qui s'embrasait alors. Comme toute femme le moindrement intuitive, Éveline le percevait quand on admirait sa personne et ses formes pulpeuses. A fortiori elle que troublait tant depuis presque l'enfance la proximité d'un homme viril. Un champ de forces surgissait aisément entre son charme et la faiblesse des mâles de l'espèce.

–Comme ci, comme ça !

–T'as ben raison ! intervint Ernest. Le roi, c'est en Angleterre, ça... pas à porte...

Alfred dit, sourire pourpre au visage :

–Avez-vous pensé que le frère du roi a rien que deux filles pis que la plus vieille, Elizabeth, pourrait être reine à son tour quand son père mourra ?

–Pis quoi ? fit Éveline en haussant une épaule.

–J'dis ça comme ça...

–Pis Berthe, elle ? s'enquit la cliente.

–Berthe, est rendue à Mégantic avec sa soeur Alice. Elle, c'est Mégantic, Sherbrooke, Québec, Montréal... Une vraie queue de veau qui court partout...

–Si faut qu'elle marie Ovide Jolicoeur, elle va trouver ça dur de vivre dans le fond du Grand-Shenley.

–Elle voudra jamais le marier pour ça justement...

L'échange se poursuivit quelque temps puis la femme annonça qu'elle reviendrait le jour suivant pour se procurer ce qu'elle voulait du côté des dames. Ernest lui emboîta le pas et même lui ouvrit galamment la porte : une politesse des grands jours.

Éva tenant dans ses bras une petite fille née en 34, Liette, maladive et chétive, reluquait par la fenêtre quand elle vit Éveline sortir du magasin, suivie de son homme. Il ne salua pas et parut n'avoir aucun souci de la dame. C'était sans doute le hasard s'il la suivait ainsi avec ses cadenas pour se diriger ensuite vers la vieille maison grise. Puis elle se redressa et songea qu'à nouveau, elle était enceinte, et ce, pour la neuvième fois...

Elle avait déjà confié le secret à son amie Bernadette dont le commentaire avait été, les yeux agrandis :

"À ce train-là, Éva, tu vas battre ma mère avec ses 13..."

Privés de leur terrain de jeu, les fillettes durent se disperser, aller ailleurs, ne plus savoir quoi faire pour occuper leur temps. À quatre ans, Dolorès suivait toujours Fernande quand elle allait catiner dans la vieille maison : plus maintenant !

Ce jour-là, elle alla mettre son nez dans l'entrée de la boutique de forge. C'est alors qu'elle aperçut une grande armoire noire près de la porte largement ouverte et Arthur Boutin qui se tenait debout à côté, venu demander au forgeron d'exécuter pour lui un travail. Ce qui devait fixer le souvenir en sa mémoire d'enfant de pareil âge était la fillette que tenait haut dans ses bras ce voisin au visage familier.

–Comment tu t'appelles ? demanda Arthur.

–Dolorès.

–Elle, c'est Lise, dit-il en désignant l'enfant dans ses bras.

–Ah !

–Vous voulez aller jouer ensemble ?

Elles se toisèrent et firent toutes deux un signe de tête affirmatif. Arthur posa la petite par terre. Les deux fillettes se prirent par la main et quittèrent les lieux pour en trouver un autre moins bruyant, moins noir et moins malodorant...

*

On savait Armand alcoolique. On savait qu'il cachait tout partout dans les ravalements des flasques de gin. On savait aussi qu'il finirait par passer au travers de son héritage. Sans argent, il devrait bien alors agir pour s'en procurer. Et agir, dans l'esprit de ses frères Alfred et Pampalon, serait de s'installer sur la terre qu'il avait reçue aussi en héritage et la cultiver pour en tirer sa pitance quotidienne au moins. Mais à 28 ans, le jeune homme continuait de n'être aucunement intéressé à devenir cultivateur et de tourner en dérision la terre des Jacques devenue la sienne par voie de legs en répétant à qui voulait l'entendre : *"Tout ce qui pousse là-dessus, c'est du poil de cimetière."*

–Je vends ma terre, annonça-t-il à Freddé un beau jour de cette année-là.

–Pour quoi c'est faire ? Pour boire ?

–Qui a bu boira ! blagua Armand, pince-sans-rire.

–Tu pourrais t'en cacher au moins.

–Qui c'est qui le sait pas déjà ?

–Quand on le voit pas que t'es un ivrogne, on y pense moins.

–En tout cas, c'est ça.

Les deux hommes échangeaient au bureau de poste en ce soir d'automne, Alfred assis, chaise renversée vers l'arrière, chapeau sur la tête, et fumant la pipe, son frère adossé au mur, visage rougi par l'alcool, désabusé par la vie. Il se savait homosexuel; il se savait tuberculeux; il se savait alcoolique. Mais pour ces deux dernières raisons, il ne se trouvait plus de copains acceptant de partager des moments intimes avec lui dans son camp –même l'abbé Fortin avait fini par s'éclipser à jamais– et voilà qui le faisait sombrer encore plus profondément dans l'alcoolisme, une maladie qui empirait l'autre et qui travaillait en synergie avec elle pour le détruire un peu plus jour après jour.

–Qui c'est, tu penses, en pleine crise économique, qui va vouloir, qui va pouvoir acheter ta terre ?

–Je demande pas un gros comptant... pourvu qu'on me paye sur hypothèque d'une année à l'autre... Ça va subvenir à mes besoins pour une bonne 'escousse'.

–Le seul qui pourrait acheter ça, te donner un certain comptant pis te payer comme il faut par après, c'est Déric.

–Déric Blais ? Mais c'est pas un cultivateur !

–C'est sûr, mais... c'est un homme qui voit loin. Il va se dire que ça va prendre du terrain pour son bois. Il a déjà une bonne plaque de terre, mais ça va prendre plus si la crise finit. Les boîtes à beurre pis les boîtes à fromage, il continue d'en faire, même si c'est la crise. En plus qu'il a cinq ou six chevaux pis que ça prend du foin, ça.

–Il en produit en masse, du foin, sur sa terre du rang 4.

–Oui, mais pour le pacage des chevaux, il en a pas grand au village. Pis les chevaux, il en a besoin au village, pas dans le fond du 4.

Armand mit sa tête en biais sur une pause alors que son frère attendait un commentaire.

–Sais-tu, Freddé, t'as de la jarnigoine dans les affaires. Moi, j'ai pas pensé à tout ça. Je vas aller en parler avec Déric.

–Appelle-le monsieur Blais... Il a pas ton âge, lui...

–C'est dans quel âge, ça, Déric Blais ?

Alfred poussa une poffe de fumée bleue avant de dire en hésitant :

–Ça doit être quelque part dans les... attends, on est en 35... il doit avoir dans les 56, 57 ans... Il a une dizaine d'années de plus que j'ai... pis j'ai 48 ans faits...

–Une grosse famille autant que toi.

–Il me l'a dit l'autre jour : 13... mais une qui est morte.

–Anna-Marie, la femme du docteur Fortin...

–C'est ben ça !

La petite conversation se poursuivit sur le même ton détaché, décousu, presque désinvolte.

Au bout d'un certain temps, l'on parla un peu de politique, de ce nouveau parti fondé par Maurice Duplessis et qui portait le nom d'Union nationale. Pour un Grégoire, tout ce qui, en ce domaine, n'était pas rouge n'était pas bon.

–Ça fait quinze ans que Taschereau est premier ministre de la province de Québec, c'est pas le petit avocat de Trois-Rivières qui va le déloger de là, argua Armand.

–Encore drôle sacréyé ! Tous les pouvoirs s'usent pis finissent par tomber.

–Là, tu vas me parler du temps de Laurier, j'suppose ?

–Si tu veux, Armand, si tu veux...

*

Cet été-là s'inscrirait parmi les temps mémorables dans les annales de la paroisse. Il se produisit le départ d'un curé qui n'était guère prisé par la population en général et encore bien moins par tous ces vicaires qu'il avait 'brûlés' à Saint-Honoré : les abbés Audet (1918-1919), Turcotte (1919-1922), Bélanger (1922-1923), Veilleux (1923-1924), Lambert (1924-1925), Lévêque (1925-1926), Simard (1926-1928), Moreau (1928-1930), Allen (1930-1931), Couture (1931-1932), Leclerc (1933-1934), Gignac (1934-1935). Et pour coiffer le tout, le curé Proulx avait demandé le remplacement du vicaire Rock Gignac qui céderait bientôt sa place à l'abbé Ernest Robitaille. Mais voici que l'archevêché venait de prendre la décision de remplacer également l'abbé Proulx dont la santé déclinait.

Le curé de la jeune et petite paroisse de Saint-Hilaire-de-Dorset fut appelé à devenir le pasteur de Saint-Honoré-de-Shenley. Personnage courtois, méthodique, posé, pince-sans-rire, l'abbé Thomas Ennis portait en lui un héritage français allié aux caractéristiques du sang irlandais parmi lesquelles une grande ténacité. Hélas ! sa santé n'était guère meilleure que celle de son prédécesseur malgré pourtant sa jeunesse relative à 45 ans. À la fois imposant et charismatique, le personnage pouvait compter non pas sur la fougue qu'une descendance irlandaise aurait pu lui transmettre, mais plutôt sur une patience proverbiale, qualité que n'avait jamais possédée l'abbé Proulx, en tout cas pas avec ses adjoints toutes ces années depuis 1918.

La première grand-messe à laquelle fut présent le nouveau curé se passa par un dimanche de grand soleil chaud du coeur de l'été. L'officiant, ce jour-là, serait le vicaire Gignac tandis que le curé Ennis assisterait du haut de la chaire et livrerait à ses ouailles le prône et le sermon.

Beaucoup de gens connaissaient ce prêtre qui en tant que curé de la paroisse voisine était souventes fois venu seconder l'abbé Proulx en des circonstances le requérant comme lors de ces obsèques grandioses faites à Honoré Grégoire le 15 août 1932. Bernadette n'avait pas manqué de lui parler, cette fois et d'autres ensuite. Et elle ne cessait de dire qu'il serait le prochain curé de la paroisse et qu'à son tour, un jour ou l'autre, il serait remplacé par l'abbé Eugène Foley s'il arrivait que son ami soit ordonné prêtre prochainement puisque ses études allaient se terminer cette année-là et que son ordination se ferait au printemps suivant...

C'était tout juste avant la messe. Les fidèles pour la plupart avaient pris place dans les bancs en attendant l'arrivée à l'autel de l'abbé Robitaille avec les deux servants. Au jubé de l'orgue régnait une certaine fébrilité. Gaby Champagne discutait à voix basse avec Marie-Anna Nadeau.

–C'est monsieur le curé qui va diriger le chant de la foule, lui dit la jeune et belle organiste.

–S'il faut que sa voix soit aussi tordue que celle de l'abbé Proulx, s'inquiéta l'autre.

–Paraît que non ! J'ai su qu'à Dorset, il faisait bien ça.

–Vas-tu pouvoir t'accorder avec lui au moins ?

–Je vais m'ajuster... autrement, il me fera des reproches.

–À toi jamais ! T'es trop bonne à l'orgue pour qu'on te fasse des reproches. Personne est meilleur que toi...

–Y avait Monique Jolicoeur qui aurait pu...

–Elle est au paradis... elle reviendra pas...

–Pauvre elle !

Une rumeur parcourut l'assistance; on la sentit jusqu'au deuxième jubé là-haut. C'était le nouveau curé qui venait de déboucher au coin de l'autel et se dirigeait de son pas fier et assuré vers la chaire située non pas dans la section choeur mais dans la section nef, accrochée à une colonne de soutien de la galerie gauche. Il descendit les marches sans regarder les assistants, longea la table de communion, poursuivit dans l'allée jusqu'à l'entrée de l'escalier puis se rendit à sa destination. Sachant tous les yeux rivés sur lui, il ne voulut pas lever, ou plutôt abaisser les siens pour que tous se sentent traités également.

Bernadette trépignait dans le banc des Grégoire qu'elle partageait avec Rachel, Thérèse et Yvette. Dès l'apparition du curé Ennis, elle le suivit du regard, espérant qu'il la reconnaisse et que cela transparaisse dans ses yeux. Il n'en fut rien; il demeura impassible. Elle finit par baisser les siens pour mieux réintégrer le vaste monde de sa piété profonde.

Dans le dernier banc, près des portes centrales grandes ouvertes, tout comme celles de côté pour aérer l'église, se tenait l'aveugle Lambert qui regrettait le temps où, avant le venue de l'électricité, c'est lui qui faisait office de 'pompeux' et actionnait la soufflerie de l'orgue. Au moins lui restait-il la tâche de sonner la cloche, souvent même les trois à la fois quand il manquait quelqu'un pour le seconder. Mais là, durant la grand-messe, une seule révélait aux paroissiens qui n'étaient pas dans l'église, le moment de la Consécration.

Berthe et Ovide Jolicoeur partageaient avec Alfred le second banc des Grégoire au premier jubé arrière. Plusieurs regardaient ce couple d'exception pour l'envier un peu du coin de l'oeil. Les jeunes filles de trouver chanceuse la dernière d'une famille prospère et en vue, instruite, raffinée, brillante et belle comme le jour. Les jeunes gens de se dire que le fils de Gédéon Jolicoeur ne valait pas plus ou moins qu'eux-mêmes, mais force était de lui reconnaître du panache, une dignité discrète et un calme solennel lui conférant un mystère qui fascinait non pas que Berthe mais bien d'autres jeunes femmes non encore mariées de cette paroisse. Les observer, c'était l'occasion en tout cas pour chacun de s'interroger sur soi-même.

Auguste Poulin et son épouse Éveline encadraient leurs trois enfants dans le banc familial, allée centrale, milieu de la nef. Elle aussi regarda le nouveau curé. Elle l'avait aperçu à des funérailles. Il n'éveillait pas grand-chose en elle. À l'usage, on verrait bien de quel bois il se chauffait. Et s'il lui arrivait aussi, à l'instar de l'abbé Proulx, de précipiter les pécheurs au fond des enfers pour les en sortir aussitôt avec une bonne confession suivie d'une communion baignée de candeur retrouvée ? *"L'oeuvre de chair ne désireras qu'en mariage seulement* !" Le commandement était clair. Il donnait un heureux privilège tout en imposant des limites. Le péché commençait-il dès qu'elle pensait à un autre homme que son mari quand il lui faisait goûter le plaisir charnel ? On ne le disait pas dans les sermons. On ne le disait pas dans les retraites, en tout cas du côté des femmes. Il paraît toutefois qu'on le disait aux hommes quand ils étaient réunis entre eux devant un prédicateur. La jeune femme n'en avait jamais soufflé mot à son confesseur, mais au lit, et même en dehors, il lui arrivait de songer à des hommes de son âge comme le forgeron ou plus jeunes comme le mécanicien Philias Bisson. Et même à Laval Beaulieu qui, à 21 ans, féru d'un Brevet d'enseignement classe "A" de l'école Normale, s'apprêtait à enseigner aux garçons de Saint-Honoré dans une classe qui serait ouverte à l'automne au sous-sol de la sacristie.

Cléophas Mathieu, frère d'Ernest, célibataire endurci, occupait le tout dernier banc de l'allée gauche. Il venait d'ouvrir une petite épicerie dans le bas du village et, de ce fait, était devenu un concurrent des deux gros magasins Grégoire et Champagne. Freddé, avait alors dit à Pampalon comme l'aurait fait Honoré : "*Le soleil reluit pour tout le monde.*" Dès l'*Ite missa est*, Cléophas partirait afin de se rendre chez lui pour y recevoir la clientèle jusqu'au midi...

Une excitation générale flottait dans l'air, au-dessus des fidèles, provoquée par leur état d'âme fait d'appréhension et d'espoir à la fois devant l'arrivée d'un nouveau curé.

En surplis blanc sur sa soutane noire, l'abbé Ennis, un être au visage arrondi, portant lunettes rondes, possédait un front large qui témoignait d'une tête bien faite. Il déposa un missel sur le bord de la chaire et s'assit sans une seule fois jeter un oeil sur l'assistance. Toutefois, il regarda vers le jubé de l'orgue et là, Marie-Anna qui le perçut, lui fit un signe de tête en guise de salutation à la respectueuse lenteur.

Il lui avait parlé au téléphone et fait part de ses intentions à propos du chant au cours de la grand-messe. L'échange avait été très cordial. La voix lourde et paternelle du prêtre avait un côté rassurant pour une jeune femme et la sienne propre, si remplie d'aménité voire de dévotion, avait tout de suite plu au nouveau pasteur. Le contact entre lui et Gaby Champagne avait eu lieu sur le chemin du presbytère, près du couvent, mais n'avait pas permis à autant d'atomes crochus de circuler.

Dans le premier banc de l'allée centrale, à droite, se trouvait un banc réservé au presbytère. Certes, les prêtres visiteurs restaient dans le choeur et ce banc n'était pas pour eux, mais la servante du curé, Lucia Létourneau, femme digne de 38 ans, l'occuperait désormais. Et le partagerait à l'occasion avec des parents du curé ou du vicaire. À Dorset, sa paroisse d'origine, Lucia ne résidait pas dans la même maison que le curé Ennis, mais cela n'était pas possible à Saint-Honoré et personne, à part les rares pervers du temps, n'aurait songé qu'il pût se passer quoi que ce soit entre elle et le prêtre. Elle était servante. Pour elle, ce n'était pas un métier, mais une vocation. Elle occupait ses locaux dans le très grand presbytère de Saint-Honoré. Et point final !

Les Lepage avaient leur banc dans le premier jubé. Ils y étaient tous, frère et soeurs : Marie, Anna, Elmire et Jos. Ces quatre célibataires mal fagotés avaient un rôle important à jouer dans leur communauté : celui de rassurer les gens sur leur propre valeur, leur propre chance, leur propre personnalité. On se croyait plus rusé que les Page. On se savait plus riche qu'eux. On se voulait plus instruit. On les trouvait maladroits, naïfs, niais parfois, malpropres, malodorants, pas vaillants, perdants quoi... Même qu'on amputait leur nom de famille pour peut-être les rapetisser plus qu'ils ne l'étaient. Dire Joseph Lepage aurait sous-entendu une dignité et commandé un certain respect que Jos Page n'aurait jamais. Et puis Honoré Grégoire n'était plus là pour les inviter à sa table, lui...

L'église était remplie à capacité. La nouvelle de l'arrivée d'un curé nouveau avait fait le tour de la paroisse. D'ailleurs l'abbé Proulx en avait fait état en chaire les deux dimanches précédant son départ. Mais la transition s'était faite sans holà. Un curé était parti discrètement dans sa voiture automobile. Un curé était arrivé tout aussi discrètement dans la sienne. Voilà pourquoi ce premier contact entre l'abbé Ennis et ses ouailles paraissait si important à tous, que personne n'aurait voulu manquer ça dans tout Shenley. Ne restaient dans les maisons que ceux qui avaient assisté à la basse messe et qui devaient garder leur demeure pour une raison ou pour une autre.

Derrière l'église se trouvaient des petits bancs isolés, là où prenait place l'aveugle. D'autres hommes seuls occupaient l'espace disponible, et parmi eux Dominique Blais, vingt ans, joyeux luron qui ne détestait pas rendre visite à Armand

Grégoire dans son camp, mais ça, pour aucune autre raison à part le partage d'une bouteille de quelque chose, n'importe quoi contenant de l'alcool.

Uldéric et son épouse Julia Coulombe étaient assis presque sous la chaire et s'il fallait que le curé postillonne au cours de son sermon, c'est eux qui recevraient les gouttelettes sur leur personne. Pour un homme comme lui qui passait tout son temps dans un moulin à scie, à se faire sans cesse accabler de poussières et de vapeur d'eau, c'était broutille. Il ne s'en rendrait même pas compte. L'homme lissa sa moustache sans lever la tête pour chercher à voir l'abbé Ennis que, de toute façon, il connaissait plutôt bien.

Au choeur de chant, le docteur Goulet était assis devant les hommes qui faisaient partie de sa chorale. Lui qui se rendait souvent à Dorset, l'été en 'machine' comme l'hiver en borlot, connaissait aussi le curé Ennis pour l'avoir côtoyé près de mourants et avoir échangé avec lui divers propos qui se voulaient toujours pratiques et jamais empreints de ces bondieuseries qu'affectionnaient tant les prêtres en général et qu'ils servaient à toutes les sauces. Le curé Ennis était un homme plus proche du peuple que de l'Église et c'est ainsi qu'il rapprochait les fidèles du bon Dieu. Certes, il parlait de spiritualité en chaire, mais pas sur le bord d'un chemin, mais pas dans une maison à sa visite de paroisse, mais guère ailleurs que dans les lieux dits consacrés comme l'église, le confessionnal, le cimetière à une sépulture.

Enfin arriva l'abbé Gignac dans les vêtements liturgiques de circonstance, tout de blanc et d'or, sous les symboles de la joie et de la pureté. Il apportait avec lui son calice qu'il alla déposer sur l'autel.

Bientôt, la chorale des hommes entama les premières notes de l'*Asperges me* :

"Aspérges me, Domine, hyssopo, et mundabor..."

L'église alors tout entière découvrit la voix puissante,

juste et entraînante du nouveau curé. Plusieurs eurent un soupir de soulagement. La plupart en furent enchantés. Et puis le prêtre lança la réplique au choeur de chant en stimulant l'assistance par sa main levée aspirant des coeurs les mots latins que plusieurs savaient sur le bout des doigts :

"Lavabis me, et super nivem dealbabor..."

Dans le banc des solitaires à l'arrière gauche se trouvait le plus solitaire de cette paroisse, François Bélanger, maintenant âgé de 27 ans et dont la laideur semblait devenir chaque année plus monstrueuse. Le curé qui, tout en chantant, balayait l'assistance du regard, tomba sur lui. Il crut que c'était la distance ou bien ses lunettes qui déformaient cruellement un visage, mais sut aussitôt que cet homme était bel et bien celui qu'il avait l'air d'être. Une face de démon qui, songea-t-il aussi, devait cacher un coeur de saint. Mais que de souffrance morale il s'attendait de lire dans ces yeux bizarres quand il les verrait de près ! Sitôt après la messe, il se renseignerait auprès de son vicaire sur l'identité de ce pauvre bougre...

L'abbé Ennis connaissait d'avance Amédée Racine qu'il avait eu l'occasion de rencontrer à Saint-Évariste. Il le savait secrétaire municipal à Saint-Honoré, mais voyait son épouse pour la première fois, qui, dans leur banc, encadrait un garçon bien frêle de sept ou huit ans.

Le banc d'après était celui de Pit Veilleux. Ainsi les deux soeurs Gagnon, Rosalie et Laura se trouvaient l'une derrière l'autre. Il arrivait même à la première de se pencher en avant pour souffler un mot à l'oreille de sa soeur, ce qui était acceptable aux prêtres pourvu qu'on n'abuse pas de la chose...

Et ce fut le *Kyrie eleison*.

Le curé cherchait à repérer les belles voix dans l'assistance. Car il s'y en trouvait plusieurs qui auraient bien pu apporter leur richesse à celle du choeur de chant. L'une d'elles dominait toutes les autres, celle de Narcisse Jobin, un jeune cultivateur du bas de la Grand-Ligne. L'abbé Ennis qui aimait situer les personnes par et dans leur âge, se dit que cette puissante voix devait être dans la mi-trentaine, en quoi il misait juste.

Les frères Dulac, Mathias et Philippe, portaient mal leurs habits du dimanche. Vêtements friponnés, noeud de cravate simple et tout croche aux couleurs voyantes, rappelant ces vêtements bigarrés qu'affectionnait l'Indienne Amabylis Bizier du temps de son vivant. Eux faisaient partie des plus fervents catholiques de la paroisse, mais ils n'avaient guère les moyens de se payer un banc et occupaient ceux des solitaires là, derrière, que personne ne réservait pour la bonne raison qu'ils n'étaient pas à louer.

On chanta le *Gloria*.

Uldéric Blais ne louait pas qu'un seul banc à l'église. Et dans un autre situé au premier jubé, quatre de ses enfants assistaient à cette messe : Raoul, Henri-Louis et Yvonne, tous trois dans la vingtaine ainsi que Marcel, un adolescent de seize ans. Il paraissait par leurs vêtements que la famille ne souffrait pas autant que d'autres de la crise économique. Tout près d'eux se trouvait le banc des Campeau où un jeune homme ne se privait pas pour regarder tant qu'il pouvait du côté d'Yvonne Blais qu'il rêvait d'épouser. Normalement, il aurait dû se trouver au choeur de chant comme toutes les semaines, sauf que ce jour-là, il avait un problème vocal et laissait reposer sa voix.

Armand Grégoire n'était pas venu à la grand-messe. En fait, tous les dimanches, il assistait à la messe basse puis s'enfermait dans son camp pour boire et lire. Ou bien il se rendait sur le cap à Foley et à l'occasion, payait une visite à la 'Patte-Sèche' qu'il avait enterré là-bas avec l'aide complice du forgeron Mathieu.

Ernest occupait son banc de la galerie est, devant celui d'Archelas Nadeau et derrière celui de Stanislas Nadeau, deux frères vivant sur des terres voisines dans le bas de la

Grand-Ligne. L'accompagnaient ses trois filles aînées, Jeanne d'Arc, Cécile et Fernande.

Pour voir en bas, dans la nef, les occupants des rangées centrales, il fallait s'étirer le cou, une fois debout. Jeanne d'Arc avait toujours hâte que l'assistance se lève et alors, mine de rien, elle pouvait apercevoir Luc Grégoire et sa soeur Huguette avec leurs parents dans le banc à Pampalon. Une fois ou deux par messe, l'adolescent levait la tête et là, leurs yeux se croisaient pour aussitôt s'interdire de se voir par pudeur et par jeu...

Les minutes mélodieuses s'ajoutèrent aux minutes mélodieuses. Le curé étudiait la foule dans son ensemble et quelques individus en particulier. Il remarqua, sans connaître leur nom encore, des familles comme celle de Joseph Buteau et son épouse Joséphine Plante, celle de Cyrille Beaulieu, celles de Boutin-la-viande, d'Alphonse Champagne, d'Honoré Champagne, d'Herménégilde Bilodeau, de Jos Lapointe. Et puis celles de Cyrille 'Bourré-ben-dur' Martin et son épouse Séraphie Crépeau, de Jean Jobin (dit la brunante) et sa seconde épouse Marie-Anna Leclerc, de Gédéon Jolicoeur, de Napoléon Martin, accompagné de son épouse Lydia et de sa belle-soeur Alice. Il ne fut pas sans remarquer une veuve, seule dans son banc, revêtue de noir, et saurait plus tard qu'il s'agissait d'Alice Talbot épouse d'Omer Paradis (fils d'Hilaire) mort accidentellement l'année d'avant quand une charge de dynamite avait explosé prématurément où il se trouvait dans une mine d'amiante de Thetford. Mais le curé ignorerait toujours que cette jeune femme avait aimé en tout premier lieu le fils d'Honoré Grégoire, Eugène, mort, lui aussi par accident, en 1919...

Nil Parent, Louis Grégoire, Joseph Poirier, son frère Nérée, le vieux Théophile Dubé, le jeune Ronaldo Plante, Napoléon Boucher, Wilfrid Gilbert, chaque famille ajoutait sa teinte à la grande fresque paroissiale. Et cette belle fresque au moment de l'*Agnus Dei* vint chercher toute son admiration au coeur du prêtre.

Le curé Ennis, dès ce jour, dès cette messe, devint plus que le pasteur de Saint-Honoré-de-Shenley, il devint lui-même Saint-Honoré et s'en ferait désormais le défenseur bec et ongles et le promoteur invétéré. Qu'on ne s'attaque pas au plus petit de ses paroissiens ou bien on aurait affaire à lui !

Quand vint l'*Ite missa est*, l'abbé eut une prémonition : il lui sembla qu'il ne quitterait jamais sa nouvelle paroisse. Il y mourrait un jour; il y serait enterré pour toujours...

***

.

Curé Thomas Ennis

Chapitre 25

1936

Cet hiver-là, Armand vendit sa terre comme il l'avait planifié. Il aurait de l'argent de survie pour un bout de temps. Ne doutant plus qu'il était atteint de consomption même si aucun médecin n'avait encore posé le diagnostic, il se faisait à l'idée d'aller se faire soigner dans un sanatorium. Sa décision n'était pas arrêtée et il la repoussait d'un mois à l'autre...

En mars, Éva (Pomerleau) mit au monde son neuvième enfant baptisé sous le prénom de Léandre. En fait, il était le septième survivant puisque deux avaient trépassé en bas âge dont la petite Liette, subitement, quelques mois auparavant.

Quelques semaines après sa naissance, le nouveau-né fut atteint de diarrhée, semblablement au petit Fernand à Courcelles. Bernadette Grégoire conseilla à la mère de donner de l'extrait de fraise au poupon. Elle lui sauva la vie.

*

Pampalon fut estomaqué d'apprendre qu'une famille était à s'installer à l'hôtel Central en lieu et place de madame Lemay qui retournait à Saint-Georges après plusieurs années de travail ardu à Saint-Honoré. Il avait pourtant fait des propositions d'achat de l'établissement hôtelier, offres qui n'avaient pas eu de suite lui semblait-il.

Attendre si longtemps avant de mettre la main sur ce commerce auquel la crise faisait la vie dure, mais qui surnageait tout de même, et se faire couper l'herbe sous le pied par ce Joseph Gosselin du rang 9, un jeune homme de pas même 30 ans...

À 38 ans, Pampalon se disait qu'il n'aurait peut-être pas de sitôt une deuxième chance. Mais il lui fallait camoufler sa déception pour aller s'entretenir avec le nouveau maître des lieux. Où donc Gosselin avait-il trouvé l'argent pour acheter l'hôtel Central ? Bien sûr, il ne lui poserait pas la question directement, mais c'est à lui parler qu'il en saurait plus.

–Un nouveau voisin ? dit-il sur le ton de la question à Gosselin qui, aidé par d'autres hommes, déchargeait une voiture à chevaux de son contenu qu'on transportait dans la bâtisse.

–Pampalon ! s'exclama l'autre d'une voix tranchante et polie à la fois. C'est ben ça : on s'installe à l'hôtel pour un bout de temps.

–Pas pour tout le temps ?

Gosselin tira sa pipe d'une poche de mackinaw et une blague à tabac de l'autre; il commença de charger en délaissant sa tâche pour échanger un peu avec son visiteur.

–Ah, j'ai pas acheté l'hôtel... j'ai loué... Si ça va à mon goût, je vas l'acheter dans un an ou deux...

Voilà qui soulagea grandement Pampalon. Il s'étonna quand même :

–C'est rare, ça, louer un hôtel.

–Peut-être que la veuve Lemay était pas prête à vendre tusuite, sais pas trop.

Le jeune homme roulait fortement ses R, ce qui trahissait ses origines autres que de Saint-Honoré. En fait, il venait de Saint-Éphrem et s'était établi en tant que cultivateur dans le

9 de Shenley une dizaine d'années auparavant. Mais, tout comme Pampalon, il avait la démangeaison du commerce et ne se sentait pas trop dans son élément à cultiver la terre.

–Savais-tu que je voulais acheter l'hôtel ?

Gosselin se montra surpris :

–Non ! Madame Lemay m'a rien dit de toé.

–Ça fait dix ans que j'attends ça...

–C'est comme je te l'ai dit : peut-être qu'elle voulait pas vendre asteur. Pis moé, j'sus arrivé au bon moment quand j'ai offert à louer.

–Si pour une raison ou pour une autre, tu restes pas, avertis-moi, veux-tu ?

–Ça va me faire plaisir de te le faire savoir...

Malgré sa contrariété, Pampalon n'en souhaita pas moins bonne chance au nouveau tenancier de l'hôtel, et il le fit sincèrement, conformément à sa nature profonde.

*

Marie Page vint au village.

À pied comme le plus souvent.

C'était le printemps; c'était la fonte des neiges.

La vieille demoiselle sentait les fourmis monter dans ses jambes quand le doux soleil d'avril touchait les sols et les bois des alentours de ses rayons nouveaux et régénérateurs.

Vêtue comme un oignon de plusieurs manteaux minces, elle pouvait affronter le froid advenant une baisse de température subite au cours de la journée comme cela se produit souvent en cette saison capricieuse.

Après une visite à l'église et la récitation d'un chapelet, la grise demoiselle se rendit au magasin et regarda, sous l'oeil amusé de Bernadette, plusieurs pièces de tissu coloré dont chacun savait qu'elle n'en achèterait pas même un pouce. Les Page vivaient dans une grande pauvreté et ils avaient le quotidien très économe, attriqués tous quatre, Marie, Anna, Elmire et Joseph, *comme la chienne à Jacques.*

–Je vas y penser, disait Marie à chaque pièce qu'elle redonnait à la marchande.

Survint Berthe à qui la vue de la pauvresse suggéra une bonne action en souvenir d'Honoré qui, souvent, invitait les Page à table après la messe du dimanche, parfois au dam d'Émélie qui leur trouvait les mêmes odeurs douteuses qu'à la 'Patte-Sèche'. Elle parla à voix basse avec sa soeur puis fit une invitation :

–Mam'selle Marie, si vous voulez souper avec nous autres comme au temps de papa, on vous recevra chez Bernadette. C'est que vous en dites ?

–Ben... suis pas une quêteuse...

–Mais on le sait, ben comme il faut. Les quêteux, on les garde, mais dans le 'campe' à Armand, pas chez nous à souper. C'est pour nous faire plaisir qu'on vous le demande, pas pour vous faire la charité...

–Si ça vous fait plaisir, ça va me faire plaisir à moé itou, c'est ben cartain...

Toutefois, le temps se gâtait dans le ciel saint-honoréen. Il risquait de tomber une de ces neiges mouillées qui font couler les érables comme des folles, mais qu'il ne fait pas trop 'santé' d'affronter, même habillé en oignon.

Enchantée de cette invitation, Marie Page aurait fait le plus long des pieds de nez aux menaces du ciel et elle ne prit aucun souci de cette marche qui l'attendait après souper sur le chemin du retour à la maison.

Berthe s'inquiéta pour elle quand, au milieu du repas, elle vit les signes du refroidissement et ces flocons de neige venir coller leur nez dans les vitres de la maison.

–On va vous garder à coucher, Marie, dit-elle, approuvée par le regard de Bernadette.

–J'sus pas une quêteuse.

–Les quêteux, eux autres, ils couchent dans le 'campe' à Armand.

–Tu me l'as dit après-midi... mais j'sus pas une quêteuse pareil. J'ai mangé ben comme il faut, là, faut que je m'en retourne ben comme il faut itou.

–Ça vous prendrait une '*p'tite chaleur*' avant de partir. Attendez-moi, je reviens...

"*Et Berthe monta au grenier où elle se mit à la recherche d'un des nombreux flacons de 'Saint-Pierre et Miquelon' que son frère Armand cachait un peu partout dans la maison. Une fois qu'elle eut trouvé ce qu'elle cherchait, elle en fit prendre une bonne rasade à Marie en lui promettant que cela la tiendrait au chaud jusqu'à ce qu'elle arrive chez elle.*

Une heure plus tard, Pit Veilleux qui descendait le rang 9, vit un paquet noir au milieu de la route et reconnut en cette masse informe le corps inerte de Marie Page. Elle respirait faiblement et Pit la transporta chez elle, croyant à une faiblesse. On appela le docteur. À son retour au village, Pit alla raconter son aventure aux soeurs Grégoire, en forçant un peu sur les détails. Plus le récit avançait, plus Berthe sentait l'inquiétude la gagner jusqu'au moment où, n'en tenant plus, elle s'écria en couvrant sa bouche de ses deux mains : "Mon Dieu ! j'ai tué Marie." Étonné, Pit demanda des explications à Berthe qui lui en donna. "Si Marie meurt, tu vas aller en prison !" déclara-t-il péremptoirement. Horrifiée par cette condamnation, Berthe ne dormit pas de la nuit, se voyant enfermée dans une cellule pour avoir empoisonné Marie Page avec de la "maudite bagosse".

Au lever du jour, Berthe se rendit en waguine dans le rang 9 en compagnie d'Éva. Elle entra dans la maison et se faufila dans la chambre de Marie pour savoir si la pauvre avait rendu l'âme durant la nuit. Le teint blafard et le regard morne, Marie, penchée sur un bassin, se vomissait les tripes. En apercevant Berthe, elle mit péniblement son index sur ses lèvres pour lui commander le silence, car personne de sa famille ne connaissait l'origine de son mal. Comprenant que Marie ne s'en tirerait qu'avec une gueule de bois, Berthe s'en retourna chez elle soulagée.

Elle en fut quitte pour une bonne frousse, mais se promit qu'à l'avenir, elle modérerait non seulement ses élans charitables mais aussi qu'elle laisserait à Armand l'usage exclusif de son tord-boyaux."

Un clocher dans la forêt, page 90

*

Si Mermoz devait perdre ses ailes dans l'Atlantique Sud en décembre de cette année-là, un jeune Noir américain s'apprêtait à déployer les siennes devant le Führer d'Allemagne aux Jeux olympiques tenus à Berlin en août. Mais la gloire de l'un et de l'autre n'aurait eu aucune prise sur Eugène Foley, ordonné prêtre le 7 juin.

Le jeune homme de 33 ans avait tenu bon la barre vers la prêtrise malgré tout l'attrait exercé sur lui par les soeurs Grégoire, Bernadette et plus tard, Berthe. Et pour assez longtemps les deux à la fois...

Le diacre s'est soigneusement préparé à son ordination sacerdotale. *"Comme le révèlent ses lettres personnelles, il supplie le Seigneur de purifier de toutes ses fautes, sa chair, son esprit, son coeur et de régner en plénitude sur ses pensées, intentions et affections. Sa préparation est telle que ce dimanche du 7 juin 1936, dans la chapelle privée de l'évêque de Sherbrooke, le lévite qui s'agenouille devant Mgr Alphonse Osias Gagnon, est déjà un homme de Dieu conquis et complet, au comble de sa sérénité, au meilleur de ses dispositions, au sommet de ses déterminations... "*

Le fils de Joseph par Aline Breton, page 8

Le lendemain, lundi 8 juin, c'est grande joie pour le jeune prêtre qui célèbre sa première messe en la chapelle du Mont Notre-Dame chez ses bienfaitrices... Plusieurs membres de sa famille sont présents et sa paroisse natale de Saint-Honoré est représentée par son curé, l'abbé Thomas Ennis, et par quelques membres de la famille Grégoire, ses amis de toujours. On y remarque Bernadette, Berthe, les enfants d'Éva, Marielle et Raymond, de même qu'Honoré, le fils d'Alfred.

"Moment grandiose dans la vie d'un prêtre que celui où, pour la première fois, il tient entre ses mains son Dieu fait homme et surtout quand il réalise que la veille, il n'était qu'un homme tout simplement et qu'au lendemain de l'ordination, il exerce un pouvoir que les anges n'ont pas reçu. "Seulement au ciel, disait le saint curé d'Ars, l'on comprendra la grandeur du prêtre !" Moment sublime pour l'ordonné et ses proches ! C'est pourquoi, au soir de ce grand jour exceptionnel, le nouveau prêtre promet à Dieu de le servir de son mieux jusqu'au dernier jour de sa vie afin de lui prouver sa filiale reconnaissance pour l'ineffable faveur qu'il vient de lui accorder..."

Le fils de Joseph par Aline Breton, page 8

Le mardi 9 juin, c'est une fête d'envergure à Saint-Honoré. Tout va se dérouler en joie et en beauté. Des invitations nombreuses ont été lancées. Le curé Ennis a fait décorer l'église et mis sur pied une organisation d'accueil. Son orgue se fera vibrant. Sa chorale va se surpasser. Sa bienvenue sera émouvante. *L'abbé donne un sermon convaincu et convaincant sur le sacerdoce et sur la sainte messe, première fonction du prêtre.*

Chaque heure dispense au nouveau prêtre un pur bonheur. Après cette messe dans l'église de son enfance qui l'avait autrefois si souvent baigné de toute la gamme des émotions, l'on se transporta au couvent des soeurs qui lui ont préparé un généreux banquet.

Cela se passait au réfectoire des soeurs, la plus grande salle disponible de la bâtisse, située en son sous-sol. Il s'y trouvait, en plus des trois prêtres présents, plusieurs membres de la famille Foley, autant de la famille Grégoire, Ovide Jolicoeur, Napoléon Lambert et son épouse, le docteur Goulet et son épouse.

Il y avait une table d'honneur où le curé Ennis et le vicaire Gignac encadraient le nouveau prêtre. Eugène Foley avait demandé qu'y soient présentes aussi deux grandes amies d'enfance : Bernadette Grégoire qui avait pris place à la gauche du curé et Laurentienne Blais (maintenant mariée à Léopold Poirier) qui avait la sienne à la droite du vicaire.

La lumière entrait en abondance par quelques fenêtres au-dessus du solage camouflé dans un muretin de lattes vertes. On avait ajouté à l'éclairage, question d'apparence et de piété seulement, les flammes de quelques bougies mises à brûler dans des petits vases de couleurs variées. Ce n'était pas vraiment une fête religieuse puisqu'on célébrait l'homme-prêtre, mais Dieu n'en était pas moins le grand invité d'honneur et nul doute qu'Il se tenait debout derrière son humble serviteur Eugène Foley.

On mangea dans la joie.

La plus heureuse personne de l'assistance était Bernadette Grégoire. Son ami avait réalisé son rêve de toujours. Elle se rappelait des messes qu'il avait célébrées pour elle dans le grenier des Foley. Et parmi ses souvenirs lui revint celui du gâteau dangereux soit de ce jour où les deux enfants avaient failli mettre le feu dans le sous-sol de la maison rouge. Bernadette eut un frisson en pensant à ses petites fesses qui en avaient pris pour leur rhume ce jour-là...

Après le repas, une adresse appropriée fut lue par la fille d'Éva et Arthur, Aline Boutin, une adolescente de 14 ans, la meilleure amie de Jeanne d'Arc Mathieu. Elle termina sa lecture en présentant une bourse au nom de la famille Foley. Un paragraphe eut l'heur de faire réagir le nouveau prêtre plus que les précédents et les suivants...

"L'époque que nous traversons est parfois bien sombre. Les ennemis du Christ semblent redoubler leurs efforts pour faire régner Satan à la place de Jésus. Nous nous consolons, en pensant que le Sauveur a promis à son Église qu'elle ne pouvait pas tomber. C'est donc qu'Il sera là, à côté de vous, pour vous aider quand la lutte deviendra trop rude."

Le fils de Joseph, page 10

(Les paragraphes en italique qui suivent dans ce chapitre proviennent, sauf exception, du même ouvrage par Aline Boutin-Breton)

Eugène fut tout à tous par son sourire, ses chaudes poignées de main à ses collègues prêtres, à sa soeur, ses frères, la parenté, les amis qui, pendant une heure défilèrent devant lui en évoquant le souvenir de ce qu'ils furent dans sa vie. Puis chacun reprit sa place et le héros de la fête y alla de son allocution qu'on brûlait d'entendre.

Il ouvrit grands les bras et, gardant ses mains ouvertes comme s'il offrait son coeur, il commença par une phrase simple et modeste :

"N'est-ce pas le fils de Joseph ?"

Bien sûr, il songeait à son père Joseph et ne suggérait en rien qu'il pût s'agir de Joseph, le père adoptif de Jésus.

"À la vue qu'un des vôtres montait à l'autel de Dieu, oui, c'est que Dieu se sert des plus humbles pour faire de grandes choses ! L'autel ! Ce mot n'est pas vide de sens, car il traduit à lui seul toute la réalisation de mon idéal. Il me rappelle aussi la petite table fruste où je m'essayais à dire la messe avec des ornements de papier..."

Alors Eugène se pencha, tourna la tête et sourit à Bernadette qui lui répondit par de longs signes de tête affirmatifs. Quelques religieuses envièrent cette femme et en auraient peut-être crevé de jalousie de savoir qu'elle et elle seule avait jamais eu de cet homme d'idéal un baiser grandiose dans un grand soir d'orage où le ciel et l'enfer s'étaient disputé son avenir pendant un moment de tourment magnifique et douloureux.

"Mes chers amis, ébloui par le mystérieux entretien de ce matin à l'autel du prêtre, il m'a semblé que ma personne était trop faible pour porter seule ce poids d'admiration, de louange et d'amour que Dieu avait placé sur mes épaules. J'ai voulu alors mêler vos accents à ma faible voix, pour chanter avec les saints du ciel, le cantique de la reconnaissance et de l'amour. Ah ! qui dira ma joie, qui pourra peindre ma délicieuse ivresse ? La langue humaine s'y refuse; c'est l'idiome du ciel..."

Berthe frissonna malgré la présence chaleureuse d'Ovide à ses côtés. Il lui venait en tête un souvenir d'avant ses fréquentations avec celui qu'elle désignait maintenant comme l'élu de son coeur.

"Rosario Lévesque, un jeune homme de la Matapédia, voulait marier une fille de la campagne lointaine. Annette Langlais, une amie de Berthe, originaire de Lac-Mégantic, décida de présenter Rosario à celle-ci. Elle organisa donc ce qu'il était convenu d'appeler un 'blind date' de la même nature qu'un autre, vingt ans auparavant, ayant réuni pour le meilleur Alice Grégoire et Stanislas Michaud.

Au cours de cette soirée, Lévesque conduisit Berthe au théâtre "His Majesty" pour y voir le film 'Les cloches de Corneville'. Rosario était agréable et de bonne compagnie. Lui et Berthe se virent à quelques reprises par la suite. Eugène Foley qui étudiait alors au Grand Séminaire eut vent de cette fréquentation lors d'une visite dans sa famille. Lui qui n'avait jamais semblé s'intéresser à Berthe, se mit soudainement en colère et lança : "Si j'étais pas aussi avancé dans la prêtrise, je lâcherais ça là, pis Lévesque, il prendrait le bord !"

Un clocher dans la forêt, page 90

Et le nouveau prêtre de poursuivre son allocution, larme à l'oeil, âme au sourire :

"Ma vocation a été une dentelle merveilleuse où tout s'est bien enchaîné, il est vrai, mais où la trame et le lien n'apparaissent divins qu'à cette heure sublime où la Vierge-Prêtre présente à son Fils bien-aimé le travail de ses propres mains. De fait, mes amis, il suffit d'interroger le passé pour reconnaître l'onction bienfaitrice de cette douce Vierge dans toutes les étapes de ma vocation. C'est Elle qui m'accompagnait ce matin à l'autel ! "

Anne-Marie, l'épouse de l'aveugle, demandait en ce moment au ciel le don d'écrire aussi bien que ce jeune homme de grand talent afin d'intéresser tous ses lecteurs dans sa chronique hebdomadaire du journal *L'Éclaireur*. Car le bon Dieu, songeait-elle, devait avoir une oreille bien plus attentive durant pareille célébration que durant la tranquillité du quotidien...

"Terminerai-je sans nommer monsieur le curé actuel, mes chers amis ? Ce serait pâlir la réalité que de vouloir décrire sa bonté à mon endroit et son empressement toujours nouveau. Il suffit de jeter un regard autour de nous et tout nous parle de monsieur Ennis dont je trouve la caractéristique en cette belle parole de Corneille : "La valeur n'attend pas le nombre des années." "

L'abbé Ennis mit sa tête en biais, fit un signe de sa pipe chaude et fumante et garda son visage animé d'un vague sourire.

"Cher monsieur le curé, comment pourrais-je vous remercier ? Grâce à vous, j'ai pu célébrer la messe dans le temple de mon baptême et offrir le Christ que j'avais appris à aimer à cet autel. Grâce à vous, nous sommes réunis sous le toit de mes premières leçons. Ces murs sont tapissés de souvenirs de mes chères mères maîtresses qui, avec l'instruction de mes jeunes ans, surent me nourrir de la parole de Dieu, fruit de leur vie pleinement religieuse. Monsieur le

curé, si le Dieu de mon hostie daigne écouter ma voix, vous vivrez de longues années en notre belle paroisse et votre état de santé vous permettra de conduire vous-même à l'autel de jeunes prêtres que votre coeur de pasteur aura lui-même formés."

Cette fois, les coeurs ne purent retenir les mains d'applaudir ferme. Un concert de complicités qui s'adressait autant à l'abbé Ennis qu'à l'abbé Foley.

L'orateur termina en remerciant tous ceux qui avaient aidé à sa vocation. Puis la réjouissance devint bruyante. Les uns trouvèrent les autres pour jaser. Des attroupements de bonheur se créèrent spontanément dans toute la salle quelque peu enfumée par la vertu des bouffardes du curé Ennis, d'Alfred Grégoire et de Édouard Foley. À travers ce tumulte, un trio apparut que des forces supérieures inconnues, en tout cas non identifiées, avaient initié; il était formé du nouveau prêtre et des soeurs Grégoire, Bernadette et Berthe.

–Comment tu te sens ? demanda l'une.

–Aux anges ! C'est le plus beau jour de ma vie... après celui de dimanche.

–Ben, j'pense que c'est le plus beau pour moi aussi, dit Bernadette. Le bon Dieu nous bénit.

–Et toi, Berthe, comment tu te sens ?

–Joyeuse, heureuse...

Il vit ses yeux pétiller et, des siens, balaya du regard la personne d'Ovide Jolicoeur qui plus loin vers le milieu de la pièce, surpassait les autres par sa taille et sa prestance. Le jeune homme était accaparé par les Lambert et les deux Alice. Il ne sentit pas ce regard de prêtre sur lui. Peut-être aurait-il ressenti celui de Berthe ?...

À ce moment, Eugène réalisa vraiment et pleinement qu'il était devenu prêtre pour la vie. Ses sentiments pour chacune des soeurs Grégoire ne pouvaient trouver d'autre passage depuis son âme que celui de la sublimation. Il savait que Bernadette lui serait d'une fidélité de toujours : ses lettres le laissaient penser, son célibat le confirmait. Mais Berthe, pourtant plus refermée et secrète que sa soeur aînée, connaîtrait l'amour humain dans sa forme la plus courante, à l'intérieur des murs du mariage. De ça non plus, il ne doutait pas une seule seconde.

Eugène regrettait que la mode ne soit pas à l'accolade et à l'étreinte publique comme en certains pays à certaines époques. De toute façon sa soutane s'érigeait autour de sa personne comme un mur infranchissable. Comme il les serrait fort sur son coeur, les soeurs Grégoire, ce coeur qui appartenait à Dieu et à tous désormais : il les embrassait par l'imagination dans la joie et dans l'amour infini. Qu'elle était divine, son amitié pour Bernadette et pour Berthe !

D'autres vinrent au nouveau prêtre. Ce fut le signal pour Berthe de retrouver Ovide.

Bernadette quant à elle en profita pour se rendre aux toilettes où menait un couloir à l'écart. Il lui fallut essuyer des larmes chaudes qui naissaient en se bousculant aux coins de ses yeux. Abondantes larmes d'un douloureux bonheur !...

***

L'abbé Eugène Foley

Chapitre 26

1936...

–Je t'ai toujours dit de ne pas prendre mes baisers pour des promesses.

–T'as l'air de penser que j'avais des attentes grandes comme le monde.

Tous deux étaient assis, jambes allongées, sur une grande couverture étendue dans l'herbe sur le cap à Foley. Berthe qui avait appris la littérature au cours de ses études avait parfois une citation à mettre sur la table pour servir de dessert à l'échange ou de cerise sur le gâteau.

–Lamartine a écrit : "Mais il reste à jamais au fond du coeur de l'homme deux sentiments divins, plus forts que le trépas : l'amour et la liberté, Dieux qui ne mourront pas !"

–Ça te dit quoi, cette phrase-là ?

–Ben... qu'il faut toute sa vie naviguer entre ces deux rives de l'amour et de la liberté.

Ovide rêvait depuis des années de rejoindre son frère Joseph à Chicago et d'y apprendre comment on devient riche. Car son frère avait monté là-bas une entreprise très prospère. Et chaque fois qu'il 'descendait en Canada', il lançait l'invitation au jeune homme : "Viens apprendre la business; viens apprendre l'anglais ! "

Ovide ressentait le besoin de cet exil vers la richesse afin de se libérer d'une certaine adolescence qui le retenait captif, et parvenir au statut d'homme fait, doté de tous les matériaux requis pour bâtir sa vie future.

—J'ai peur d'être obligé d'attendre encore un an.

—Et comment ça ?

—Manque d'argent. Mon père voudra pas endosser, mon frère Wilfrid encore moins. Joseph est trop loin.

—Et si tu me le demandais, à moi ?

—T'es folle, Berthe Grégoire ! Ovide Jolicoeur se faire endosser à la banque par son amie.

—Ils vont pas refuser ou je ferme mon compte.

—J'te parlais pas de ça pour te demander de m'endosser.

—Je le sais, Ovide, je le sais.

—Tu veux te débarrasser de moi ? blagua-t-il en camouflant une pointe de sérieux, une interrogation insidieuse.

—Tu sais que non. Mais tu seras pas prêt pour la vie tant que t'auras pas fait un stage à Chicago auprès de ton frère.

—Si je reste par là ?

—Ça voudra dire qu'on était pas faits un pour l'autre.

—En attendant... je veux dire... tu vas m'attendre ?

—Je vas vivre ma liberté comme t'as besoin de vivre la tienne.

—Par chance que personne nous entend : ça ferait un beau scandale.

—Tout ce qui sort de l'ordinaire dérange.

—Dans ce cas-là, dérangeons ! Quand est-ce que t'es prête à m'accompagner à la banque ?

—Quand tu voudras, Ovide, quand tu voudras.

Ils n'en avaient pas moins tous deux des pincements au coeur devant la perspective d'une séparation.

Elle endossa pour lui un prêt de cent dollars et même lui avança 75$ en espèces sonnantes et trébuchantes. Un lien tangible resterait. Berthe n'avait pas été sans calculer la chose. Mais au moment de se quitter sur le quai de la gare après qu'ils soient descendus de l'automobile taxi à Pampalon, leur futur se dessina à grands traits de crayon à travers leur dernier échange :

–Tu vas m'écrire pour me donner des nouvelles, demanda-t-il ?

–Toutes les semaines. Et toi, tu vas me répondre ?

–Tu sais que oui.

–J'te demande pas quand tu vas revenir. Prends le temps qu'il faudra. Comme disait mon père : il faut ce qu'il faut et pis c'est ça !...

–C'est la crise qui m'envoie à Chicago. C'est la prospérité qui va m'en rappeler.

–Si tu reviens pas, tu me rembourseras l'argent de la manière que tu voudras : j'te fais pleine confiance, Ovide.

–Un Jolicoeur, ça tient parole !...

Ovide songea à ses frères Wilfrid et Albert à qui il ne fallait pas toujours faire confiance à cent pour cent. Son regard s'en fut sur la voie ferrée jusqu'à la courbe qui unissait les deux voies dans l'inconnu. Le train pour Mégantic puis Montréal serait là dans quelques minutes. Il ne leur restait que le temps de se dire adieu. Un adieu qui ne serait rien de plus qu'une parenthèse dans leur vie. Du moins le croyaient-ils, le souhaitaient-ils tous deux.

–Regarde, Ovide, nos vies sont peut-être comme les rails qui s'en vont là-bas... Tu vois, ils finissent par se rejoindre.

Il sourit puis tous deux tournèrent la tête vers l'horizon.

–Regardons avec intensité la voie ferrée tous les deux et faisons un voeu.

–Quel voeu ?

–Celui-là de Lamartine. T'en as parlé l'autre jour sur le cap à Foley.

–De l'amour et de la liberté... C'était pas un voeu, mais des vers.

–Faisons de ces vers un voeu.

–Souhaitons-nous la liberté et l'amour !

–Souhaitons-nous la liberté et l'amour !

–Et tant qu'à faire, la fin de la misère noire !

–Et tant qu'à faire, la fin de la misère noire !

Même si aucun d'eux n'avait vraiment souffert de la dépression, ils étaient atteints par la morosité générale qui prévalait en pareil temps dur. Restait quand même la joie du quotidien glanée dans des riens qu'il suffisait d'arranger en bouquets fleuris. Et en cela, Berthe était experte.

Chacun savait qu'il retrouverait l'autre et pourtant, il restait une place infime pour le doute. Dans la vie, on ne peut jamais être sûr de rien, se disait-il souvent autour d'eux.

On entendit le sifflet du train au loin. L'on s'échangea un regard qui disait tout d'un regret, d'une contrariété en même temps que d'un bonheur important. Mais chacun garda le silence. Le bruit de la chaudière de la locomotive entra dans celui des coeurs comme pour s'y harmoniser à celui d'un grand et vrai sentiment commun. Dans bien peu de temps, l'engin géant entra dans le décor, tout noir, soufflant par à-coups ses jets de vapeur lourde, annonçant sa puissance imposante et ordonnée.

C'était le train de la séparation en même temps que celui de la réparation. Grâce à lui, chacun remettrait sa vie future sur les bons rails, sur ceux qui vous font bâtir une distance infinie côte à côte, vers la liberté dans la fidélité.

Mais le destin réserve parfois des virages imprévus... et plus encore à qui s'en va vers de nouveaux rivages...

L'absence d'Ovide devait durer plusieurs mois. Berthe retrouva sa petite vie tranquille et put consacrer ses temps libres à ses nouvelles fonctions de bibliothécaire au Cercle des fermières et à quelques événements sociaux qui occupèrent une place bien en vue dans le carnet mondain de Saint-Honoré.

C'est ainsi que peu de temps après l'élection provinciale qui porta au pouvoir Maurice Duplessis et l'Union nationale, on put lire dans le journal *L'Éclaireur* sous la plume d'Anne-Marie Lambert, l'article suivant :

"Dimanche le cinq courant, Mlle Berthe Grégoire donnait une réception en l'honneur de son amie Mlle Yvette Laporte de Lac-Mégantic. Les invités étaient Mlles Yvonne Blais, Carmelle Beaulieu, Marie-Anna Nadeau, Bernadette et Cécile Champagne, Germaine Poirier. Rachel et Berna-

*dette Grégoire, MM Henri-Louis et Raoul Blais, Louis Gou-
let, Henri-Paul Campeau. On débuta en jouant une bonne
partie de cartes, suivie d'un succulent goûter, distribution de
gentils cadeaux, chants et musique firent sentir ces heures
aussi délicieuses que courtes. C'est avec regret que l'on se
sépara, reconnaissants à Mlle Grégoire de sa cordiale hos-
pitalité et espérant qu'elle nous réserve encore de ces char-
mantes réunions."*

Un clocher dans la forêt, page 90

*

Ce fut là une des nombreuses réceptions données par
Berthe; et s'y trouvait presque toujours, sauf à celle-là, sa
cousine et amie Lucienne Boutin. La fille aînée d'Éva avait
cinq ans de moins que Berthe, mais voici que leur différence
d'âge y paraissait bien moins depuis que toutes deux avaient
franchi le cap des vingt ans, l'une maintenant à 26 et l'autre à
21 ans depuis le tout début de 1936.

Malgré son salaire du gouvernement pour sa fonction
d'agent des terres, –régulier mais peu élevé– Arthur ne vivait
pas dans la richesse, et loin de là par ce temps de crise.
Lucienne souffrait du manque d'argent et aspirait à mieux.
Après l'incendie de Saint-Gédéon, il avait fallu en fin de
compte la retirer de l'école afin qu'elle seconde sa mère dans
les tâches de maîtresse de maison. Éva lui montra tout ce
qu'elle savait et cela valait autant et même plus qu'un diplôme de onzième année qui l'aurait rendue apte à enseigner.
Ses lectures nombreuses et variées lui avaient donné une for-
mation enviable. Les atouts qu'elle détenait la prédisposaient
donc au mariage ou à un emploi de gouvernante chez des
gens riches. Ceux-ci ne courant pas les rues de Shenley, elle
songea à partir pour aller s'établir à Montréal. Un poste de
gouvernante offert par la famille Bronfmann fit l'objet d'une
annonce dans *La Presse*. L'abbé Foley, mis au courant par
Bernadette des désirs de Lucienne, découpa l'annonce et la
lui fit parvenir. Aussitôt, elle écrivit à l'adresse indiquée et

reçut bientôt une convocation. Elle se rendit là-bas, obtint le poste et revint prendre ses affaires et saluer son monde.

La veille de son départ, Berthe voulut qu'une photo d'elles soit prise, qui exprimerait pour longtemps leur profonde amitié.

"Comme ma mère avec Alice et Cédulie Leblond, on est des cousines-soeurs, toi et moi!"

"On va s'écrire souvent !" avait répondu Lucienne, la joie au coeur et des larmes plein les yeux.

Le chemin qui la menait chez les Bronfmann était peut-être aussi le chemin du célibat pour Lucienne Boutin...

*

Henri Grégoire, l'expatrié de Waterville, émergea d'une sorte de longue hibernation ayant duré près de sept ans. Un être d'exception frappa à la porte de sa solitude et devant sa gentillesse, son amabilité, sa générosité, la solitude n'eut d'autre choix que de plier bagage et de chercher ailleurs.

Clara Anctil allait devenir la deuxième épouse d'Henri Grégoire qui venait d'entrer dans les premières années de la quarantaine.

L'union était prometteuse. Henri sentait qu'elle durerait jusqu'à sa mort...

***

Lucienne Boutin et Berthe Grégoire

Chapitre 27

1937

–Huit ans que ça dure, la crise, pis on sait pas quand ça va finir.

–Le président Roosevelt améliore les affaires, mais pas tant que ça.

–D'aucuns disent que la prospérité revient en Allemagne avec le chancelier Hitler.

–Chancelier ? C'est ben plus qu'un chancelier, c'est un dictateur. Il ramasse les pleins pouvoirs entre ses mains depuis trois, quatre ans.

Il s'était formé un cercle de placoteux au bout de la table centrale, comme au temps d'Honoré. C'était rare et il fallait un événement important pour que ça se produise comme en ce soir du 7 janvier.

Les pipes fumaient.

Par-dessus ses lunettes, Bernadette jetait parfois un oeil à ces hommes en mal de paroles inutiles. Et se souvenait du temps où elle devait frotter et frotter le plancher, trop souvent souillé des crachats noirs de ces fumeurs mal éduqués.

Et pourtant, l'événement de la veille la touchait plus encore que tous ces bavards réunis autour de son frère Alfred assis dans son fauteuil de bois brun près de la grille de la fournaise, laquelle poussait vers le ciel ses chaleurs et ses vapeurs. Peut-être même les pensées des hommes. Et qui sait si le personnage légendaire décédé la veille ne se trouvait pas au milieu d'eux comme l'avait été en 1899 Cordélia Viau au soir dangereux d'un récit macabre.

Il y avait là Mathias Dulac, Pit Veilleux, Ernest Mathieu, Louis Grégoire, Louis Paradis, Jean Lacasse et Fortunat Fortier. À presque cinquante ans, Freddé était le doyen du groupe et le plus jeune en était Fortunat à 33 ans. Mais bientôt s'ajoutèrent deux adolescents du village, amis et joueurs de tours : Georges-Henri Boutin et Luc Grégoire, tous deux du même âge à 15 ans et tous deux élèves de la classe des garçons dirigée par le maître d'école Laval Beaulieu. Ils prirent place sur la table-comptoir centrale, jambes qui gambillaient pour passer leur rire sans rien laisser paraître dans leur visage.

Tous les autres avaient pris place sur des chaises droites et l'on formait un véritable cercle fermé, sans toutefois que les paroles n'y soient emprisonnées, bien au contraire. Même qu'elles atteignaient Armand Grégoire qui lui, avait pris place dans l'escalier, au milieu des marches et faisait en sorte de se tenir à une certaine distance des attroupements vu sa tuberculose non diagnostiquée mais qu'il savait couver en sa poitrine.

–Qui c'est que ça intéresse de mourir à 92 ans comme le frère André ?

Car c'est de lui qu'il s'agissait. Le célèbre thaumaturge du mont Royal avait rendu l'âme la veille, et son décès avait lancé une onde de choc dans toute la catholicité de l'Amérique du Nord.

–Si tu meurs en bonne santé, moé, ça m'intéresse, lança Fortunat.

–Moé avec ! approuva Mathias.

Luc souffla à l'oreille de Georges-Henri :

–Nous autres, on va vivre jusqu'à cent ans.

–Toé peut-être, mais pas moé, lui répondit son ami sur le même ton.

Malgré ce deuil national, les hommes préféraient parler de la situation économique du pays et du monde. Aussi, en revinrent-ils à leur sujet précédent : Roosevelt ou Hitler.

–Pour prendre les bonnes décisions pour tout un pays, ça prend une main de fer, argua Jean Lacasse, un petit bougon d'homme qui consommait des tonnes de tabac chaque année pour alimenter sa pipe noire et crasseuse.

Le forgeron y mit son étincelle :

–Ben moé, j'dis que Roosevelt, c'est un homme comme Wilfrid Laurier. Rappelez-vous du temps de Laurier...

–Ben du bon sens, ça, Ernest ! approuva Freddé.

–Oué, mais les décisions importantes, ça se prend plus à Québec qu'à Ottawa. Mais Duplessis, c'est pas un dictateur comme Hitler, c'est certain, ça.

Louis Paradis parla à son tour, en hésitant et en bégayant selon son habitude, et aucunement parce que le groupe l'intimidait :

–Om... m... mer est m... m... mort parce que y a pas de règlem... m... ments dans les m... m... mines à Thetford...

Il fallait décoder, trouver le lien entre la mort d'Omer Paradis survenue dans une mine d'amiante et le pouvoir politique, qu'il soit de Duplessis, Roosevelt ou Hitler.

Louis Grégoire le regarda avec curiosité; et il enterra son propos d'un grand coup de pelle après en avoir excavé le contenu dans un vieux cliché :

–C'est la guerre qui va ramener du gagne au monde. Ça prend une guerre. Hitler pis Mussolini, y ont l'air pas mal baveux, c't'es deux-là, ils pourraient ben se mettre à se chicaner. Pis ça, ça va faire virer nos 'shops'...

–Ben non, ben non, intervint Pit Veilleux, ils s'entendent comme des larrons en foire. L'Allemagne, c'est avec la France qu'elle va se battre, avec la France pis l'Angleterre, pas de contre l'Italie.

Georges-Henri et Luc continuaient de se murmurer des choses à l'oreille de temps en temps, mais ils figèrent quand survint un personnage qu'ils ne s'attendaient pas à voir là : leur professeur. Dans la jeune vingtaine, Laval Beaulieu était sévère dans son visage autant que dans sa manière d'enseigner. Il gardait dans son tiroir de bureau une lanière de cuir d'un demi-pouce d'épaisseur et l'arborait chaque première semaine de classe de l'automne. Gare aux délinquants ! Et délinquant voulait dire cancre et indocile. Par bonheur pour eux, Georges-Henri et Luc n'étaient ni cancres ni indociles. Mais leur envie de se payer la gueule des discuteurs figea net avec l'entrée de l'air glacial par la grande porte. Suivait leur professeur de quelques secondes Jeanne d'Arc Mathieu qui passa devant eux en les ignorant tout à fait pour se rendre à Bernadette et lui demander à voix basse, sur le ton de la confidence, du coton à fromage...

Le professeur aussi avait ignoré ses deux étudiants et s'était rendu droit au bureau de poste pour y quérir son courrier. Armand dit à Freddé de laisser faire et il se rendit lui-même à l'office pour répondre à la demande silencieuse de l'arrivant. Les deux hommes conversèrent. Et ne parlèrent ni du frère André ni de la crise mais plutôt des dirigeables et de Mary Pickford, veuve de Douglas Fairbanks, qui s'apprêtait à épouser l'acteur Buddy Rogers.

Luc avait le coeur qui battait la chamade comme chaque fois qu'il apercevait Jeanne d'Arc. Elle lui souriait immanquablement quand ils se croisaient sur le trottoir ou bien au magasin, mais voici qu'elle ne l'avait même pas regardé. Que se passait-il donc ? Il se pencha et souffla un plan à l'oreille de Georges-Henri. Aussitôt, ils quittèrent les lieux et coururent chez Pampalon où ils s'affublèrent de masques taillés dans du carton et qui avaient servi au dernier mardi gras. Puis marchèrent derrière l'hôtel et la maison Boutin jusque près de la vieille maison presbytérale abandonnée que certains disaient hantée par d'anciens curés morts comme l'abbé Faucher ou l'abbé Quézel.

Ils eurent de la chance. Jeanne d'Arc, bien emmitouflée dans son manteau noir à col de fourrure, sortit du magasin et allait traverser la rue sombre sur la neige durcie quand des ululements d'oiseaux nocturnes se firent entendre. Elle s'arrêta au milieu du chemin, regarda dans toutes les directions, rajusta son petit paquet sous son bras.

Le crissement de la neige sous ses pieds se mélangea à de nouveaux 'hou hou hou', produits par les voix des deux adolescents cachés. Elle se tourna dans la direction du son. Les amis se plaquèrent contre le mur dans la presque noirceur de cette nuit si froide de janvier. Soudain, une main trouva le masque de Luc et l'arracha d'un coup sec tandis que la jeune fille éclatait de rire. Pour ajouter à l'embarras du jeune homme, elle approcha son visage et lui souffla de l'air chaud sur la joue avant d'y déposer un furtif baiser.

Voilà qui décontenança l'adolescent. S'il fallait que leur professeur soit témoin de la scène. Les choses n'avaient pas du tout tourné comme on l'avait souhaité : voir Jeanne d'Arc courir se réfugier chez elle pour y cacher ses peurs des revenants. Elle les avait vus au magasin, les avait vus en sortir, les savait joueurs de tours et avait su au premier ululement que c'étaient eux les hiboux.

Elle tourna les talons et courut chez elle en riant.

Laval Beaulieu sortait alors du magasin. Il la vit courir, escalader l'escalier, se précipiter à l'intérieur de la maison. Il la trouvait bien jolie, cette adolescente... Par bonheur pour Georges-Henri et Luc, il ne les aperçut ni ne les sentit, encore hésitants et bredouilles à côté de la vieille maison, plus blanche que grise en cette soirée hivernale.

*

Déménagement pour Pampalon Grégoire et sa famille. Jos Gosselin se lassa bien vite du métier d'hôtelier. Il annonça sa décision de partir à la propriétaire qui aussitôt entra en contact avec celui qui zyeutait l'établissement depuis tant d'années. Pas question pour elle de revenir vivre à Saint-Honoré. Elle céda l'hôtel à un prix raisonnable à la portée de son acheteur.

Un déménagement plus notoire se produisit de l'Europe vers l'Amérique ces jours-là. Léon Trotski, penseur de la Révolution bolchevique, banni d'URSS en 1929, plia ses bagages en Norvège pour se réfugier au Mexique par crainte de se faire assassiner là-bas. (*Peine perdue, il le serait quand même trois ans plus tard par un agent stalinien qui le tuerait à coup de piolet.*)

À la famille d'Arthur Boutin de déménager aussi par ce beau printemps de grand soleil. La distance à parcourir avec le mobilier ne fut pas grande puisqu'on s'installa dans une maison pas bien loin de celle du docteur Goulet vers le bas du village.

Petit branle-bas également au sein de la famille Mathieu puisque naquit à Éva et Ernest un dixième enfant qui fut baptisé sous le prénom de Céline. (*Elle mourrait quelques semaines après sa naissance de mort subite au berceau.*)

Après la mort du frère André, une autre nouvelle d'exception intéressa les hommes ce printemps-là. L'événement eut lieu le 6 mai et dès ce jour, la radio en parla avec abondance. Mais il fallut attendre le lendemain pour lire les reportages dans les grands journaux. Un accident épouvantable était survenu à Lakehurst au New Jersey, impliquant le joyau parmi les dirigeables allemands, le *Hindenburg,* un léviathan de 800 pieds de longueur qui s'enflamma en 32 secondes, sonnant ainsi le glas de ce moyen de transport tant prisé par les uns et craint par les autres. Bilan : 34 morts. Fini à tout jamais le mythe des dirigeables ! Et coup dur aux Nazis qui utilisaient l'aéronef comme instrument de propagande depuis son vol inaugural le 4 mars de l'année précédente.

Le souci des paroissiens tenait plus aux choses du quotidien que celles des événements lointains, fussent-ils de l'importance de la catastrophe du *Hindenburg* ou bien du mauvais parti que les Nazis faisaient aux Juifs en Allemagne. Et même de ces menaces de guerre en Europe...

Pie XI continuait d'être le saint Père de Rome. Cette année-là, il condamna officiellement les excès du fascisme et du bolchevisme. Par son attitude trop intransigeante au goût des pouvoirs irrités de Hitler en Allemagne et Mussolini en Italie, le pape risquait gros malgré les accords de Latran qui dataient d'une décennie déjà.

C'était l'année des poids lourds aussi en boxe avec la victoire du champion mondial Joe Louis sur son adversaire Braddock.

Et puis la guerre civile d'Espagne se poursuivait après des mois de combat entre les troupes de Franco et celles de la République. On parlait peu à Saint-Honoré de cette lutte sanglante où l'on se '*battait pour Dieu et pour le Diable*' (Hemingway).

Les filles à Freddé continuaient de former un clan serré et fermé. Les motifs pour ça demeuraient les mêmes : leur embarras grandissant à cause de la maladie de leur mère, la présence d'une aide domestique sévère, un environnement bien pourvu en moyens de divertissement comprenant l'espace (intérieur et extérieur) disponible aux alentours, les objets de luxe dont on ne se privait pas, les voyages que le père pouvait payer à ses filles et leur payait volontiers. Et puis l'austère Rachel donnait la note par un enfermement physique et moral qui signait celui de ses soeurs.

Bien que muette, Solange fréquenterait le couvent des bonnes soeurs en septembre; pour l'heure, elle vivait l'innocence de l'enfance dans un monde voisin de l'autisme.

À dix ans bientôt, Honoré se sentait isolé dans ce monde par trop féminin pour un garçon de cet âge. Il se faisait discret, effacé, solitaire. Quelque chose l'inquiétait à propos de lui-même : un vague sentiment lui faisait croire souvent qu'il n'était pas comme les autres de son âge, les Gilles Grégoire (son cousin), Marcel Veilleux fils de Pit, Vincent Beaulieu fils de Cyrille et Jean-Paul Racine, l'aîné chez Amédée.

Pour Armand, l'été, c'était le bon temps. Aucun rhume, aucune grippe pour accentuer les signes de tuberculose chez lui, et puis il passait une partie de ses journées dans son camp qu'il avait doté du courant électrique ainsi que d'un poêle à bois pour réchauffer l'intérieur et/ou y faire un peu de cuisine à l'occasion, et l'autre sur le cap à Foley où il cultivait des fleurs et des plantes diverses, sans jamais manquer de payer une visite clin d'oeil à la tombe de la 'Patte-Sèche', l'ineffable quêteux qui dormait pour toujours à l'ombre des verts sapins.

Cette vie de rentier lui permettait de s'adonner à son alcoolisme hors de vue de ses proches qui, de toute façon, préféraient garder les yeux fermés. Même que Bernadette, Berthe et Alfred ne s'en parlaient jamais entre eux. La discrétion du jeune homme de trente ans commandait celle des trois Grégoire de sa génération vivant encore à Shenley.

Si les filles à Freddé se faisaient absentes du coeur du village tout en y vivant en permanence, il n'en était pas de même de celles d'Éva. Certes, Lucienne avait quitté la Beauce pour Montréal, mais Aline se promenait tous les soirs en compagnie de Jeanne d'Arc Mathieu tandis que sa petite soeur Lise avait trouvé l'amitié auprès de Dolorès.

Les deux fillettes marchaient ce jour-là sur le chemin Foley quand Bernadette les héla puis leur fit prendre la pose devant sa maison, photographia. Sitôt après, Armand sortit de son camp et à son tour appela les deux amies :

–Hé, les petites filles, voulez-vous manger des bonnes patates frites ?

Bernadette fit les grands yeux pour elles :

–Hon, t'as fait des patates frites ?

Mais Dolorès et Lise ignoraient toutes deux de quoi il s'agissait vraiment. Elles le devinaient par les mots, mais n'avaient jamais goûté à ce qui semblait un délice, à en juger par la façon dont en parlaient l'oncle et la tante de Lise puisque leurs yeux se faisaient grands comme des bouches gourmandes.

–Ouais... pis j'en ai rien que pour les enfants pis moi.

–Tornon d'égoïste !

Armand secoua la tête en riant.

–Je vous en ferai demain, à toi pis Berthe.

–C'est comme tu voudras.

Les deux fillettes coururent vers le camp. Il les fit asseoir sur le divan noir et avança devant elles une table basse. Une odeur de friture remplissait l'air et imprégnait les choses.

–En as-tu déjà mangé, des patates frites, Lise, toi ?

La fillette ne voulait pas avouer la vérité comme si c'était un péché honteux de ne pas connaître ce mets.

–J'pense pas, hein ! Pis toi, Dolorès ?

–Ben... n...

–Ben content : j'vas vous faire connaître quelque chose de ben bon. Faut manger ça avec du vinaigre pis du sel. Les patates sont dans l'huile de cuisson en train de dorer. Aussitôt qu'elles sont prêtes, on en mange comme... des cochons.

Et l'homme fit de grands yeux qui, associés à son langage, amusèrent les enfants.

Dolorès et Lise se régalèrent ce jour-là. Jamais elles ne devaient oublier le goût de ces premières patates frites de leur vie...

C'est aussi qu'elles goûtèrent tout autant à un second plaisir que leur apporta, cette fois un autre de leurs sens, celui de l'ouïe. Armand s'était procuré un tourne-disque et un seul disque pour le moment. Pendant que les fillettes dégustaient leurs frites copieusement arrosées de condiments, il leur fit entendre cette chanson qu'elles ne connaissaient pas plus que le mets nouveau.

–C'est la voix de monsieur Tino Rossi.

–Qui ? demanda Lise.

–Monsieur... Tino... Rossi.

–Ah !

–Un chanteur français. Mais pas un Français du Canada comme nous autres, là, un Français de France.

Armand posa l'aiguille sur le disque et alla prendre place sur la berçante à côté d'une petite table sur laquelle était son assiette de frites dorées.

Et il ferma les yeux tout en mangeant pour entendre les mots lancés à la cadence militaire par la voix d'or du crooner français.

Les soldats sont là-bas endormis sur la plaine
Où le souffle du soir chante pour les bercer.
La terre aux blés rasés parfume son haleine,
La sentinelle au loin va d'un pas cadencé.
Soudain voici qu'au ciel, des cavaliers sans nombre
Illuminent d'éclairs l'imprécise clarté,
Et le Petit Chapeau semble guider ces ombres
Vers l'immortalité !

Les voyez-vous,
Les hussards, les dragons, la Garde ?
Glorieux fous d'Austerlitz que l'aigle regarde,
Ceux de Kléber,

De Marceau chantant la victoire,
Géants de fer
S'en vont chevaucher la Gloire.

Pour des enfants de cet âge, pareil chant de guerre, malgré le lyrisme de son titre, *Le rêve passe*, échappait en bonne partie à leur compréhension. 'Sentinelle', 'immortalité', 'hussards', 'Austerlitz', 'Kléber' : les mots étranges passaient comme des soldats dans un ordre prévu et rythmé. La voix chaude et dorée de Tino Rossi était associée dans leur tête aux patates frites tandis que les mots secs et parfois acidulés de la chanson faisaient figure de condiments.

Et Armand ne cessa de faire tourner le disque tout le temps que dura la dégustation à trois.

Et dans un pays clair où la moisson se dore
L'âme du petit bleu revoit un vieux clocher
Voici la maisonnette où celle qu'il adore
Attendant le retour, tient son regard penché...
Mais tout à coup, douleur ! il la voit plus lointaine
Un voile de terreur a couvert ses yeux bleus
Encor les casques noirs ! l'incendie... et la haine !
Les voilà ! Ce sont eux !...

–C'est un beau chant de guerre vous savez...

–C'est quoi, ça, la guerre ? demanda Dolorès.

Armand réfléchit un moment avant de répondre :

–Voyez-vous le fusil qui est accroché au mur en arrière de vous autres ? Je vais vous expliquer...

***

Lise Boutin et Dolorès Mathieu
devant la maison à Bernadette
En second plan : le camp à Armand

Chapitre 28

1938

–Regarde, c'est écrit là, su' la pelle en noir sur blanc.

–Où c'est ?

–Là... Voyons donc, Jos Page, rouvre-toé les yeux pour lire.

Le problème, c'est que Jos ne savait pas lire. Le problème, c'est qu'il ne comprenait pas tous les raisonnements, même les plus simples qui se tenaient à portée de ses oreilles. Oreilles pas propres, et ça aussi était un problème. Le problème, c'était de plus qu'il ne suivait en aucune façon l'actualité internationale. Alors quand Uldéric Blais lui parlait du tour du monde en avion que venait d'accomplir le jeune milliardaire américain Howard Hugues, Jos nageait en plein mystère, l'oeil éberlué.

La scène se passait dans un cagibi de pas six pieds de hauteur situé au ras du sol dans le moulin à scie, tout près de l'engin à vapeur qui fournissait l'énergie requise pour accomplir toutes les opérations de débitage, d'aplanissement et de délignage du bois.

En fait, l'étiquette de métal sur la pelle ne contenait que la raison sociale d'une des compagnies américaines propriété de l'homme d'affaires flamboyant, aviateur à ses heures voire même plus souvent qu'à ses heures... Hugues Tools : tel était le nom écrit là...

–Pis comme ça, y'arait faite l'tour d'la terre en aéroplane, c'te gars-là qu'tu dis, toé, Déric ?

–C'est ça qu'on te dit depuis tantôt, Jos.

La voix d'Uldéric remplissait la petite pièce et enterrait totalement le bruit de l'engin qui provenait d'une pièce voisine. Avec eux se trouvait Mathias Dulac qui écoutait sans dire, lui-même sans trop savoir de qui parlait ainsi avec une telle admiration l'industriel pour qui il travaillait au moulin tout comme Jos Page.

Dehors, la pluie tombait. Les grosses dégouttières formaient un barrage d'eau devant la porte laissée ouverte à longueur de jour durant la belle saison.

–Avec ta machine flambante neuve, tu pourras fére l'tour du monde, toé itou, Déric.

–Ben non, ben non ! Ça roule pas su' l'eau, ça, une 'machine'... pis ça vole pas dans les airs comme un aéroplane.

Cette fois, Dulac intervint :

–Ent'r nous autres pis l'Europe, y a l'océan...

–Jhe l'sé, jhe l'sé, protesta Jos. Mais la machine à Déric, t'as mets su'un bateau pis tu travarses la mer, jériboère...

Uldéric éclata de rire tout en posant la pelle contre le mur de lattes. Voici qu'on avait pris Jos pour plus ignare qu'il ne l'était. L'idée de se rendre en Europe avec son automobile n'était pas si bête après tout. L'industriel possédait une Chevrolet coupée de couleur marine caractérisée à première vue par un imposant pare-soleil puis par son poids de près de trois mille livres. Peut-être pourrait-il aider son épouse Julia à réaliser son rêve de voir Paris et en profiter pour faire une virée par toute la France au volant de son propre véhicule. Il y aurait de quoi épater la galerie là-bas. Mais la population de Shenley lui en ferait sans doute reproche et dirait qu'avant de se payer pareil luxe, il ferait mieux de hausser les salaires de ses employés.

–Ça serait une bonne idée, mon Jos, mais en attendant, va donc chauffer le 'boiler'.

Tel était le boulot de Joseph Lepage au moulin à scie : voir à ce que la pression de la vapeur dans la chaudière soit la bonne et pour ça, alimenter la fournaise de bran de scie, délignures, copeaux de toutes sortes et même de bois coti auquel on ne saurait trouver meilleur usage.

Jos allait se lever pour partir quand une ombre parut devant la porte sous la pluie battante. On ne pouvait voir la personne. Les vêtements noirs et poussiéreux disaient un homme qui paraissait tituber. Le front d'Uldéric se rembrunit. Qui donc avait bu et se présentait en état d'ébriété en cet endroit ? L'inconnu s'arrêta. Mathias devina qu'il avait posé son bras contre le mur pour éviter sans doute de tomber. Il fut le premier à comprendre qu'il s'agissait d'un blessé et non d'un ivrogne.

Enfin l'arrivant pencha la tête et franchit le chambranle puis s'introduisit à l'intérieur. Uldéric blêmit de stupeur. Chacun reconnut là l'un de ses fils : Ovide, jeune homme de 28 ans qui travaillait aussi au moulin, mais dans l'autre section, celle où l'on fabriquait des boîtes à fromage. Il semblait gravement blessé en effet. Du sang coulait de son visage d'un côté. Difficile au premier coup d'oeil de savoir ce qui lui était arrivé exactement. Visiblement, il avait été atteint par un projectile quelconque, mais quoi et de quelle manière ?

–C'est quoi qu'il t'arrive, Ovide ? demanda son père.

Il n'obtint pour réponse qu'une lamentation incertaine et des gestes vagues. Mathias sentit que le jeune homme allait s'effondrer et se précipita pour l'aider en le soutenant. On le fit asseoir.

–Je vas chercher la 'machine' pour t'emmener voir le docteur, fit Uldéric qui aussitôt sortit.

Le corps du blessé était agité de frissons ou peut-être de convulsions incontrôlables provoquées par la blessure au front et à l'oeil.

Soudain, Ovide perdit conscience et s'affala entre les bras de Mathias.

–Aide-moé, Jos, on va le sortir d'icitte en dessour des bras pis l'emmener à la machine à son père.

–Ben oué...

Ce qui fut fait. Ovide fut mis sur la banquette arrière. Mathias prit place devant comme le lui avait demandé Uldéric et l'on se rendit chez le docteur Goulet.

Un autre moulin à scie avait fait d'un de ses employés un autre infirme. Quelqu'un dans la fabrique de boîtes à fromage avait, par distraction ou par un jeu irresponsable, poussé un morceau de bois à l'envers de la scie. L'objet avait forcément été catapulté dans l'autre direction et ce pauvre Ovide Blais en avait été heurté en plein front côté gauche et sur l'oeil. Le dommage à l'oeil avait suffi à le lui faire perdre. Le globe avait littéralement explosé à l'impact. Le dommage au cerveau avait suffi à provoquer une paralysie qui s'atténuerait dans les semaines à venir mais laisserait des séquelles importantes au niveau du bras et de la jambe gauches.

Ce fut la consternation au village... pour une heure ou deux...

*

La vie se faisait plus douce pour le frère d'Ovide, Raoul, qui fréquentait assidûment la belle Marie-Anna Nadeau et s'arrangeait pour la voir, même en territoire interdit, c'est-à-dire au jubé de l'orgue quand la jeune organiste pratiquait certains soirs de semaine.

En cette soirée de juin, alors qu'on pouvait entendre le son de l'instrument aux alentours de l'église vu qu'il s'échappait par des fenêtres ouvertes, le jeune homme se faufila par la sacristie et rejoignit sa belle qui ne s'arrêta pas de jouer quand il parut à côté du grand Casavant.

Mais elle lui adressa son plus large sourire.

Le jeune homme s'arrêta, posa son coude sur une tablette accrochée à l'orgue et mit sa main en éventail autour de son oreille pour mieux capter le son et montrer à quel point il en était ravi. Elle poursuivit son jeu. Leurs yeux se croisaient parfois, se parlaient de tendresse et d'avenir.

Survint un visiteur inattendu. L'apercevant, Marie-Anna cessa net de jouer. C'était le curé Ennis. Il avait vu Raoul entrer dans la sacristie. Et savait déjà que le jeune homme retrouvait la jeune femme à l'orgue certains soirs. Ce n'était pas convenable à ses yeux. Il intervenait.

–Bonsoir vous deux !

–Bonsoir monsieur le curé ! dirent-ils à voix mélangées.

–Y a pas à dire, l'église vibre ce soir, n'est-ce pas ?

–Un orgue de douze jeux, ça vous fait vibrer une église, approuva Marie-Anna.

–Et j'ai même l'intention qu'on fasse ajouter des jeux, dit le prêtre avec un signe affirmatif. Ton talent en mérite plus que douze, Marie-Anna.

Déjà rouge, la jeune femme rougit plus haut... et plus bas dans son visage. Raoul rit nerveusement. Il se savait un peu délinquant d'être là. Car aucune affaire à part celles du coeur ne l'y avait conduit. Mais l'attitude froide et non accusatrice du prêtre commençait de le déculpabiliser.

–Je suis venu pour vous dire que... peut-être qu'il n'est pas convenable que deux jeunes gens se rencontrent ici.

–Ah, mais c'est pas coutume ! Hein, Marie-Anna ?

–Bien sûr que non, monsieur le curé !

–Le mot coutume peut ressembler à un élastique si on veut bien l'étirer. Depuis les beaux jours, je t'ai vu entrer le soir par la sacristie une bonne dizaine de fois, mon cher

Raoul. Et par un curieux hasard, c'était chaque soir un soir de pratique pour notre chère organiste. Certains paroissiens trouvent la chose un peu... disons déplacée.

–Qui ça ?

–Un prêtre, sourcilla l'abbé, ne révèle jamais ses sources.

–On fait pas de mal, monsieur le curé, voyons. Raoul vient m'entendre jouer, c'est tout.

–C'est très innocent, bien sûr, mais des gens ne le voient pas du même oeil. On dit que des fréquentations entre jeunes gens et jeunes filles, ça doit se faire dans les maisons sous la surveillance des parents.

–Tout de même, Raoul et moi, on a 25 ans tous les deux. On se conduit bien depuis qu'on se voit.

Le prêtre fit un signe négatif de la main et de la tête :

–Je n'en doute aucunement. Autrement, je serais intervenu dès la première visite de Raoul ici. Mais... comprenez votre curé. Je suis mal placé... Tout ce qui se passe à l'église ou aux alentours doit faire exemple, doit faire bon exemple.

Puis il changea de ton et prit celui de la fermeté tout en redressant la tête pour continuer :

–Ceci étant dit, Raoul, je compte sur toi à l'avenir pour donner ce bon exemple. Est-ce que tu es d'accord ?

Qui oserait contredire le curé ? Qui voudrait seulement le contrarier ? Le jeune homme acquiesça :

–Vous pouvez compter sur moi.

L'abbé lui mit la main sur l'épaule :

–Un bon soldat aujourd'hui sera demain un bon général. Viens avec moi, les gens nous verront sortir ensemble et sauront que nous avons la situation bien en main. Et toi, Marie-Anna, continue ta musique : elle est divine. Et pense que je vais faire ajouter quelques jeux à ton orgue.

Elle mit sa tête en biais, son sourire en biais, son coeur en biais :

–Je ne vais sûrement pas l'oublier. Et je vous dis bonsoir, monsieur le curé.

Beau grand jeune homme à cheveux bruns vagués en désordre, Raoul Blais possédait l'art de nuancer les choses et celui de se rallier au plus fort, mais il pouvait se montrer très dur envers ses frères plus jeunes, Dominique et Marcel. En cela, il prenait exemple sur son père. Pas question avec Marie-Anna de jouer à la fermeté car elle était jeune femme de décision, de volonté voire d'autorité farouche parfois.

Dans le quart d'heure qui suivit, il fit l'amitié avec le curé qu'il connaissait peu jusque là et le prêtre fut soulagé et heureux de constater à quel point ce jeune homme se révélait de bonne composition.

Marie-Anna et Raoul se retrouvèrent après la pratique. Il l'attendait, assis sur le perron du magasin à regarder les voitures à chevaux et les automobiles passer dans un sens ou dans l'autre en ce coeur de village où une nouvelle animation semblait se faire sentir par-dessus les effets tranquillisants de la grande dépression économique, moins dure mais non moins présente après dix longues années de ravage...

*

Un être moins pessimiste et catholique que l'Indienne Amabylis de regrettée mémoire aurait sans doute parlé du don de la séduction plutôt que du démon de la concupiscence quand, lors d'une transe hypnotique, elle avait perçu l'être futur d'Éveline Martin avant même sa naissance. Et ce qui avait alors pris allure de péché imprégné dans sa personne morale par la fatalité eût été vu autant par sa mère Odile que par elle-même toutes ces années de sa jeunesse voire de son temps de mariage, comme un beau grand cadeau du ciel.

À 38 ans, Éveline Martin continuait de troubler les hommes qui entraient dans son voisinage immédiat et de rendre les femmes moins empesées, qui sentaient en elle une sorte de vent de liberté qu'elles auraient bien voulu goûter.

Onze ans plus jeune qu'Éveline, Berthe était animée de ce même souffle quant aux grands espaces qui l'appelaient et l'attiraient comme des aimants, mais, toute jolie qu'elle fût, à part Ovide Jolicoeur, elle repoussait tous les garçons qui cherchaient à empiéter sur son espace moral vital.

Onze ans plus jeune que Berthe Grégoire, Jeanne d'Arc Mathieu, grande adolescente, possédait le sex-appeal de la toujours très belle Éveline Martin.

Ce jour de ciel tout bleu, le hasard les réunit toutes trois à l'intérieur frais du magasin. Alfred était dans les hangars; Armand dans son camp; Bernadette partie pour Québec. C'était l'heure entre deux arrivées de Pit Veilleux avec les sacs de malle, donc de bonne heure en après-midi. Une heure tranquille où les horloges fidèles inscrivent goutte à goutte sur les choses d'alentour des instants de bonheur simple et sans prétention.

Berthe lisait quand Éveline entra.

–Madame Poulin, bonjour !

–Bonjour, Berthe ! Belle journée, hein ?!

–J'voudrais ben être à Mégantic; j'irais me baigner à la baie des Sables.

–On manque de places par ici pour se tremper à l'eau.

–Tiens, j'ai déjà entendu ça.

–Par qui ?

Berthe soupira :

–Par quelqu'un qui est bien loin.

–Ovide ?

–Oué...

–Il revient pas vite, ton Ovide.

–Peut-être qu'il reviendra jamais.

–Il t'écrit au moins ?

–Souvent.

–Mais de moins en moins ?

–J'ai pas compté ses lettres.

–Et toi, tu lui écris souvent ?

–Toutes les semaines.

–Inquiète-toi pas. Si tu lui écris à toutes les semaines, tu vas aller le chercher avec tes mots. Des mots, c'est fort, ça. Il va revenir. Mais si tu veux pas qu'il revienne, t'as rien qu'à arrêter de lui écrire ou de lui écrire rien qu'une fois de temps en temps. Si lui t'écris moins, c'est pas grave. C'est tes lettres à toi, qui comptent. Tu le lâches pas... tu vas le chercher par le chignon du cou... avec des mots. À toi de choisir !

Étonnée de pareils conseils, Berthe regarda au loin, comme si ses yeux avaient le pouvoir de traverser la moitié du continent pour se rendre à Chicago. Elle imagina Ovide au bras d'une autre pour se rendre dans une salle de cinéma voir *Test Pilot*, le tout dernier film de Clark Gable et Mirna Loy. Il lui avait parlé de ce déluge d'émotions et sensations, grand succès de l'année de la M.G.M. Elle regrettait de ne pas être là-bas avec lui ou bien qu'il ne soit pas là avec elle...

Son esprit d'indépendance reprit le dessus :

–J'vais pas décider pour lui, madame Poulin. Si Ovide revient, il reviendra; s'il revient pas, il reviendra pas.

Jeanne d'Arc fit son entrée au magasin à ce moment-là. Il se fit une pause entre les deux autres femmes qu'elle rejoignit et salua.

–On était en train de dire : un de perdu, dix de retrouvés, fit alors Éveline.

Cela mystifia quelque peu celle qui arrivait et ignorait la teneur du propos précédent.

–Pourquoi aimer rien qu'un homme quand on peut se faire aimer par plusieurs ? enchérit Berthe avec un fin sourire mais sur un ton qui sonnait faux dans sa bouche.

–En plein ça ! approuva Éveline. Bien entendu, on parle pour une femme pas encore mariée. Le mariage, c'est la fidélité, c'est la vie à deux...

Berthe se souvint de la scène d'adieu sur le quai de la gare quand Ovide et elle avaient regardé ensemble les rails s'en aller là-bas dans la courbe et se réunir... Mais elle ne voulut pas s'attarder à ce souvenir et referma son album intérieur en se disant qu'il appartiendrait à Ovide de le rouvrir s'il devait mettre fin à son exil américain.

–Jeanne d'Arc, j'ai su que t'as passé tes examens ? Comment...

–C'est fait et j'ai eu mes résultats : suis diplômée. Je vais pouvoir faire l'école au mois de septembre.

–Ah oui ? Des bonnes notes ?

–Pas si mal !

–Succès ? Distinction ?

–Grande distinction ! C'est pas excellence, mais j'suis bien contente.

–Bravo ! Vas-tu avoir ta place par ici pour faire l'école à l'automne ?

–Non. Toutes les écoles sont prises par les anciennes. Mais je vas avoir une place à Courcelles.

–Ben contente pour toi !

Éveline ne participait pas à l'échange pour le moment. Le sujet précédent l'intéressait davantage, ces relations entre hommes et femmes auxquelles il lui arrivait de songer en explorant dans sa tête et son coeur des territoires hors ceux de la conformité et des commandements de la religion. Son père, cet 'homme à deux femmes' la poussait sans le savoir à une réflexion échappant au traditionnel.

Mais bien au-delà de la raison, il y avait la passion. Une passion que muselaient les us et coutumes. Une chaleur toute féminine et naturelle qu'exhalaient en ce moment autant la femme de 38 ans que celle de 16, et qui n'avait pas besoin d'être allumée, provoquée.

Un observateur en aurait eu la nette démonstration à voir entrer Laval Beaulieu, le glacial professeur de 24 ans qui habitait toujours chez son père Cyrille dans la maison voisine du couvent. Il salua les trois femmes d'un signe de tête à peine esquissé et poursuivit son chemin afin de porter ses lettres au bureau de poste, puis il revint dire à Berthe :

–Y a des timbres sur les enveloppes.

–Ben correct !

–Si c'est pas notre ami le professeur ! s'exclama Éveline pour l'arrêter et faire en sorte qu'il y ait échange.

–Que voulez-vous ? On est ce qu'on est.

Le jeune homme dévisagea Jeanne d'Arc qui lui souriait vaguement puis il se reprit d'attention pour les deux autres. Éveline dit :

–Savais-tu qu'on a une nouvelle maîtresse d'école avec nous autres ?

–Ah oui ? Qui donc ?

–Mademoiselle Mathieu.

–Ah oui ? Diplômée ? demanda-t-il à l'intéressée.

–Depuis trois jours.

–As-tu trouvé une école ?

–Oui, à Courcelles.

–Ah bon !

Le calme de cet homme allait-il bien en profondeur chez lui et les quelques mots qu'il consentait à échanger avec ces trois personnes du sexe opposé démontraient-ils un maximum d'empathie possible de sa part ? Voilà qui était bien probable. Qu'il se soit arrêté pour jaser un peu suffisait à montrer le pouvoir que pouvait exercer sur la gent masculine non pas seulement Éveline mais aussi la nouvelle maîtresse d'école, fraîche émoulue du couvent. Quant à Berthe, elle avait vite fait de se retirer à l'écart du cercle pour observer et attendre, réfugiée dans son discret mystère de toujours.

–Là-dessus, je... Armand est-il chez vous ?

–À son 'campe', répondit Berthe.

–C'est bien.

Le jeune homme repartit comme il était venu, de son long pas mesuré, lent, avec son visage de marbre et son regard bleu terne qui voyait tout sans bouger d'une ligne.

Éveline le regarda sortir. Jeanne d'Arc tourna la tête quand elle entendit la porte se refermer derrière son dos. Malgré son impassibilité, Laval ne put s'empêcher de tourner la tête aussi pour jeter un dernier coup d'oeil vers elles : regardait-il Éveline, regardait-il Jeanne d'Arc ? Nul ne le saurait jamais. Pour Berthe, une chose était sûre : il ne la regardait pas, elle... Et ça l'indifférait...

*

Trois jours plus tard, alors qu'elle se trouvait au même endroit, derrière le comptoir des dames, à lire en attendant une clientèle qui continuait de se faire très rare les jours de semaine, Berthe vit un cheval se cabrer devant la porte du magasin : un animal blond dont elle ne pouvait apercevoir l'oeil inquiet en raison de l'oeillère de la bride qui le cachait. Pas l'ombre d'une seconde, elle ne songea à Ovide Jolicoeur. Et pourtant, souventes fois, elle l'avait vu qui maîtrisait mal son attelage ou bien qui le faisait exprès pour offrir un spectacle style western en arrivant près du porche.

Elle ne pouvait apercevoir celui qui tenait les guides. Et la bête continuait de lever les pattes avant et de les agiter dans l'air avant de retomber puis de se cabrer encore.

–Il va finir par casser ses menoires, celui-là ! dit-elle tout haut malgré l'absence d'auditeurs.

Ce pouvait être Dominique Blais à qui il arrivait de prendre des risques en conduisant une voiture. Ce pouvait être Diomède Rouleau, un jeune homme d'une grande douceur quand il parlait, mais d'une agressivité certaine par cheval interposé. Ce pouvait être Lucien Jobin dit 'Casse-Pinette', un jeune homme à chevaux qui venait d'ouvrir une boutique de forge à l'autre bout du village. Ce pouvait aussi être Dominique Quirion surnommé 'Matak', un jeune homme d'environ vingt ans qui aimait se bagarrer, surtout quand il remportait la victoire : chose rare tout de même vu sa petite taille et sa musculature à l'avenant.

Mais ce n'était aucun d'eux. Le cheval redevint calme. Berthe retourna à son livre jusqu'au moment où la porte s'ouvrit pour laisser paraître, éclaboussé de lumière, l'exilé de Chicago. Il arrivait impromptu. N'avait rien dit dans sa dernière lettre à propos d'un retour prochain. Mais il était là, bien vivant, bien réel, devant les yeux agrandis de la jeune femme et sa bouche que la surprise faisait béer.

–O... O... Ovide ?...

–C'est moi.

Ainsi entouré de ce brillant halo de lumière, le jeune homme avait allure de miraculé ou bien d'un ange fait homme. Cette fois fut la première vraie où quelque chose en Berthe comprit que c'était lui, le sien, et pas un autre.

La fidélité des Grégoire ne correspondait pas à un simple devoir, c'était une seconde nature. Berthe avait gardé son coeur pour lui seul, bien qu'elle ait partagé des heures d'amitié avec des copains fiables de familles fiables comme les Blais, les Campeau, les Champagne...

Deux mots tout simples lui vinrent spontanément en bouche et elle les dit à mi-voix :

–Je t'attendais.

–Suis revenu !

–Entre donc ! Approche ! T'es arrivé quand ?

–À matin.

–Pit Veilleux me l'a pas dit.

–Je l'ai averti de pas te le dire... pour te faire la surprise.

–Pour une surprise, c'est une vraie surprise !

–Tu devais pas m'attendre ?

–Pas aujourd'hui, mais je t'attendais un jour ou l'autre.

–J'ai décidé ça vite...

Il s'avança et fut bientôt devant elle, une largeur de comptoir les séparant encore.

–C'est pour ça que tu me l'as pas écrit ?

–Disons.

Elle le regardait droit dans les yeux, un geste qu'elle posait rarement avec un homme de son âge. Cela lui venait de la peur que lui inspirait son père quand elle était petite et qui la poussait à paraître les yeux baissés devant lui.

–Je vas pouvoir te remettre l'argent que je te dois.

–J'ai jamais pensé à ça... Pour être honnête, quand je te l'ai prêté, j'ai pensé que ça t'aiderait à penser à moi. Me trouves-tu égoïste ?

–Au contraire, ça me flatte de t'entendre dire ça.

–T'as pas changé, Ovide.

–Toi non plus, Berthe.

–Tu vas en avoir des choses à me conter.

–Et toi autant ?

–Moi ? Il s'est rien passé ici depuis deux ans. Tout est pareil comme avant ton départ. Tu dois savoir l'anglais ben comme il faut asteur ?

–J'me débrouille. Peut-être pas autant que toi, mais...

–Voyons donc, tu dois savoir le parler bien mieux ?

–Tu veux qu'on essaie ?

–O.K.

*

Bernadette marchait sur le chemin des Foley en compagnie de sa nièce Lise et de l'amie de celle-ci, Dolorès, qui avait terminé sa première année de classe au couvent. Elle les tenait toutes deux par la main; l'on se dirigeait vers la grosse grange blanche où l'on bifurquerait pour se rendre peut-être jusque sur le cap là-bas.

–J'ai quelque chose à vous demander, les petites filles. Je vous le demande parce que je sais que vous avez du coeur. Au mois de septembre, vu que Lise, t'as six ans asteur, vous allez toutes les deux aller à l'école au couvent. Ça va être plaisant pour vous deux d'y aller ensemble, hein ?

Les fillettes dirent des 'oui' mélangés. Bernadette reprit :

–Lise va partir de la maison chez elle. Dolorès, tu vas l'attendre dans le salon chez vous... la voir venir sur le trottoir, pis quand elle va passer devant la porte, tu vas la rejoindre et vous allez marcher ensemble avec votre petit sac d'école sur le dos. Ça, c'est des enfants chanceuses ! L'amitié, c'est le plus beau des sentiments. Restez amies jusqu'à votre mort... même quand vous serez longtemps sans vous voir. Allez-vous être des amies toujours ?

–Ben oui ! dit l'une.

–Ben oui ! dit l'autre.

–Asteur, savez-vous qu'une petite fille qui s'en va à l'école toute seule pis qu'il y a personne qui lui parle, elle est pas heureuse ? C'est triste, ça, hein ?

D'autres 'oui' lui furent répondus.

–Ben j'en connais une qui va vivre ça au mois de septembre. Pis ça me fait ben de la peine pour elle.

–Qui ça ? demanda Dolorès.

–La p'tite Solange...

En effet, Alfred au mois de septembre précédent avait, à la dernière minute, refusé que l'enfant se présente à l'école comme cela avait été décidé auparavant vu son âge, le même que celui de Dolorès et un an de plus que Lise. Il s'était dit qu'elle serait plus apte à entrer dans cet autre monde de l'enfance un an plus tard et que Lise peut-être alors, pourrait se faire un peu la cousine-soeur et gardienne de sa fille muette.

Il en avait parlé avec Bernadette et celle-ci avait pris les choses en main. C'est avec l'amitié que se vouaient Lise et Dolorès qu'elle encadrerait la petite Solange pour lui permettre de s'adapter à son nouveau milieu à sa première année de classe. Or l'amitié se trouve au fond du coeur...

–Oué... Solange, si elle a personne pour lui tenir la main dans les premiers temps de classe, elle va avoir ben ben de la peine. Ça fait que j'ai pensé que vous pourrez faire comme on fait là, toutes les trois. Le matin pis le midi, vous allez prendre Solange par la main comme vous me prenez par la main pis vous allez l'emmener à l'école avec vous autres. Le midi pis le soir, vous allez la ramener à la maison. Mais personne va vous obliger à faire ça, là. Vous allez le faire parce que vous auriez de la peine de voir Solange toute fine seule pis malheureuse pour ça. C'est ça que je voulais vous demander à toutes les deux. De partager votre amitié avec la pauvre Solange qui est pas capable de parler pour se défendre. Êtes-vous d'accord toutes les deux ?

D'autres 'oui' firent le bonheur de Bernadette. Elle les savait venir du fond du coeur des petites filles. Savoir qu'elle pourrait compter sur elles pour aider sa nièce lui apportait un grand bonheur. Oh, il fallait s'attendre à de l'inconstance de leur part; après tout, elles n'avaient que sept et six ans, mais il suffirait de tisonner un peu les braises de leur sensibilité si le feu venait à baisser.

Plus tard, Dolorès retourna chez elle en trottinant, heureuse de cette randonnée ensoleillée sur le cap à Foley. Quelque chose lui disait que la petite Solange, loin de les séparer, elle et Lise, les unirait encore plus que maintenant... (*Peut-être que cette graine d'entraide semée ce jour-là par Bernadette contribuerait au choix de vie de chacune plus tard, car toutes deux deviendraient infirmières.*)

Ils étaient tous à table à leur place habituelle. Il ne manquait plus que le père de famille, retenu par la pose obligée d'un quatrième fer à la patte d'une jument rétive.

L'entrée du côté de la maison, utilisée à coeur de jour, donnait dans la cuisine. La table y était au beau milieu. Il fallait la rallonger aux repas et la ramener à sa plus petite surface ensuite. Sur la droite, d'abord l'escalier menant au second étage, puis les portes conduisant au salon double devant lesquelles était la grille de la fournaise, puis le poêle, la cuve à laver le linge, la porte de la chambre des parents au fond, suivie de l'évier et du comptoir de cuisine : tel était le décor journalier de la famille Mathieu à l'heure des repas.

Dos à l'évier se trouvait la place du chef de famille. À l'autre extrémité mangeait Jeanne d'Arc, l'aînée. Sur sa droite, il y avait Fernande à 12 ans; sur sa gauche, Cécile à 14 ans. Au milieu du côté droit, voisin de Fernande, c'était Victor, 9 ans. Puis le bébé, Léandre, 2 ans, près de sa mère qui occupait la meilleure place pouvant lui permettre de servir tout le monde, à égale distance du poêle et du comptoir. Près de son père qui l'aimait bien s'asseyait Paulo, un garçon de 5 ans, vif et enjoué. Entre lui et Cécile vint s'asseoir Dolorès qui arrivait un peu en retard étant donné sa marche avec Bernadette et Lise.

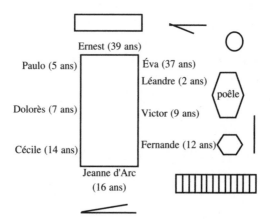

–Comment ça, donc, que t'es en retard, Dolorès ? lui demanda sa mère.

–Sus allée avec Lise pis Bernadette sur le cap à Foley.

–Courailleuse, la Bernadette ! soupira Éva qui avait du mal à s'approcher du poêle en raison de son ventre arrondi par plusieurs mois de grossesse.

Dolorès qui parlait peu de coutume lança sur le ton du contentement :

–Lise pis moi, on va reconduire Solange à l'école au mois de septembre.

Éva regarda sa fille sans rien dire et continua de servir les assiettes. Jeanne d'Arc questionna sa jeune soeur :

–Hein, comment ça ?

–C'est Bernadette qui nous l'a demandé. C'est parce que Solange... est pas comme les autres.

–Pas comme les autres certain, marmonna Fernande. Elle parle pas, elle a tout le temps les doigts dans le nez pis c'est pas elle qui va se marier avec Clark Gable un jour.

–Fernande, dis pas des affaires de même ! fit sèchement Éva. Est infirme pis c'est pas de sa faute.

L'adolescente rechigna :

–Je le sais. Je ris pas d'elle non plus. J'dis ce qui est...

Survint Ernest qui entra en trombe, affamé, sali de pied en cap, et qui se dirigea tout droit à l'évier pour s'y laver les mains de toute cette suie mêlée à des traces de crottin de cheval. On se tut. Puis il tira la chaise et maugréa une nouvelle, pour lui ni très bonne ni très mauvaise, mélangée à son humeur massacrante suite aux misères que lui avait causées la jument rétive :

–Le vieux Thophile Dubé a cassé sa pipe à matin. Son temps était v'nu. 81 ans, le bonhomme. Malade pis le reinthé (bas du dos) à moitié fini. Il se trimbalait même pus. Aurait fallu qu'il s'achète une chaise roulante, pis il était trop ménager pour s'en payer une. Ah, y était pas pauvre pantoute : y a eu un moulin à scie pis des terres à bois. A bâti des bâtisses tout le temps de sa vie. Mais... pas d'argent pour une chaise roulante... Même que c'est lui qu'a bâti le gros presbytère en 1908, par là. Ça paye son homme, bâtir une bâtisse de même...

–Ça fait trente ans de ça, papa !

Par le ton, Jeanne d'Arc, comme souvent, s'opposait au propos de son père. L'homme choisit de se taire comme chaque fois aussi, à moins de raison majeure. Il fallait en effet une question importante pour qu'il exerçât une autorité rigide sur son aînée. Elle affichait sans réserve qu'elle ne le craignait pas. En cela, personne ne prenait exemple sur elle et on avait peur d'Ernest chez les enfants.

Éva avait le front soucieux. Il venait de se produire une sorte d'imbroglio dans les faits. C'est qu'elle et son mari, la veille au soir, avaient pris la décision irrévocable de retirer Dolorès du couvent en septembre et de l'envoyer faire sa deuxième année à l'école de sa soeur à Courcelles. On ne saurait laisser toute seule dans une maison de rang pendant dix mois scolaires une jeune fille de 17 ans (*le 4 octobre suivant*). Ça ne se faisait pas. Trop de risques à courir. Jeanne d'Arc pouvait se blesser, avoir besoin d'aide. On pouvait rôder autour de son école. Quelqu'un la sachant toute seule pourrait même l'attaquer et pas même une jeune personne aussi bien griffée ne s'en sortirait sans dommage. Seulement voilà que Bernadette venait de s'en mêler, qui voulait embrigader Dolorès et Lise pour encadrer la pauvre Solange sur le chemin des écoliers à compter de septembre.

Éva ne se sentait pas la fermeté requise pour régler cette situation. Elle n'aurait pas voulu nuire à Solange. Il fallait l'intervention d'Ernest. Sur la pause entamée suite à l'objection de Jeanne d'Arc à propos de Théophile Dubé et de son oeuvre, elle parut faire un coq-à-l'âne :

–Bernadette, elle voudrait que Dolorès s'occupe de reconduire Solange au couvent au mois de septembre. J'sais pas si ça va être possible.

Ernest porta une cuillerée de gruau à sa bouche. Il en coula un filet blanc au coin gauche et avant même d'avaler, il déclara, le ton gros :

–La Bernadette, qu'elle se mêle de ses affaires ! Nous autres, elle (désignant Dolorès avec sa cuiller), on l'envoye avec Jeanne d'Arc passer l'année à Courcelles.

La petite Dolorès sentit son corps s'enfoncer dans sa chaise sous cette phrase trop lourde. Partir de la maison ? Se séparer de son amie Lise ? Et puis Bernadette avait parlé de récompenses pour elles tant qu'elles assumeraient bien leurs responsabilités quant à la tâche de générosité qui leur avait échu.

Jeanne d'Arc ne s'y attendait pas. Elle comprit par un coup d'oeil la grande contrariété subie par sa petite soeur et déclara :

–Ben... j'peux vivre toute seule à Courcelles.

Le poids sur Dolorès s'allégea. Pour peu de temps. Son père reprit de sa voix la plus basse et forte :

–On a ben assez de s'occuper de nous autres, on se mettra pas à s'occuper des voisins. C'est pas de not' faute si est venue au monde tout croche, la Solange à Freddé. Ça doit y venir de sa mère, là, ça...

Éva en eut le frisson. Les mots de son mari manquaient terriblement de compassion, de compréhension. S'il les disait donc autrement, dans la mesure et la douceur, les choses pourraient s'arranger au mieux, en tout cas au moins pire pour tous. Elle mit sa main sur son ventre et adressa à son mari une phrase à mi-voix pour qu'elle lui parvienne tout en échappant au reste de la tablée :

–On a pas eu d'infirmes de naissance, nous autres, mais parle pas de même. On sait pas ce qui nous pend au bout du nez, on le sait pas pantoute.

La situation redevint insupportable pour Dolorès qui semblait au bord des larmes. Jeanne d'Arc intervint en lui disant sur un ton joyeux :

–On va s'amuser là-bas, toutes les deux, tu vas voir. On va jouer au parchési, on va se faire des bons petits plats, on va rire tous les jours... Tu vas te faire de nouvelles amies...

Jeanne d'Arc venait d'entrer sur un terrain miné. Sa dernière phrase sous-entendait que Dolorès devrait sonner le glas de son amitié avec Lise Boutin. La fillette quitta la table et courut vers l'escalier pour aller se réfugier dans sa chambre du deuxième étage. Les mots lancés par Ernest la suivirent à mesure qu'elle gravissait les marches de l'escalier à toute vitesse :

–Toé, crie, braille, fais c'est que tu voudras, tu t'en vas à Courcelles avec ta soeur, maudit torrieu. Y a pas de r'evenez-y; c'est fini final...

Jeanne d'Arc se leva à son tour et invectiva son père :

–Parlez donc moins bête que ça, vous...

Et elle monta consoler sa jeune soeur.

Quand elle eut disparu en haut de l'escalier, l'homme brandit sa cuiller pour affirmer :

–C'est pas Bernadette Grégoire qui va venir régenter tout icitte-dans.

Éva s'insurgea :

–C'est quoi qu'elle t'a fait, Bernadette ? Elle a juste demandé un service à Dolorès, pis comme je la connais, elle la récompenserait ben gros pour ça. Pis elle fait même pas ça pour elle, elle fait ça pour la p'tite infirme à Freddé.

–Si j'en ai, des infirmes, je vas m'arranger avec, moé...

Éva eut un autre frisson. Cette fois, ce fut dans son ventre que la bizarre sensation se produisit... Lui reprit :

–Freddé Grégoire, il me vend ses effets, il me les donne pas, lui.

–Il peut toujours pas se mettre à donner sa marchandise au monde... encore qu'il vend pas cher, toi-même, tu l'as toujours dit depuis qu'on est par ici.

Mais Ernest filait un mauvais coton et affichait l'humeur de la jument détestable qu'il venait de ferrer.

–On doit rien aux Grégoire, tu sauras.

–Je te demande pardon...

La femme mit sa main sur la tête du bébé blond avant de poursuivre :

–... parce que sans Bernadette, lui, il serait mort comme le p'tit Fernand à Courcelles.

–Le p'tit Fernand, t'avais rien qu'à t'en occuper comme il faut de c't'enfant-là !

La chaise de la femme glissa sur le plancher. Elle se leva d'un bond et s'en alla sans rien dire dans la chambre à coucher dont elle referma la porte pour cacher des larmes de regret que ce nouveau clou enfoncé par Ernest dans son coeur provoquait.

Lui haussa les épaules et se tailla un gros morceau de beurre qu'il laissa tomber sur ses patates rôties.

Jeanne d'Arc et Éva parties, il ne restait personne pour s'objecter aux réflexions négatives du personnage. Sans quelqu'un pour les provoquer, les ruades de la jument que son esprit puis sa bouche calquaient pour les rendre à quelqu'un d'autre, cessèrent...

L'homme éructa. Il mangea à la hâte et repartit vers d'autres pattes de cheval, nerveuses et pesantes...

*

Vinrent septembre et ses fraîches matinales.

Les enfants s'adaptent vite et leur optimisme leur permet de trouver des consolations à des misères qu'il faut oublier. Dolorès et Lise se dirent qu'elles pourraient se voir quand l'une reviendrait de Courcelles. Même qu'elle aurait peut-être la chance de venir souvent avec tante Alice (Grégoire) et oncle Michaud qui, à tout bout de champ, descendaient de Mégantic le samedi pour y retourner le dimanche, et qui devaient forcément passer devant l'école de Courcelles située sur le grand chemin dit la route 28 menant de Beauceville à Sherbrooke. (*Après avoir été tant repoussé et conspué par Honoré, Stanislas était devenu son homme de confiance : il en avait fait son exécuteur testamentaire en 1932. Il y avait tant de choses à voir, de terrains à vendre, de comptes à percevoir –pas ceux du magasin qui relevaient d'Alfred, mais tous ces prêts consentis à des citoyens par Honoré de son vivant– que Stanislas devait se rendre à Shenley au moins une fois par mois et ce n'était pas près de finir...*)

Éva avait parlé à Bernadette qui avait parlé à sa soeur de Mégantic. Tout était arrangé. Quand les Michaud viendraient, ils s'arrêteraient à l'école de Courcelles afin de proposer à Jeanne d'Arc (et Dolorès) un aller et retour dans leur paroisse natale. Sans enfants de leur propre descendance, Alice et son mari avaient adopté une nièce de Stanislas, Gabrielle, et voilà qui laissait un bel espace pour deux autres personnes sur la banquette arrière de leur automobile.

Et c'est ainsi que fin septembre et fin octobre, les deux soeurs retournèrent chez elles pour deux jours. Leur mère se sentait fière d'elles, surtout de Jeanne d'Arc qui prenait son métier à coeur malgré sa jeunesse. On avait craint qu'elle soit un peu étourdie, mais tout ce qui concernait sa classe la touchait et elle le prenait avec le plus grand sérieux.

Fin novembre, les Michaud ne donnèrent aucun signe de vie. De coutume, ils s'arrêtaient à l'école vers une heure de l'après-midi et dès midi, Dolorès s'installait à la fenêtre pour surveiller la grande côte d'où venaient les 'machines' se dirigeant vers la Beauce.

À deux heures, rien encore. Dolorès se rendit à la chambre où Jeanne d'Arc sommeillait depuis le repas et s'impatienta :

–Ils nous ont oubliées, monsieur pis madame Michaud.

–Sûrement pas ! Ils ont pas dû descendre. Peut-être qu'ils ont eu un empêchement.

–Mais comment qu'on va faire pour s'en aller à maison, nous autres ?

–On ira pas à maison cette semaine. On ira la semaine prochaine...

Jeanne d'Arc ne le croyait pas trop. C'est que sa mère était sur le point d'accoucher. Mieux valait ne pas être là. Le docteur Goulet l'assisterait. Bernadette le seconderait. Éva n'avait pas besoin de ses filles en plus et ce serait un soulagement qu'elles restent à Courcelles jusqu'aux Fêtes.

Dolorès s'ennuyait à regarder ces premières neiges de l'automne qui recouvraient à moitié toutes ces feuilles tombées. Décor admirable, certes, pour son âme d'artiste, mais triste pour les yeux du coeur.

Ce jour-là, quand il fut évident que les Michaud ne les prendraient pas, Dolorès enfila son manteau pour sortir. Sa soeur lui demanda :

–Tu t'en vas toujours pas à pied à la maison ?

–Ben non ! Je vas à la rivière.

–J'aime pas ben ça, te voir aller à la rivière toute seule.

–Viens avec moi.

–J'aimerais autant... Attends...

Elles se mirent en route dans la fraîcheur automnale pour bientôt atteindre les abords de la rivière des Bleuets dont les eaux noires venaient 'd'on ne savait où' pour courir vers 'on en savait encore moins quelque chose'.

Aux jours plus chauds de septembre, il s'y trouvait tous les dimanches des pêcheurs du coin; l'un d'eux avait aperçu Jeanne d'Arc à quelques reprises. Elle ne l'avait aucunement remarqué parmi les autres alors qu'elle et Dolorès avaient marché par là deux ou trois fois le dimanche après-midi.

Mais ce 27 novembre, les taquineurs de truites savaient l'eau trop froide pour que les poissons sortent de leurs refuges et risquent de se geler les écailles à se promener dans les courants.

Elles prirent place sur une pierre plate et regardèrent un temps l'eau couler dans un bruit monotone qui ajoutait à leur ennui.

–Tu sais quoi, Dolorès, on va marcher jusqu'au village. On va aller voir ma tante Adrienne et mon oncle Jos.

–C'est loin ?

–Pas tant que ça. Une heure pour aller, une heure pour revenir; ça va juste nous faire du bien. Viens. Allons-y...

–O.K.

Dans les demeures, on regarda passer la maîtresse d'école. Des écoliers sortirent pour les saluer. Quand on prit le rang menant au village, et qui les éloignait de la route numérotée où se trouvait l'école, Dolorès s'arrêta soudain :

–Tout d'un coup monsieur Michaud passe ?

–Trop tard, voyons ! Viens...

C'est à contrecoeur que la fillette suivit sa soeur jusque chez leur oncle. C'était bien le moins, dit Jeanne d'Arc en substance à Dolorès, qu'elle se rende en personne remercier l'oncle Jos qui était intervenu pour la faire engager comme maîtresse à Courcelles, vu son influence à la commission scolaire.

Elles y furent bien accueillies par les parents ainsi que les cousins et cousines. Y furent une heure et repartirent, contentes de leur visite.

Sur le chemin du retour, une auto parut les suivre un moment de loin. Jeanne d'Arc se retourna, flairant quelque chose. Puis elle fit l'indifférente; la voiture se rapprocha et finalement arriva à leur hauteur. Le jeune homme qui se trouvait au volant prit son courage à deux mains pour adresser la parole à la jeune institutrice après s'être penché vers la portière :

–Voulez-vous embarquer toutes les deux ? Je m'en vas vers Lambton. J'passe devant ton école.

–On voudrait, mais...

La jeune femme regarda aux alentours. Il comprit qu'elle s'inquiétait de la réaction des gens qui les verraient.

–Tout le monde me connaît; y a personne qui va trouver à redire.

–C'est quoi, ton nom ?

–Florent.

–Florent qui ?

–Dargesse. Florent Dargesse. Je reste dans le village. Je vas souvent à la pêche sur la rivière des Bleuets.

–Bon... On embarque, mais va pas trop vite.

–Pas de danger : ça ferait trop de poussière.

Florent était un jeune homme blond de vingt-deux ans aux cheveux en vagues et aux yeux d'un bleu intense. L'auto qu'il conduisait appartenait à ses parents dont il était enfant unique. Il arborait un sourire digne de confiance. La maîtresse allait monter à l'arrière, mais il l'en empêcha :

–Toé, Jeanne d'Arc, tu peux embarquer en avant. Pis toé en arrière.

Ce qui fut fait.

Elle s'étonna :

–Comment ça se fait que tu sais mon nom ?

Il sourit :

–Je l'ai lu dans le ciel au-dessus de ton école.

–Fais pas le fou, là !

–Qui c'est qui connaît pas le nom de la plus belle maîtresse d'école de Courcelles ?

–Je viens juste d'arriver.

–Ben moé, j't'ai vue souvent. Quand je v'nais pêcher au mois de septembre pis d'octobre, toé, tu te berçais sur la galerie de l'école.

Avant de redémarrer, Florent s'étira vers la jeune femme et sonda la portière arrière pour savoir si Dolorès l'avait bien refermée, car le bruit entendu le laissait dans le doute.

–Ouais, t'as une belle machine, toi ?

–Chevrolet 34.

–Ça doit coûter cher sans bon sens ?

–Six cents quinze piastres.

–Seigneur Jésus : deux fois mon salaire annuel.

La conversation s'était aisément engagée et les sujets quels qu'ils soient paraissaient intéresser les deux. Dolorès à l'arrière rentra en elle-même. Elle aurait bien voulu que cette auto soit celle des Michaud...

Les Michaud ne furent pas au rendez-vous la semaine suivante non plus. Mais ils s'arrêtèrent le dimanche, onze décembre sur le chemin du retour vers Mégantic. Jeanne d'Arc apprit qu'ils n'étaient pas passés par là les deux dernières semaines pour la bonne raison qu'ils s'étaient rendus aux États faire baptiser Alice, la première enfant d'Henri Grégoire et de son épouse Clara Anctil.

Les époux Michaud avaient pris place pour un moment dans la salle de classe. Ils annoncèrent que ce serait leur dernière sortie avant de remiser la voiture pour la saison froide. Mais surtout, ils apportaient une nouvelle de Saint-Honoré qui n'avait pas pu atteindre Jeanne d'Arc par téléphone puisque les écoles de rang en étaient dépourvues. C'est Alice qui le dit :

–Ta mère, elle a eu une petite fille.

–Je me doutais qu'elle avait...

–Ils l'ont baptisée Suzanne.

Il paraissait un souci d'inquiétude sur le front d'Alice Michaud. Jeanne d'Arc crut le lire et demanda :

–Est normale toujours ?

–C'était un bébé bleu... peut-être qu'elle va être normale, peut-être qu'il restera un petit quelque chose.

Stanislas intervint :

–Faut pas s'inquiéter ! C'est des choses qui arrivent et les séquelles sont pas toujours là.

Le front de la jeune femme se rembrunit toutefois.

Elle se souvenait des paroles de son père à propos de l'infirmité de Solange Grégoire le jour où on avait annoncé que Dolorès l'accompagnerait à Courcelles. Les mots lui revinrent clairement...

"On a ben assez de s'occuper de nous autres, on se mettra pas à s'occuper des voisins. C'est pas de not' faute si est venue au monde tout croche, la Solange à Freddé. Ça doit y venir de sa mère, là, ça..."

Éva avait alors dit :

"On a pas eu d'infirmes de naissance, nous autres, mais parle pas de même. On sait pas ce qui nous pend au bout du nez, on le sait pas pantoute."

Jeanne d'Arc resta songeuse tout ce jour-là. Certes, elle songeait à Florent Dargesse qui voulait la courtiser mais aussi à ce bébé nouveau qu'elle n'avait pas encore vu et qui pourrait bien être anormal...

***

Chapitre 29

1939

Que pouvait donc faire Ovide Jolicoeur à Shenley à part cultiver la terre de son père ? D'autant que durant son absence, on l'avait négligée, cette ferme des concessions. Gédéon vieillissant ralentissait chaque mois. Son autre fils présent à la maison ne valait pas le tiers, à son âge, du grand et fort Ovide. Par nature, le jeune homme savait organiser son temps et ses tâches. Son séjour à Chicago lui avait permis d'en apprendre encore plus là-dessus. Il leur brasserait la cage, à tous ces champs endormis, vienne le printemps. Perfectionniste et artiste en son genre, tout comme sa soeur Monique et son frère Joseph de Chicago, il pouvait compter sur un petit pécule dont il entendait se servir pour acheter un tracteur. Et la terre n'aurait qu'à bien se tenir car il lui labourerait les flancs comme jamais elle ne l'avait été.

Devant lui s'ouvrait malgré les embûches le chemin de la prospérité et du bonheur familial. Il n'y manquait que le grand 'oui' de Berthe à un mariage prochain, mais elle ne serait pas facile à convaincre dans les faits, même s'il la sentait prête par le coeur et par l'esprit. Berthe était si heureuse dans sa liberté du village qu'elle goûtait et vivait à plein tous les jours. Ils se savaient faits l'un pour l'autre, mais pas à n'importe quel prix. Et pour la jeune femme, l'adage "*Qui prend mari prend pays* !" sonnait bien quelque chose en sa tête, mais ça ressemblait au bruit d'une cloche fêlée.

Aux sucres, ils allèrent tous deux à la cabane Jolicoeur dans l'érablière familiale bordant la grande concession forestière. Ce fut un dimanche joyeux, sans souci, plaisant d'un bout à l'autre. Il la photographia, assise sur une grosse souche. Ils se firent prendre tous deux sur la même souche. Voilà qui inspira Ovide et lui fit penser que le moment ne saurait être mieux choisi pour la demander en mariage. Berthe avait tant ri tout le jour, si bien laissé voir son côté espiègle, qu'elle devait aimer au moins cet aspect de la terre. C'est donc à travers la cabane à sucre qu'il la conduirait au pied de l'autel et à travers l'église qu'il l'emmènerait habiter la maison paternelle du Grand-Shenley.

Le pauvre jeune homme devait manquer sa chance ce jour-là. C'est qu'il avait rapporté avec lui de Chicago une bien détestable habitude que pourtant, fort peu de gens à part Berthe, ne remarquaient : fumer la cigarette. Il lui avait fait valoir que la cigarette fait bien plus moderne que la pipe et qu'elle est bien plus propre, en quoi, il avait même eu l'approbation de Bernadette, elle qui avait tant essuyé de restants de pipe dans le magasin dans le temps.

"Clark Gable, Gary Cooper, Spencer Tracy, Micky Rooney, Robert Taylor, Johnny Weissmuller, ils fument tous la cigarette. Et même des femmes célèbres comme les belles Joan Crawford et Hedy Lamarr. Et des moins jolies mais non moins célèbres comme Eleanor Roosevelt... "

Fille à la mode, Berthe s'était inclinée sans trop rien dire. Mais connaissant par intuition la fragilité de ses poumons, elle regrettait que son ami fume en sa présence.

Après la courte séance de photo, il alluma une cigarette et proposa à sa compagne une marche dans un chemin de cabane au grand air frais des bois enneigés. Quelque part, il l'embrasserait et alors, il lui demanderait de lui dire le grand

Ovide et Berthe
à la cabane des Jolicoeur
au printemps 1939

'oui'... On se marierait quelque part durant cet été à venir de cette belle année 1939.

Entre trois érables au moins centenaires, à en juger par la taille de leur tronc, tout près du chemin tapé par les chevaux et les sleighs se trouvait un vieux chicot de merisier. Il proposa à sa compagne de se réfugier dans cet espace protecteur un moment pour échapper à l'observation de quiconque s'approcherait.

–Prends-moi le bras ! Si je cale dans la neige, tu me relèves, dit-elle.

–Certainement !

Il le fit et, pour être en mesure d'intervenir avec son autre bras aussi advenant une chute, il mit sa cigarette dans sa bouche et la laissa pendre. On y fut, au gros merisier à écorce frisée. Berthe s'adossa au tronc. Ovide posa ses mains à plat sur l'arbre de chaque côté de la tête chérie. Et dit :

–On s'embrasse un peu ?

Berthe éclata de rire :

–Avec ta cigarette dans ta bouche ?

–Ben... n... non...

Il s'en défit et la jeta dans la neige. Puis ils s'embrassèrent. Mais elle ne le prenait pas au sérieux et se mit à rire, lèvres contre lèvres. Ovide s'en montra contrarié :

–C'est quoi qui te fait donc rire de même ?

–Tu pues le tabac.

Il grimaça, regarda vers le soleil dont quelques rayons leur parvenaient à travers les branches, plissa les paupières :

–C'est mieux que de sentir mauvais de la bouche.

–Quoi ? Je sens mauvais de la bouche ?

–C'est pas ça que j'veux dire... Y en a qui ont une haleine de cheval.

–J'aimerais mieux qu'on s'embrasse quand t'aurais pas

fumé du tout.

–Ben correct ! devait-il soupirer.

L'attitude de Berthe jetait de la neige froide sur les chaudes intentions d'Ovide. Son plan devenait boiteux. Devait-il faire sa grande demande en des circonstances aussi contrariantes ? C'est dans l'adversité qu'on reconnaît le vrai courage, se dit-il, et il plongea tête première :

–J'ai pris une grande décision...

–Tu me dis pas que tu veux retourner à Chicago ?

–C'est sérieux, Berthe, très sérieux.

Elle cessa de sourire et une idée lui passa par la tête. Restait à savoir s'il pensait à ce qu'elle pensait. Et craignait...

–Je t'écoute !

–Veux-tu devenir ma femme ?

Elle sourit puis ajouta une question à la question :

–Et venir vivre ici au Grand-Shenley ?

Le visage du jeune homme s'éclaira. Il lui sembla que les branches là-haut se tassaient pour laisser passer les rayons du soleil. Elle mit son index sur la poitrine de son cavalier et répondit enfin :

–Non. Pas question ! Je veux rester avec Bernadette. Pas question que je vienne vivre au Grand-Shenley. J'aime pas ça, moi, les concessions de Dorset.

Ovide sentit ses pieds s'enfoncer dans la neige, dans la boue sous la neige, dans le sol gelé sous la boue... Il ne savait quoi dire, que faire et ne put que bredouiller :

–Comme ça... ben... bon... tu veux pas de moi comme...

–C'est pas de toi que j'veux pas, c'est de ta terre au fond du Grand-Shenley.

–C'est pas l'enfer.

–Quasiment !

De nouveau, elle éclata de rire. À son tour, elle se laissa

éblouir par les rayons du soleil et dit :

–On s'en reparlera.

–Y en a qui disent : lâchez-vous ou ben mariez-vous.

–Qui dit ça ?

–C'est normal, ça fait quasiment cinq ans qu'on...

Elle l'interrompit :

–Tu comptes ton temps à Chicago comme du temps de fréquentations ? Pas moi.

Une fois encore, elle se mit à rire.

Ovide souriait jaune. Elle reprit :

–On est ensemble. On est libres. On est heureux. T'es pas heureux comme c'est là, Ovide ?

–Ben... ouais... mais...

Elle ouvrit les mains et dessina un espace de longueur :

–Tant qu'on est heureux de même, restons de même... Ovide, j'pense que je serai jamais faite pour la terre. Peut-être que ça te prendrait une fille de cultivateur pour te marier pis élever des enfants...

Il s'opposa farouchement à cette idée :

–C'est Berthe Grégoire que je veux marier. C'est Berthe Grégoire que je vas marier...

Elle haussa une épaule :

–As-tu le goût de venir à la cabane à monsieur Hilaire Talbot dimanche prochain ? Il va y avoir ben du monde. Une vraie fête à tire... une fête à dire... parce que ça placote plus que ça mange de la tire...

Le pauvre Ovide, éberlué par si peu de sérieux chez son amie de coeur (ce jour-là, Berthe avait laissé son mystère à la maison), dut remettre dans sa poche sa proposition de mariage. Comment diable s'y prendrait-il pour parvenir à ses fins ? Il avait du temps pour chercher une réponse...

*

Et le dimanche suivant, l'on se retrouva à la cabane Talbot dans le bas de la Grand-Ligne. Bien des jeunes gens et jeunes filles s'y trouvaient mais aussi des gens de tous les âges. Quelques-uns en couple et plusieurs en solo comme Laval Beaulieu ainsi qu'un beau grand jeune homme de 26 ans que l'on ne voyait pas souvent à Shenley parce que longtemps aux études, d'abord à La Pocatière pour son cours classique puis aux Hautes Études Commerciales : c'était Ti-Lou Boutin, le fils aîné d'Éva et Arthur. Malheur pour lui, le manque d'argent l'avait empêché de terminer ses études et voici qu'il travaillait maintenant à la C.I.L. de Valleyfield, une industrie chimique.

Une sorte de dignité auréolait son front, une sorte de noblesse émanait de sa personne; et pourtant, il montrait la même gentillesse envers tout un chacun. Comme son grand-père Honoré, il saluait avec le même respect Jos Page et le curé de la paroisse.

On avait mis à l'envers une dizaine de cuves dont le fond devenu dessus avait été couvert de neige. C'était l'heure de la tire chaude refroidie et de la palette. Berthe et Ovide avaient formé un groupe de huit personnes dont Mariette Buteau et son mari Josaphat Pelchat, Ronaldo Plante et son épouse Émilia Boutin, et ces deux célibataires recherchés, Ti-Lou Boutin et Laval Beaulieu.

Ronaldo, personnage disert et affable, ne tarda pas à s'enquérir auprès du couple Berthe-Ovide à propos des rumeurs de mariage courant à leur sujet. Il dit avec bonhomie et bonne humeur avant de porter la palette à sa bouche :

–Paraît qu'on va aller aux noces avant l'automne, vous deux ?

–Qui c'est qui a ben pu partir une rumeur pareille ? s'étonna Berthe. Pas toi, toujours, Ti-Lou ?

Le jeune homme agrandit les yeux :

–Suis quelqu'un qui se mêle de ses affaires, tu le sais,

chère cousine.

Embarrassé, Ronaldo s'excusa :

–Je disais ça comme ça. Vous faites un ben beau couple : on imagine les beaux enfants que ça donnerait...

Et il s'esclaffa. Puis dit :

–C'est que vous diriez d'une petite chanson à répondre autour de la cuve ?

Comme chaque fois à la cabane, Berthe avait laissé à la maison sa réserve coutumière et revêtait le manteau de l'exubérance. Elle fut la première à approuver...

C'était une fête publique avec droit d'entrée de quinze cents. Tous y étaient donc admis pourvu qu'on paye son écot. C'est ainsi que deux personnages nés pour un petit pain et qui avaient rarement l'occasion de se mêler à un groupe s'y trouvaient parmi les premiers arrivés : Jos Page et François Bélanger. Et tout naturellement, ils étaient ensemble, un peu isolés des autres. L'un parlait tout croche et l'autre marmonnait; mais ils se comprenaient comme des compagnons d'infortune. Si on ne les fuyait pas par décence, on ne les recherchait pas non plus, si bien que ces deux-là n'étaient que deux autour d'une cuve.

Hilaire Talbot commença par là pour répandre la tire chaude sur la neige éclatante. Son fils adolescent, Réal, faisait pareil et c'est lui qui à l'aide d'une 'poêle à queue' versait des filets de tire sur la neige de la cuve devant Berthe et Ovide, Ti-Lou, Laval et les autres.

Et Ronaldo y allait de son premier couplet d'une chanson comique au titre annoncé de *'C'était un p'tit vieux'*.

Quand Martin revint de son labourage

On bissa en choeur.

Il s'écria de loin d'lui mettre la table.

Et on se fabriquait à qui mieux mieux des torsades de tire dorée sur palette grise que l'on portait à sa bouche tout en essayant de suivre Ronaldo et son refrain entraînant :

Rouch' su' l'rouche

Tap' su' l'sac

S'appelait Tin-Tin

Martin la grand'barbe

S'appelait Tin-Tin

La barbe à Martin

Berthe qui, comme son père, avait toujours manifesté de l'intérêt pour les Page jusqu'à soûler Marie un jour trop froid, surveillait Jos du coin de l'oeil sans pour autant s'éloigner mentalement d'Ovide et des autres. Elle fut témoin d'un petit événement qui s'inscrirait à jamais dans sa mémoire.

Jos paraissait fouiller dans ses poches tandis que François lui racontait quelque chose en gesticulant vers les arbres de la forêt tout autour. Berthe comprit vite que Jos cherchait un mouchoir qu'il ne trouva pas, quand il boucha une de ses narines avec son pouce et souffla fort du nez pour le vider d'une humeur qui, malheur pour François, atterrit sur la neige et la tire. Vraiment né pour un petit pain, le jeune homme au visage monstrueux ne vit rien de ce geste disgracieux et peu hygiénique, et il pigrassa avec sa palette jusqu'à y enrouler la tire morveuse qu'il dégusta ensuite en se marmonnant des mots de délectation...

Berthe éclata d'un rire bruyant. Elle n'était pas le seul témoin de la scène. Ti-Lou et Laval, deux modèles masculins de propreté, l'avaient observée eux aussi. Leurs sourires furent grimaçants.

–T'as vu ce que je viens de voir, Ti-Lou ? dit Berthe.

–C'est pas ça qui va ramener notre pauvre François.

Ronaldo, lui, se sentait peu suivi, mais chantait quand même le deuxième couplet :

C'était un p'tit vieux qu'était ben alarte

L'on bissa à quelques-uns seulement.

Il coulait son lait dans un' vieill' savate.

Berthe ne riait ni de Jos ni de François, mais à cause de l'événement qui lui rappelait tout ce que Bernadette lui avait raconté du temps où elle vidait les crachoirs du magasin.

Ovide se demandait pourquoi elle riait hors de proportion par rapport au refrain à Ronaldo qui recommençait. Berthe lui glissa à l'oreille :

—J'te conterai ce qui s'est passé. Tu vas pas en revenir.

Après une première réaction amusée, Ti-Lou retrouva son sérieux. Et cette fête devait prendre une tournure bien particulière pour lui quand il fit la connaissance plus tard d'une jeune fille de Saint-Martin, Jeanne, fille d'un homme qui ne lui était pas étranger : Émery Poulin, ce marchand qui avait acheté le magasin d'Arthur près d'une dizaine d'années auparavant. Même si ses parents répétaient depuis lors que Poulin n'avait pas offert un prix décent pour leur bien, Ti-Lou fut attiré par elle. Et elle par lui...

Et Laval Beaulieu dut retourner au village sans son ami.

Quant à Berthe, elle raconta à Ovide sur le chemin du retour ce qui s'était passé entre Jos et François à la dégustation de la bonne tire sur neige.

Et Ronaldo dut chanter pour Émilia, et elle seulement, les troisième et quatrième couplets de son chant joyeux :

Il coulait son lait dans un' vieill' savate
Il faisait son beurr' dans l'oreill' d'sa chatte.

Il faisait son beurr' dans l'oreill' d'sa chatte
Viens don' voir, ma vieill', quelle bell' baratte !

***

Chapitre 30

1939...

Et pendant que se poursuivaient les interminables fréquentations entre Berthe Grégoire et Ovide Jolicoeur, et que se tissait un lien solide entre Ti-Lou Boutin et Jeanne Poulin, Jeanne d'Arc Mathieu se laissait visiter à son école de Courcelles par Florent Dargesse tout en ne cessant de penser à Luc Grégoire, le beau grand Luc maintenant âgé de presque seize ans et qui avait l'allure d'une vedette de cinéma par sa taille, sa prestance, ses cheveux noirs vagués et les traits si beaux de son visage.

Depuis que les chemins de printemps le permettaient, le jeune villageois de Courcelles s'y rendait toujours dans la rutilante Chevrolet bourgogne de ses parents. Et il promenait la maîtresse d'école ainsi que Dolorès dans les villages suivants : Lambton, Saint-Romain, Winslow et même parfois, certains dimanches où les deux soeurs ne s'étaient pas rendues à Shenley en compagnie des Michaud, jusqu'à Mégantic voire au-delà.

"Faut pas que tu parles de ça à maman !" redisait Jeanne d'Arc à Dolorès à chaque randonnée.

Ce bâillon n'en donnait pas moins des munitions à la

fillette pour désobéir à sa grande soeur. Moyennant bouche cousue, elle en faisait à sa tête bien souvent. Un samedi, malgré la défense faite par Jeanne d'Arc, elle se rendit avec la petite voisine Lucienne Lecours à la recherche de thé des bois dans les bosquets le long de la rivière des Bleuets.

Et elle en trouva pour son plus grand plaisir.

Au retour, elle montra son bouquet charmant à sa grande soeur qui la reçut debout, devant la porte, mains sur les hanches, aigreur au visage :

–C'est que je t'avais dit, Dolorès ?

–Regarde, j'en ai pas mal.

–Qu'est-ce que je t'avais dit ?

–De pas aller dans le bois.

–Pourquoi je l'ai défendu ?

–Pour pas m'écarter... Y a pas de danger, j'ai rien qu'à rester sur le bord de la rivière. Pis Lucienne est accoutumée.

Puis la fillette haussa une épaule, ajouta :

–Mais... j'avais envie d'y aller pareil. Regarde comme ça sent bon...

–Essaye pas de m'embobiner avec ton thé des bois ! Tu sais pas ce que t'as manqué à désobéir, hein ? Je vais te le dire, moi... Monsieur et madame Michaud sont arrêtés ici tout à l'heure. Ils auraient pu t'emmener à la maison avec eux autres et te ramener demain. Mais mademoiselle Dolorès courait les champs pour trouver du thé des bois. Ça fait que... tu vas rester ici, tu verras pas Lise pis tu vas t'ennuyer.

La fillette en fit tout un drame; elle éclata en sanglots.

–Ah, t'avais rien qu'à m'écouter !

Dolorès jeta son bouquet sur un pupitre et courut dans la chambre où elle se jeta sur le lit pour pleurer toutes les larmes de son corps. Touchée, Jeanne d'Arc qui avait raconté une histoire pour lui faire regretter sa désobéissance, jugeant que lui mentir pour lui faire entendre raison était juste, finit par pousser la porte afin de la consoler :

–Pleure pas pour rien, Dolorès ! On achève notre temps ici, à Courcelles. J'ai fait application pour faire l'école à Shenley. L'école du bas de la Grand-Ligne va se libérer. J'ai des chances d'avoir la place. Ça fait que l'année prochaine, tu vas retourner au couvent là-bas. Avec Lise. Es-tu contente de savoir ça ?

La jeune femme s'approcha du lit, prit place sur le bord, toucha le front et les cheveux de sa jeune soeur et lui parla, la voix adoucie :

–Ça sera pas long soeurette... au mois de juin, on va retourner à la maison.

De voir ces larmes couler sur les joues de l'enfant touchait au plus haut point Jeanne d'Arc qui se souvenait maintenant des misères d'hiver qu'elles avaient traversées ensemble. Force lui était de reconnaître que la petite fille avait fait son possible en tout. Il n'y avait ni l'eau courante ni l'électricité à l'école et il fallait aller tous les jours chez le voisin chercher deux seaux d'eau. De l'eau pour boire, faire un peu de cuisine et se laver. Et puis sans cesse chauffer le poêle avec du mauvais bois tout coti fourni par les gens qui gardaient certes le meilleur pour eux-mêmes.

Quoique bien frileuse, il arrivait souvent à Dolorès à l'aube de se lever la première pour aller mettre un rondin de bouleau ou un quartier d'érable dans les braises à moitié mortes du poêle à deux ponts situé dans la classe même. Jeanne d'Arc la revoyait par le souvenir revenir au lit dans la froideur du petit jour, revêtue de son seul pyjama blanc imprimé de lutins et de champignons.

Des larmes à son tour lui vinrent aux yeux :

–Pleure pas Dolorès ! Tu m'emmèneras la prochaine fois avec toi pour cueillir du thé des bois. Veux-tu ?

La voix encore boudeuse exprima une sorte de soulagement dans un seul mot court :

–Oué...

*

C'est sans beaucoup de regrets, à part celui de son amitié avec Lucienne Lecours, que Dolorès fit sa petite valise vers la fin de juin pour retourner avec sa grande soeur à la maison, à Shenley, dans ce décor de coeur de village où elle pouvait apercevoir le soir à la brunante, en ombres chinoises, les silhouettes de l'église, du magasin Grégoire avec la résidence à droite et la ligne des hangars à gauche, et plus loin la maison à Bernadette. Et même en s'étirant le cou, la maison du docteur Goulet. Et puis, presque noirs à cette heure, le camp à Armand et au fond de ce même côté, la grange à Foley.

La fillette avait beau rêver, elle ne parvenait pas à croire que l'exil à Courcelles était bel et bien terminé et qu'elle pourrait à l'automne reprendre le chemin des écoliers pour se rendre au couvent, là, tout près, voisin de l'église, en compagnie de son amie Lise Boutin.

–Maman, je vas m'asseoir dehors, annonça-t-elle à sa mère qui s'objectait rarement à ces petites décisions de ses enfants.

–Laisse-toi pas manger par les mouches.

–Ben non, voyons !

Et l'enfant sortit par la porte de côté. Mais plutôt de se rendre sur la galerie, elle descendit l'escalier et marcha en direction de la vieille maison noire qui semblait dormir pour l'éternité derrière ses portes closes et des fenêtres dont les vitre refusaient même les dernières lueurs indirectes du soleil couché. Rendue là, elle s'assit dans les marches de l'escalier et regarda de nouveau le décor qui s'offrait à elle, en fait le même que depuis chez elle, mais sous un angle quelque peu différent et avec un élément ajouté : le cimetière là-bas sur la petite colline, avec son calvaire et ses pierres tombales.

Dommage que Lise ne soit pas là, elles s'en raconteraient

des choses comme chaque fois qu'elles étaient ensemble. Deux vraies petites pies alors.

Un événement important pour son avenir immédiat se déroulait en ce moment même dans le sous-sol de la sacristie. Elle en pouvait apercevoir toutes les lumières allumées comme si les commissaires réunis là pour choisir les futures maîtresses d'école avaient voulu obtenir le plus d'éclairage possible sur les décisions à prendre.

On voyait rarement des femmes assister à de telles assemblées et encore moins les maîtresses elles-mêmes ou les applicantes, mais leur père pouvait les y représenter, ce que faisait Ernest en ce moment même pour Jeanne d'Arc. Serait-elle sélectionnée pour l'école du bas de la Grand-Ligne comme elle l'avait demandé ? La rumeur avait couru voulant que plusieurs aient postulé pour obtenir cette école. Mais qui donc ? Sûrement pas Aline Boutin en tout cas puisqu'elle conserverait son emploi comme maîtresse du rang 10. Inquiète, Jeanne d'Arc était partie marcher toute seule vers le haut du village. Elle promenait quelque part dans la pénombre son front soucieux, car malgré les Florent Dargesse et leurs randonnées en voiture, un retour à Courcelles ne lui disait rien qui vaille.

Dolorès entendit des voix de garçon. Et aperçut deux silhouettes qui arrivaient à hauteur de la maison suivante maintenant habitée par Pit Roy, un jeune homme dans la trentaine qui y tenait un petit restaurant depuis le départ des Boutin, maison qui en fait appartenait toujours à la succession Honoré Grégoire gérée par Stanislas Michaud.

Le rire et la voix de l'un le fit reconnaître : c'était Luc Grégoire. Et l'autre ne saurait être que son inséparable ami, le fils de Boutin-la-viande, Georges-Henri. Ils ne virent pas Dolorès que la rampe d'escalier et la noirceur masquaient en cette heure entre chien et loup où les lumières de rue attendaient l'heure cédulée pour ajouter leur blafard éclairage à celui des étoiles.

Elle surprit ce qu'ils se disaient.

–Es-tu fou ? Suis trop jeune pour sortir avec une fille.

–T'es su' l'bord d'avoir tes seize ans, Luc.

–Tant que tu voudras ! D'abord Jeanne d'Arc, elle rirait de moi ben comme il faut.

–Ben non ! Regarde comment elle te regarde !

–T'es capable de lire dans les yeux de quelqu'un, toi ?

–Certain ! Surtout quand une fille te regarde.

–En tout cas... asteur, Jeanne d'Arc est à Courcelles.

–J'ai su qu'elle voulait revenir faire l'école par icitte.

–T'as su ça, toi ?

–C'est son père qui a dit ça à mon père.

–Bon...

Dolorès emmagasina les phrases entendues. Elle les rapporterait à Jeanne d'Arc plus tard. Pour le moment, elle resta sans bouger afin de ne pas trahir sa présence en cet endroit. L'image des adolescents s'estompa, leurs voix mélangées moururent lentement dans la distance.

Jeanne d'Arc fut bientôt de retour de sa marche. Sa jeune soeur toussa pour révéler sa présence. Elles se rejoignirent sous les reflets de l'ampoule du lampadaire sis entre la vieille maison et la suivante.

–L'assemblée dure longtemps, dit-elle sur un ton dépassant l'inquiétude et confinant à l'anxiété.

Ce que sentit Dolorès.

Et pourtant, Jeanne d'Arc avait de bonnes chances d'obtenir le poste, concurrentes ou pas. Le président de la Commission scolaire, Napoléon Boucher, cultivateur de 42 ans, était client à la boutique de forge et s'entendait bien avec Ernest. "*Ça devrait marcher comme il faut* !" lui avait-il dit l'après-midi même avec un clin d'oeil complice.

On entendait les ouaouarons au loin qui répondaient aux

grenouilles. Il restait un espace marécageux derrière la grange à Foley sur la terre de Georges Pelchat, et ses habitants humides admiraient eux aussi la voûte étoilée.

Soudain, les lumières du bas de la sacristie s'éteignirent. On entendit la porte s'ouvrir, se refermer, des voix se répondre puis la silhouette d'Ernest parut. On le reconnut à son pas décidé et régulier.

En Jeanne d'Arc, la tension atteignait son comble. Quand l'homme fut assez près, elle se manifesta :

–Pis papa ?

–Tu iras signer ton contrat demain à la Commission scolaire. Médée Racine t'attend.

–Ben correct !

Ces deux mots ne disaient rien de son soulagement, de sa joie, de sa reconnaissance envers son père. Ernest le devina et passa tout droit vers la maison.

–On retournera pas à Courcelles ? questionna Dolorès.

–Non. Pis toi, tu vas rester à la maison. Je vas y aller toute seule, dans le bas de la Grand-Ligne; c'est pas assez loin pour qu'ils t'envoient rester avec moi.

Dolorès aurait voulu pleurer de joie. Puis elle raconta ce qu'elle avait entendu de la bouche des deux adolescents tandis qu'elles marchaient lentement vers la maison. Luc et Georges-Henri revenaient alors de leur marche. Jeanne d'Arc les arrêta. Elle dit, bourrée d'enthousiasme :

–Luc, tu me portes chance. Laisse-moi te donner un bec à pincettes comme au jour de l'An...

Dolorès qui n'était pas une 'embrasseuse' comme sa soeur aînée ne comprenait pas trop pareil élan. Mais elle n'approfondit pas la question non plus...

Quant à Luc, il prit le bec comme celui de quelqu'un qui le traite en enfant.

*

"Les moments les plus inoubliables sont ceux qui passent le plus vite et disparaissent à peine aperçus, comme des étoiles filantes et brillantes dont il reste pour toujours en l'âme l'éclat merveilleux du souvenir !"

Tel était le message que Berthe avait glissé dans la poche d'Ovide en lui demandant de ne pas le lire avant d'être retourné chez lui au Grand-Shenley. Le jeune homme attendit de se trouver dans sa chambre pour en prendre connaissance. Comment pouvait-elle donc lui écrire d'aussi belles choses et refuser de l'épouser ? Ovide cherchait toujours comment l'amener à dire ce grand 'oui' qu'il espérait tant...

On était le premier septembre. Les nouvelles en provenance d'Europe étaient pourries. Rumeurs de guerre imminente. Mobilisation générale en France depuis une semaine. Tous les efforts pour sauver la paix, accomplis par Daladier et Chamberlain, s'étaient heurtés à un mur d'hypocrisie de la part du dictateur allemand Aldolf Hitler. L'Anschluss de 1938 avait consisté en l'annexion de l'Autriche et d'une partie de la Tchécoslovaquie par l'Allemagne nazie. Français et Anglais s'étaient retenus d'entrer en guerre malgré la gravité de la chose. Même que lors des accords de Munich un an auparavant, ils avaient reconnu l'annexion du pays des Sudètes. Insatiable, Hitler avait rompu les dits accords dès mars 39 en mettant la main sur la totalité de la Tchécoslovaquie. Et voici que le 23 août, l'Allemagne avait signé le pacte de non-agression avec l'URSS. Et ce jour du premier septembre, les forces allemandes entraient en Pologne. On s'attendait à une déclaration de guerre contre le troisième Reich par la France et la Grande-Bretagne. Advienne une telle déclaration par la Grande-Bretagne, tout le Commonwealth serait alors en guerre. Y compris le Canada...

Ovide s'intéressait de près à l'actualité internationale et il en parlait souvent à Berthe qui lui disait parfois : *la politique, c'est une affaire d'hommes*. Et qui, comme sa mère autrefois, se plaignait de ce que les femmes n'aient pas le droit de vote aux élections.

Le mot de Berthe et les nouvelles d'Europe se mélangèrent en l'esprit d'Ovide et y mijotèrent toute la nuit et la nuit suivante. Le trois septembre, on apprit par la radio que la guerre était déclarée et que le Canada s'apprêtait à faire sa propre déclaration et à préparer des troupes pour les champs de bataille de l'Europe, tout comme à la première Grande Guerre.

C'était dimanche. Il faisait un grand soleil. Ovide attela et se rendit au village comme tous les dimanches pour voir Berthe. Cette fois, il détenait un argument de taille dans les bagages de son esprit pour la décider à l'épouser. Sachant que la partie ne serait pas facile, il imagina une mise en scène propre à servir sa cause. Dès qu'il fut avec Berthe, il lui suggéra une marche jusqu'au cimetière pour y faire une prière sur la tombe des Grégoire où dormaient Honoré, Émélie, Ildéfonse et Eugène, et celle des Jolicoeur où reposaient Marie-Laure, Marie-Ange et Monique.

On s'y rendit. Mais une fois les prières faites, il l'entraîna au fond du champ, devant des pierres tombales en bois mangées par le temps qui marquaient la tombe de soldats morts à la première guerre. Certes, les corps n'avaient pas été rapatriés, mais Saint-Honoré avait voulu leur rendre hommage en leur offrant cette humble stèle qui portait leur nom à peine lisible encore.

L'on parla de tout et de rien puis l'on retourna à la maison. Bernadette les félicita pour leur visite au cimetière puis quitta les lieux pour aller courir le village. Quant à Armand, il vivait dans son camp depuis le printemps et ne le quitterait que tard en octobre pour passer l'hiver avec ses deux soeurs.

Tous deux sur le divan du salon à boire une limonade, il venait de lui parler des événements d'Europe. Puis il lui prit la main et l'enveloppa dans les siennes en disant :

–J'ai pas fumé depuis hier, veux-tu que je t'embrasse ?

–Ah que t'es fin ! Sûrement que je veux !

Cela se produisit à leur habituelle manière pudique sans aucune matière à faute, même vénielle. Mais le désir guettait la pauvre jeune homme et taraudait son corps. Et puis à 28 ans, c'était le bout du bout : il fallait qu'il fonde enfin une famille.

Il la regarda droit dans les yeux et refit sa grande demande :

–Veux-tu m'épouser, Berthe Grégoire ?

–Pas encore, Ovide Jolicoeur !

Il s'attendait à cette réponse et sortit alors son arme suprême, un vrai char d'assaut :

–Dans ce cas-là, t'as un soldat devant toi !

–Comment ça, un soldat ?

–C'est la guerre. Il va y avoir conscription comme en 17. Et les premiers à partir seront les célibataires dans mon genre.

–Non, non, non...

–As-tu entendu parler que la guerre venait d'éclater en Europe ?

–Ben... évidemment ! Qui sait pas ça ?

–Jos Page sait pas ça certain.

–Ben oui, mais j'sus pas Marie Page, moi.

–Je t'agaçais.

–Et moi, je riais.

–C'est sérieux, Berthe. On se marie ou je risque d'aller me faire tuer sur un champ de bataille de l'Europe.

–C'est pour ça que tu m'as emmenée sur la tombe des soldats de la première guerre ?

–D'une manière...

Elle s'attendait à cette nouvelle demande, mais pas à cet argument massue. Toutefois, comme lui, elle avait une flèche dans son carquois. En fait un compromis :

–Tu sais ce qu'on pourrait faire ? Se marier, mais continuer comme c'est là. Tu restes au Grand-Shenley; moi, je reste ici, au village.

–C'est que le monde va dire ?

–C'est pas péché. On se marie... justement pour que ça arrête de radoter sur nous autres, mais comme il est pas question que je m'en aille vivre au Grand-Shenley, on continue comme asteur. Tu viendras passer les fins de semaine au village. Moi, de temps en temps, j'irai passer une demi-journée au Grand-Shenley.

–Une demi-journée ?

–Une demi-journée... pas une journée... pas une nuit non plus.

Ovide regarda dans le vague, soupira longuement. Et il conclut que cette solution proposée était en fait le seul chemin pour la conduire au pied de l'autel... puis peut-être... au fond du Grand-Shenley.

*

Luc Grégoire sortit de la maison (l'hôtel Central) et s'assit sur la galerie. De là, il pouvait apercevoir la galerie de la maison Mathieu, au-delà de celles de chez Pit Roy et de l'ancien presbytère. Et bien sûr, il pouvait voir aussi ceux qui s'y trouvaient. Comme ce dimanche-là du coeur de septembre, Jeanne d'Arc qui recevait un ami : Louis Pelchat, fils de Georges, jeune homme de 18 ans, pas très grand, très mince, et surtout bourré de faconde et d'humour. Mais pince-sans-rire comme son père et son frère Josaphat devenu forgeron et maintenant établi à Saint-Samuel avec sa petite famille. Et l'adolescent se haïssait de n'être pas né lui aussi en 1920 et non en 1923...

Louis n'avait pas perdu de temps au retour de Jeanne d'Arc de Courcelles pour la rechercher et s'afficher comme son ami de coeur. Elle l'aimait bien sans plus. Et refusait de se laisser fréquenter assidûment. Une belle amitié en attendant plus... ou quelqu'un d'autre... Et lui ne dédaignait pas cette façon de faire. La liberté dans l'amitié quoi ! On avait tout le temps pour les choses de l'amour...

—Comment que t'aimes ça, faire l'école dans le bas de la Grand-Ligne ?

—J'ai le double d'écoliers que j'avais à Courcelles.

—Une trentaine ?

—Vingt-huit. Des Carrier, des Fortin, des Champagne, des Talbot, des Lacroix, des Lachance.

—Tout du monde de la Grand-Ligne.

Louis possédait une chevelure mince, vaguée et noire comme le charbon. Et des yeux d'un brun brillant. Il avait fait sa huitième année et depuis sa sortie de l'école, il secondait son père à la boutique de forge que l'homme avait achetée de Pierre Racine des années auparavant. C'est lui qui remplacerait son père comme forgeron.

Ernest lui parlait aisément sans voir en lui le fils d'un concurrent. De toute façon, les trois boutiques du village plus une autre au coin des rangs 6 ne manquaient pas de travail quatre saisons par année. Malgré son quart de siècle et plus, la voiture automobile n'avait pas détrôné le cheval et on ne voyait pas le jour où un des forgerons devrait accrocher son marteau. Georges Pelchat, Ernest Mathieu, Lucien Jobin et Albert Bisson dormaient tranquilles. Et travaillaient comme des forcenés six jours par semaine. Et surtout personne ne songeait que la guerre ramènerait la prospérité et que la prospérité donnerait un coup de barre au progrès, lequel mettrait en péril le métier de maréchal-ferrant...

—Salut mon p'tit Louis Pelchat !

—Salut vous !

—De l'ouvrage en masse ?

—Oué. Vous ?

–En masse.

–Tant mieux pour vous !

–Pis tant mieux pour vous autres.

Ernest passait par là pour aller ailleurs. Après ces quelques mots, il prit le chemin vers le haut du village où il voulait rendre visite au maire Octave Bellegarde pour lui demander que la municipalité installe des tuyaux de grès sur le ruisseau d'égout qui passait sur son terrain et le long de la maison. L'homme passa devant Luc sans même le regarder et Luc en fut contrarié. Mais l'arrivée de sa soeur Huguette allait lui changer un peu les idées...

Pendant ce temps, Louis faisait une proposition à Jeanne d'Arc. Au théâtre de Saint-Georges, on présenterait bientôt le plus grand film de tous les temps : *Autant en emporte le vent*. L'annonce en avait été faite dans le journal *L'Éclaireur*. Des taxis feraient la navette le samedi soir entre les paroisses et la salle de cinéma. À Shenley, ce serait Cléophas Drouin que tous appelaient 'Foster'.

Elle accepta.

–C'est que ton père va dire de ça ?

–Il dira ce qu'il voudra. C'est pas un crime d'aller voir Clark Gable.

*

"Pour éviter d'occasionner des dépenses à ses parents peu fortunés, Ovide demanda une dispense au curé Ennis pour que le mariage puisse être célébré à Québec. Le dimanche de l'annonce des bans de mariage à l'église de Saint-Honoré, le curé annonça, par la même occasion, le décès d'un jeune homme, Ronaldo Beaulieu, fils d'Onésime qui vivait au Grand-Shenley tout comme la famille Jolicoeur. À la sortie de l'église, Berthe croisa son futur beau-père et lui fit cette remarque : "En voilà deux du Grand-Shenley qui sont maintenant placés !" Et Gédéon de lui répondre du tac au tac : "Le plus heureux, c'est Beaulieu !"

La signification de cette charmante répartie, faite sur un ton mi-figue mi-raisin, ne devait pas échapper à Berthe qui, de toute façon, connaissait bien l'opinion de son beau-père à son égard.

Le mariage eut donc lieu le mercredi, 15 novembre 1939 en la chapelle Saint-Louis-de-France de la basilique de Québec. C'est Stanislas, le mari d'Alice, qui amena Berthe du Lac-Mégantic jusqu'à Saint-Évariste où l'attendaient Bernadette et Ovide. De là, ils se rendirent ensemble à Québec.

La mariage fut célébré en présence d'Ernest et de Léopold Jolicoeur, les frères d'Ovide, d'Alice et de son mari, de Bernadette et Juliette Desrochers et d'Émilienne Michaud. Pour l'occasion, Berthe portait une robe bleue, des gants de cuir d'agneau qui montaient jusqu'aux coudes, et un manteau de fourrure.

Une réception très chic eut lieu au Clarendon. Ovide et Berthe prirent congé de leurs invités et partirent pour Montréal où ils logèrent à l'enseigne du très sélect hôtel Windsor.

Après huit jours de rêve et de dépaysement au coeur de la métropole canadienne, les époux revinrent à Lac-Mégantic et de là, regagnèrent Saint-Honoré. Comme convenu, Berthe retourna vivre avec Bernadette. Et Ovide s'en alla au Grand-Shenley chez ses parents.

Le lendemain de leur retour de voyage, la mère d'Ovide donna une réception en l'honneur de son fils et de sa nouvelle épouse. Berthe accepta, pour cette occasion unique, de coucher chez ses beaux-parents. C'est alors qu'elle se rendit compte que son mari dormait sur un matelas de paille comme au temps des premiers colons. Au matin, à son lever, elle retrouva ses beaux gants de cuir d'agneau dévorés par le chien. Comme si ce n'était pas suffisant, monsieur Gédéon qui faisait boucherie cette journée-là lui demanda de brasser le sang.

"Brasse ! Brasse ! Ça va cailler, baratême !" lui disait-il

dans le feu de l'action.

Et chaque fois qu'il échappait un 'sacre', Gédéon se mor- fondait, enlevait son chapeau et disait d'un ton contrit : "Que le bon yeu me pardonne !"

Puis il reprenait ses activités...

Pour Berthe, le dépaysement fut total. Ce court séjour au Grand-Shenley fit réaliser à la jeune femme que le rêve était maintenant terminé. Une nouvelle réalité s'imposait brutale- ment à elle, maintenant que le romantisme associé aux fré- quentations et au mariage commençait à s'estomper. Berthe n'était pas vraiment sûre qu'elle aimerait ce changement. La fille d'Honoré et d'Émélie n'avait jamais tellement manifesté de goût pour la vie à la campagne, préférant de loin l'acti- vité de Lac-Mégantic et le rythme trépidant de Sherbrooke. Au Grand-Shenley, le temps lui paraissait interminable et chaque fois qu'approchait le moment de déménager chez ses beaux-parents, elle sentait l'angoisse l'étreindre et jugeait bon alors de reporter l'échéance sous un prétexte quelcon- que.

Ovide accepta de bon gré cette situation qui présentait au moins l'avantage de rendre sa femme heureuse. Il restait chez ses parents pour 'tirer' les vaches et s'occuper de la ferme alors que Berthe poursuivait au village ses anciennes occupations.

Le dimanche, Ovide venait rendre visite à Berthe et ac- complir ses 'devoirs' d'époux. Cette situation, extravagante pour l'époque, n'était pas sans déranger les occupants de la maison. En effet, lorsque Berthe et Ovide montaient au deuxième étage en quête d'un peu d'intimité, Bernadette de- venait soudainement nerveuse, s'inquiétant de ce que les gens du village diraient en voyant les toiles des fenêtres baissées en plein coeur de l'après-midi..."

Un clocher dans la forêt, page 91

*

Dolorès et son amie Lise filaient le parfait bonheur.

Solange était bien assez autonome pour prendre toute seule le chemin des écoliers en direction du couvent tout près. Et puis, guère lucide sur elle-même, elle se défendait comme un petit animal devant ceux qui essayaient de la bousculer ou de s'en moquer à cause de ses handicaps.

Elles avaient entendu parler du film *Autant en emporte le vent*, mais c'était bien plutôt *Le Magicien d'Oz* qui les fascinait. Il n'était pas impossible qu'elles puissent le voir quand celui-ci serait à l'affiche à Saint-Georges. Car les moins de seize ans y seraient admis par exception. Même que c'est sur eux que la compagnie productrice comptait pour essuyer les coûts exorbitants de ce qu'on qualifiait de chef-d'oeuvre du divertissement pour tous. L'argent recommençait à circuler et on sentait partout en Amérique un grand appétit de vivre.

Faudrait voir les deux Éva (Grégoire et Pomerleau) s'interroger du regard quand les fillettes leur demanderaient de leur acheter un billet pour aller voir *Le Magicien d'Oz*. Le projet fut remis à plus tard. Bernadette eut vent de l'histoire et soumit à Freddé une belle idée : il paierait les billets et ainsi, les fillettes accompagneraient Solange qui, de la sorte, pourrait assister elle aussi à la projection du film.

Il n'était pas nécessaire de faire valoir un avantage à Freddé pour qu'il accepte de défrayer les coûts, il suffisait de frapper directement à la porte de son coeur...

Et grâce à lui, la magie du film, de ses couleurs, de son art, des sentiments joyeux qui s'y baladent, agit dans le coeur et l'esprit des trois fillettes.

Tout au long de la projection, Solange y alla de grands éclats de rire, longs et sonores, qui provoquèrent la joie dans toute la salle...

***

Chapitre 31

1940

C'était le quinze janvier, une journée glaciale. Et un lundi de grand soleil. Jour de lessive pour les femmes. Éva Pomerleau, enceinte pour la douzième fois à 38 ans, faisait la sienne dans la cuisine de la maison, frottant et frottant chaque morceau de linge sur la planche à laver puis le tordant à force de bras avant de le passer au tordeur, cet appareil qui consistait en deux rouleaux superposés et retenus serrés l'un contre l'autre, actionnés par une manivelle.

Bas de laine, camisoles, culottes d'étoffe, tout devait y passer en une seule journée. Quand un morceau avait traversé toutes les étapes du lavage, la femme allait l'étendre sur un séchoir mis au-dessus de la grille de la fournaise. Et si un séchoir venait à se remplir, elle attendait le retour de son mari de la boutique de forge ou bien celui de Victor de l'école, et à deux, un à chaque bout, on sortait ce lourd support triangulaire fait de bois pour le déposer sur la galerie où le linge humide ne tardait pas à geler dur, donc à sécher. Plus tard, on le rentrait et c'était la corvée du repassage...

Telle était la façon de procéder dans toutes les familles. Et chez les Boutin tout autant. Éva (Grégoire) ne pouvait toutefois pas compter sur son mari que son travail appelait à l'extérieur de la paroisse les jours de semaine. Et pas question pour elle de faire la lessive le samedi ou le dimanche ! Elle se débrouillait avec les moyens du bord malgré sa fragilité naturelle, son état de santé précaire et ses cinquante ans bien sonnés.

Les deux séchoirs étaient là, en attente du retour de Raymond, son fils de douze ans qui fréquentait maintenant l'école des garçons au sous-sol de la sacristie. Lise, le 'bébé' de la famille, revenait quant à elle, plus tôt du couvent, mais à 7 ans, elle n'avait pas la force nécessaire pour soulever son bout du séchoir.

La radio faisait la promotion du nouvel épisode de la série *Un homme et son péché* qui serait présenté au début de la soirée à Radio-Canada. Éva frottait encore et encore sur la planche bosselée en se remémorant l'épisode de la veille alors que Séraphin et Alexis en étaient venus aux mots une fois de plus, et que le 'bon' avait dit ses quatre vérités au 'méchant' pour le plus grand plaisir des auditeurs.

Éva se disait qu'elle devrait se dépêcher dans son travail pour ne pas manquer les voix familières d'Estelle Maufette (Donalda), Hector Charland (Séraphin), Albert Duquesne (Alexis), Henri Poitras (Jambe-de-bois), Belle Ouellette (Angélique), Armand Leguet (Pit Caribou) et tous les autres de ce radio-roman présenté depuis le 11 septembre précédent et déjà si populaire qu'il avait fallu le repousser de 15 minutes à l'horaire de Radio-Canada afin de ne pas nuire à l'auditoire du chapelet en famille de CKAC. Tout simplement, elle travaillerait plus vite et plus dur. Et ne manqua pas de bourrer la fournaise et le poêle de bois sec toute la journée, de sorte que la température de la maison resta jusqu'au soir très chaude et que l'air ambiant était chargé d'humidité.

Quand Raymond fut de retour, elle le réquisitionna pour sortir les séchoirs. Et pas plus cette fois que les précédentes, elle ne mit un manteau, se disant que l'exposition au froid était bien trop brève pour lui causer le moindre tort. Mais il y avait deux séchoirs à transporter à force de bras. Et Raymond s'enfargea les pieds, ce qui fit s'écarteler l'un d'eux. Il fallut du temps pour lui redonner sa forme et sa solidité. Heureusement, la suite se passa bien. Et après le souper, à 7 heures, l'on s'agenouilla pour la récitation du chapelet puis l'on écouta religieusement la suite de *Un homme et son péché*. Éva se berçait qui en même temps se livrait à du raccommodage. Raymond tâchait de faire son devoir à la table. Marielle apprenait ses leçons. Quant à Lise, elle ne s'intéressait pas le moins du monde aux tribulations de l'avare et s'était réfugiée dans sa chambre du deuxième étage dès la fin du chapelet en famille pour rêver à sa journée...

–Trop avoir, c'est pas tout avoir, mon maudit Séraphin, tu sauras ça.

"Ça, c'est une parole à réfléchir," se dit Éva qui, tous les jours de sa vie, s'interrogeait sur la profondeur des choses et du destin.

–Avouère A'exis ? Toé, t'as pas une 'token' qui t'adore.

–Ben j'aime autant être pauvre pis heureux que riche comme toé pis malheureux tous les jours de pas en avoir plus dans mes sacs d'avoine...

Éva sourit, comme tous ceux aux écoutes partout au Canada français en même temps qu'elle.

–C'est-il l'exilé qui dit des bêtises ou ben le draveur qui a perdu ses capacités ?

–J'ai le réflexe moins vite que du temps que j'dravais, mais j'ai la sagesse plus longue. Toé, plus tu vieillis, plus tu perds la tête à cause du maudit argent...

C'est la pieuse, docile et patiente Donalda que les femmes du pays, surtout les soirs de lessive, préféraient entendre pour se comparer et se consoler d'en subir moins, en tout cas un peu moins. Et puis courage, les petites mères, on songeait à vous accorder le droit de vote !!! Et le droit à l'éligibilité, soit celui d'être élue, d'occuper tous les postes et emplois comportant des responsabilités...

Plus tard, quand tout son travail de la journée fut accompli, Éva se rendit au deuxième étage afin de border le lit de la petite Lise. L'enfant ne dépassait jamais l'heure prévue pour ôter ses vêtements, enfiler son pyjama, faire sa toilette, sa prière du soir et se coucher.

De retour dans la cuisine où elle se berça un temps dans la pénombre sans rien faire enfin de ses mains, Éva songeait non point à Donalda mais à la mère de Dolorès qui en avait huit à table à part son époux. Et la plaignit. En son coeur profond, il n'y avait que bonté, commisération et respect des autres. Éva Grégoire continuait d'être avec le temps la femme d'exception qu'elle avait toujours été : attentive aux besoins et souffrances des autres, de tous les autres, mais à toujours se dire que son propre sort n'était rien...

Dès le jour suivant, elle fut prise de frissons et dut s'aliter. Ces choses-là se sentent de loin par le conjoint et Arthur, sans savoir que sa femme était sous l'attaque de bien pire qu'un simple rhume ou une mauvaise grippe, regagna la maison le mercredi soir pour la trouver bien mal en point. Elle le pria d'avertir Bernadette et Berthe et leur demander de venir puis d'emmener Lise pour en prendre soin le temps qu'elle se rétablisse.

–T'aurais dû faire venir le docteur ! dit Arthur sur le ton du reproche quand Berthe fut repartie avec Lise.

–Ça va passer.

–Des remèdes, c'est fait pour le monde.

–Fais ce que tu voudras.

Déjà menue, Éva semblait minuscule dans ce grand lit blanc. Comme si tout son sang s'était retiré de ses membres pour ne plus réchauffer que son coeur et le garder ainsi pour l'éternité.

–J'ai dit à Berthe de dire au docteur Goulet de venir.

–Quand ?

–Tout de suite. Ce soir même.

–C'est bon...

"Le diagnostic du docteur fut plutôt sombre; Éva était atteinte vraisemblablement d'une pleurésie. Dès qu'elle apprit la nouvelle, Alice accourut de Lac-Mégantic pour venir en aide à sa soeur aînée.

Pendant huit jours, Éva combattit la terrible maladie qui la clouait au lit. Trop faible pour lire ses journaux, elle les glissait sous son oreiller en prévision du moment où elle se sentirait plus forte.

Chaque jour, le docteur Goulet venait la voir et pompait du liquide de ses poumons en feu. Sentant que ses soeurs allaient s'apitoyer sur son sort, Éva, avec le courage qui la distinguait, affirma de nouveau sa foi en la vie en leur déclarant : "Si ma vie était à recommencer, je ferais exactement pareil."

Un clocher dans la forêt, page 49

Le soir du 22, soit une semaine après la sortie des séchoirs d'une maison humide et chaude vers un extérieur étranglé par une masse d'air arctique, tous les enfants à part Lucienne se trouvaient au chevet de leur mère. L'aînée des filles serait là le jour suivant : à temps, l'espérait-elle.

C'est que le docteur Goulet s'était montré d'un réalisme tel que Bernadette, Berthe, Alfred et Armand l'interprétaient comme du pessimisme vraiment trop noir : fatalisme improductif. Arthur a contrario n'avait pas pris de chance et il avait réuni Ti-Lou, Aline, Marielle, Raymond et Lise dans la chambre d'Éva.

La pauvre femme semblait avoir perdu conscience. Mais elle respirait de temps en temps. Au cours de l'après-midi, elle s'était endormie et pas même les efforts du docteur Goulet ne l'avaient ramenée de ce coma de fort mauvais augure.

Alors le médecin avait pris Arthur à part pour lui annoncer la funeste probabilité : Éva ne survivrait pas et ce n'était plus maintenant qu'une question d'heures. Seul un miracle pourrait encore la sauver. Un vrai et grand miracle...

Ti-Lou était venu de Valleyfield ce samedi-là. Pour voir sa Jeanne comme tous les quinze jours, mais cette fois-là, avant tout pour voir sa mère. Aline était revenue à la hâte de son école du rang 10 aussitôt après la classe. Un jeune cultivateur dévoué, Georges Boutin, l'avait reconduite au village avec son meilleur attelage.

Chez elle, Éva Pomerleau priait dans le noir pour la mère de Lise. Malgré une décennie qui les séparait, ces deux femmes se comprenaient, s'estimaient depuis l'arrivée de la famille Mathieu en 1932. Il y avait du Grégoire dans le coeur de la mère de Dolorès, une sorte de poésie inachevée dont la graine avait été déposée en elle par Eugène lors d'un mémorable voyage en train vingt ans auparavant. Éva, ce soir-là, tenait un certain petit crucifix dans sa main...

Dans la cuisine chez Arthur, les Grégoire attendaient en silence. Bernadette priait. Alice se désolait. Berthe avait le vague à l'âme au souvenir de tous les soins dont elle avait fait l'objet de la part de sa grande soeur mourante; et elle se disait qu'elle avait eu moins de chagrin à la mort de sa mère Émélie. Alfred mordait le bouquin de sa pipe pour empêcher des larmes de couler de ses yeux et Pampalon grommelait contre le sort qui lui semblait frapper si durement toujours les mêmes comme il l'avait fait pour sa soeur.

Armand était celui que les événements étonnaient le moins. Il savait depuis longtemps que la vie d'Éva serait écourtée. La 'Patte-Sèche' l'avait prédit tout comme le quêteux avait vu son avenir à lui, un avenir bien triste... Mis à part Honoré, il était le seul qui ait vraiment cru aux prophéties de malheur du mendiant voyant, et parmi les survivants, le seul qui seulement s'en rappelait. Il était assis près d'une fenêtre, courbé, la tête en avant, mais son regard parfois allait dans la nuit en direction du cap à Foley et s'y perdait dans les dédales du boisé et du passé.

–Maman, maman, maman...

Arthur avait pris place au bord du lit et répétait doucement le mot en espérant que sa femme rouvre les yeux, mais rien n'arrivait. Parfois les paupières cillaient, comme si la moribonde avait entendu quelque chose, mais l'inconscience demeurait. C'était la faiblesse combinée au manque d'oxygène au cerveau qui l'avaient fait entrer dans ce coma que le docteur avait dit irréversible. Restait à espérer, comme l'avait dit et redit le médecin, un miracle.

Les enfants avaient apporté des chaises afin de pouvoir, suivant le désir de leur père, passer une heure dans la chambre : la dernière avec leur mère. Mais un miracle, il faut le demander au ciel et on le demandait. Aline égrenait un chapelet. Lise restait figée, gelée dans une sorte d'incompréhension des événements; elle s'accrochait à l'idée que sa mère irait l'attendre au ciel. Marielle gardait les bras croisés pour retenir ses larmes dans sa poitrine. Raymond se faisait sans cesse le reproche pour sa gaucherie quand on avait sorti les séchoirs alors qu'il en avait 'échappé' un qui s'était avachi, et qu'il avait fallu relever de peine et de misère. Les montants et barreaux du séchoir lui parurent soudain faire partie de son corps, de son squelette... Une bien drôle de pensée en pareil moment de fin, d'affliction, de bris...

Ti-Lou songeait à lui-même en regardant le souffle intermittent et si détérioré de sa mère. À la C.I.L., on s'était mis à la production de temps de guerre. Et lui avait été transféré dans une section où l'on fabriquait des balles de carabine. Nul doute que des produits chimiques restaient en suspension dans l'air ambiant et qu'il en respirait chaque jour des quantités nocives pour les poumons. S'il avait donc pu finir ses études !...

Tout à coup, Éva ouvrit les yeux. Arthur dit aussitôt :

–Elle se réveille, elle se réveille...

Toute l'attention se tourna vers eux. Mais ce n'était que pur réflexe involontaire de la part de la mourante. Son regard demeura fixe puis quelques secondes plus tard, ses paupières se refermèrent à jamais.

Probablement soucieuse encore dans son inconscience de l'état d'âme des autres, elle attendit un autre jour pour quitter ce monde. Que l'on puisse s'y préparer. Son esprit et son coeur prirent les vingt prochaines heures pour faire les bagages et, sur le coup de six heures du soir, alors que seuls Ti-Lou et Bernadette se trouvaient à son chevet, elle s'envola pour son éternité.

C'était le 23 janvier. Une journée glaciale...

*

–Dolorès ira pas à l'école aujourd'hui ni le reste de la semaine. Elle sera chez Bernadette Grégoire avec son amie Lise Boutin.

Voilà ce que Éva Pomerleau venait de dire au téléphone à l'intention de la soeur Supérieure qui était à l'autre bout de la ligne. C'était mercredi matin, le 24. La femme venait d'apprendre, aussi par le téléphone, de Bernadette, la mort de sa soeur Éva. À part Arthur et le docteur, personne ne s'attendait à pareil dénouement. On croyait que la pleurésie aurait une fin. Que la malade retrouverait ses énergies. On l'avait connue si vivante...

Alors Éva avait aussitôt songé à la plus vulnérable des enfants Boutin et pensé que de lui donner Dolorès pour compagne durant les pires jours de son deuil l'aiderait peut-être pour toute sa vie future.

La femme ressortit du salon dont elle referma la porte pour empêcher la chaleur du reste de la maison de se perdre dans les deux pièces condamnées pour l'hiver. Elle sentit une présence tout près, au-dessus de sa tête. C'était Dolorès, assise dans l'escalier là-haut, et qui avait sans doute entendu ce qu'elle venait de dire au téléphone.

–Bernadette a appelé tantôt... madame Boutin est morte hier soir.

Dolorès ne dit pas un mot. Elle coucha sa tête sur ses bras appuyés sur ses genoux et laissa couler ses larmes. La mère de Lise l'avait si souvent serrée dans ses bras que la fillette s'était souvent demandé si cette personne ne l'aimait pas mieux et plus que sa propre mère.

–J'me suis arrangée avec Bernadette... Lise est rendue chez eux pour quelques jours, peut-être plus... On voudrait que tu t'en ailles là pour l'aider à soulager sa peine un peu. Ça fait que tu t'habilleras, tu te laveras ben comme il faut pis tu traverseras chez Bernadette. Elle t'attend. Oublie pas d'emporter ton pyjama avec toi, là...

L'enfant retourna dans sa chambre et pleura encore tout le temps qu'elle se prépara...

Elle refusa de manger, mit son manteau et partit sous l'oeil désolé de sa mère qui fut sur le point de lui recommander la politesse et le silence mais se ravisa en pensant que ce serait là un conseil tout à fait dérisoire et inutile.

La fillette se rendit frapper à la porte chez Bernadette. Celle-ci vint lui ouvrir et l'accueillir. Elle se rendit compte que l'enfant avait pleuré et se fit encore plus tendre, elle qui avait aussi le coeur dans l'eau :

–Maman m'envoie rester avec Lise, fit Dolorès.

–Tu viens pour rester avec Lise... elle est dans le salon... entre... Ta mère est ben fine d'avoir pensé à ça... viens...

Dolorès entra, ôta son manteau, ses bottes. Elle aperçut Berthe et Armand à table, tous deux silencieux comme la mort, l'air noir.

Tous ceux qui avaient connu Éva Grégoire la pleuraient de façon bien particulière : avec elle, c'est un précieux morceau de beauté humaine que l'on enterrerait...

*

Lise était tranquille, assise au fond du divan, ses pieds qui ne touchaient pas le plancher. Dolorès vit en elle bien plus qu'une soeur, elle vit une amie. Et resta un moment debout près d'elle sans rien dire. Puis dans leurs yeux de fillettes parut l'image de bras de géantes qui en réunissant leurs forces soulèveraient le deuil qui les affligeait. Baigné de peine et de larmes, un soulagement parut alors à l'horizon : lumignon d'espérance qu'un seul sentiment, la haine subie de la part d'êtres méchants, aurait pu éteindre. Mais la haine, on ne la connaissait guère à Saint-Honoré en 1940 et le seul événement haineux dont on se souvienne avait été celui de la mort du chien *Chasseur*.

–Viens-tu, on va s'en aller en haut ? suggéra Lise.

–Oui.

Berthe fut prévenue qui dit :

–Attention de pas réveiller Lucienne.

–On va faire attention.

Lise avait couché avec sa grande soeur Lucienne enfin arrivée de Montréal et qui, enterrée de fatigue et d'affliction, venait de dormir une douzaine d'heures d'affilée.

Toutefois, on ne la surprit pas au lit mais plutôt assise devant la commode à trois miroirs dont deux mobiles et qui permettaient de s'offrir une image de soi à 360 degrés.

–Lise ! Dolorès ! Ça fait du bien de vous voir à matin.

–Dolorès reste avec moi jusqu'à l'enterrement de maman.

Lucienne se tourna sur le banc carré et regarda les fillettes avec intensité :

–L'enterrement de maman... c'est la première fois que j'entends ça et c'est pas drôle à entendre... Oh, c'est pas un reproche, Lise, c'est juste que... c'est ben triste de perdre sa mère, surtout à l'âge que t'as.

Les enfants allèrent s'asseoir sur le lit. Alors Dolorès prit conscience de la façon dont Lucienne était vêtue. En fait la jeune femme était en 'brassière' et ça, la fillette n'en avait jamais vu. Mieux, c'était un soutien-gorge de couleur noire avec plein de dentelle.

Lucienne se remit droite et recommença à brosser lentement ses cheveux tandis que parfois, de sa main libre, elle portait sa cigarette à ses lèvres. Puis elle se mit à raconter la vie qu'elle faisait dans la famille Bronfmann à Montréal. Elle parla abondamment du luxe, des commodités, du modernisme de l'intérieur, des manières sophistiquées de faire les choses y compris la cuisine.

Et les fillettes en oublièrent pour un temps leur affliction pour se laisser émerveiller par ce récit concernant un monde qui existait bel et bien, mais leur paraissait inaccessible.

Lucienne devait ensuite enfiler sa robe de lainage noir, une robe moulante pour une femme assez grande et plutôt mince. Jamais Dolorès n'avait vu plus belle personne humaine. Pour ajouter à sa beauté classique, Lucienne enfila un collier noir et ajouta une touche à son fard puis à son rouge à lèvres avant de se mettre un soupçon de parfum derrière chacune des oreilles.

–Pauvre, pauvre maman ! dit-elle ensuite en allumant une seconde cigarette.

La tristesse revint au coeur des fillettes. Il fallait réintégrer la maison du deuil. Lucienne annonça qu'elle descendait pour prendre son petit-déjeuner et elle quitta les lieux...

La tristesse donne de si magnifiques couleurs à la beauté qu'on finit par l'aimer parfois...

*

Non seulement Dolorès perdait une seconde mère en cette femme, mais elle perdrait aussi son amie Lise. Dans quelques mois, le temps pour la fillette de finir son année scolaire au couvent de Saint-Honoré, elle partirait après les vacances d'été pour Lac-Mégantic où les Michaud deviendraient ses parents adoptifs; et Lise partagerait leur vie au même titre que leur nièce Gabrielle.

C'est ainsi que la mort d'Éva Grégoire-Boutin devait si-gnifier un double deuil dans la vie de la jeune Dolorès Ma-thieu...

Elles eurent le temps avant leur séparation de se jurer amitié jusqu'à la mort. Et un beau soir de mai, toutes deux se rendirent sur le cap à Foley pour pique-niquer et se répéter que la distance ne les éloignerait jamais.

Là-bas, le décor n'était plus tout à fait le même. C'est que devant le cimetière commençait de s'élever une construction fort imposante, celle d'une salle paroissiale à deux longs éta-ges, qui comprendrait au premier un logement pour le sacris-tain, des petites salles pour groupements paroissiaux, une pièce pouvant s'agrandir et qui serait utilisée pour l'exposi-tion des morts, des toilettes publiques et une salle de classe mise à l'usage de Laval Beaulieu et ses élèves. Tout le se-cond étage n'aurait qu'un seul usage : les rassemblements pa-roissiaux. Soirées électorales, soirées de cinéma, de théâtre amateur, parties de cartes et autres, au gré de l'imagination des paroissiens organisateurs dont, en tête, le curé Ennis qui avait investi de sa poche l'essentiel des fonds requis pour cette érection, et son vicaire l'abbé Joseph Turgeon qui avait remplacé l'abbé Robitaille en 1936.

Mais voilà qu'après un coup d'oeil à cette structure de pièces de bois, les fillettes s'intéressèrent bien davantage à leur amitié qu'elles voulaient toutes deux solide comme un édifice ou le roc sur lequel une nappe était étendue avec des-sus de quoi luncher qu'elles avaient elles-mêmes préparé avec un brin d'aide de Bernadette.

–Sais-tu que Cécile (*soeur de Dolorès*) va faire l'école à Chesham ?

–Où ?

–Chesham.

–C'est où, Chesham ?

–Ben c'est... sais pas... proche de... de Mégantic ?

–Hein ?

–Oué ! On va y aller des fois... pis... ben on va arrêter te voir à Mégantic.

–Pis moi, je vas venir passer mes vacances avec ma tante Bernadette.

–Ah oui ?

–Certain !

–Pis on va s'écrire.

–Pis on va s'écrire...

Les promesses des enfants sont bien plus vite oubliées que leurs rêves...

***

La salle paroissiale construite en 1940 à l'instigation du curé Ennis et avec son argent en bonne partie.

Chapitre 32

1940...

–As-tu un costume de bain, Jeanne d'Arc ?

–Ben... n... non.

–Ta mère non plus ?

–Ben non, ça, c'est certain.

–Ta soeur Cécile non plus ?

–Non, personne dans la maison.

–C'est de valeur.

–Comment ça ?

–On aurait pu aller se baigner dimanche qui vient.

–Se baigner où ?

–Dans l'eau.

Sans même sourire, Louis préparait le terrain pour que son amie l'accompagne à une plage de Saint-Benoît le dimanche suivant. Les deux se berçaient sur la galerie en regardant les passants et les clients qui allaient et venaient de l'extérieur vers l'intérieur du magasin et vice versa.

–C'est sûr, mais où ? Pas dans le lac à Adolphe toujours : c'est bourré de sangsues ?

–Adolf ? Adolf Hitler ?

–Arrête donc de faire le fou, Ti-Louis, là... Le père Adolphe Fortier... son lac en arrière de la terre à Dilon Poulin.

–Mais non, mais non... on irait à la plage Vallée à Saint-
Benoît... une belle plage de sable. On se baigne pis on se
fait chauffer la couenne au soleil ensuite. La vraie vie...

–Tu vas y aller tout seul parce que j'en ai pas de costume
de bain.

–T'as jamais pensé d'en avoir un ?

–Ben... non...

Il faisait grande chaleur ce soir de juillet. On entendait le
chant plutôt enroué des grenouilles. S'y ajouta soudain celui
du dernier-né de la famille Mathieu, Gilles qui avait vu le
jour le 24 mai et qui par ses cris incessants donnait pas mal
de fil à retordre à sa mère. Ses pleurs atteignaient Jeanne
d'Arc et Louis via la moustiquaire de la porte d'entrée devant la maison.

Ce qui arrivait en ce moment, c'est que Éva transportait
le bébé pour s'enfermer dans la seconde pièce du salon et
l'allaiter. Les cris affamés s'étaient échappés par le treillis,
aspirés vers l'extérieur par un courant d'air venu de la cuisine.

–C'est comme j'te dis : on part après dîner dimanche
pour revenir pour souper. L'après-midi au complet au lac
Poulin. Pas le lac Adolphe, le lac Poulin de Saint-Benoît.

–C'est comme j'te dis : j'en ai pas de costume de bain.

–Viens pareil pis baigne-toé pas !

–Ah... ça, ça se pourrait peut-être...

–Pourquoi peut-être ? Pas sûre ?

–J'sais pas c'que ma mère pis mon père vont dire de ça.

–T'as 18 ans, Jeanne d'Arc. Tu vas avoir 19 ans au mois
d'octobre. Tu gagnes ta vie. T'as le droit de décider.

Elle hésitait. Pensait aux ragots. Songeait à Luc... Ah, et
puis Luc était trop jeune pour elle après tout... Soit ! Elle

irait avec Ti-Louis à la plage Vallée.

–D'accord ! Je vas y aller dimanche avec toi.

Louis se disait qu'il trouverait bien un maillot de bain pour elle quelque part entre-temps. Il le cacherait dans un sac qu'il emporterait avec lui et le sortirait à la dernière minute. Jeanne d'Arc n'aurait pas le choix une fois sur la plage. Le jeune homme en était déjà tout retourné à l'idée de la voir ainsi vêtue au sortir d'une cabine d'habillage. Il aurait le sentiment de voir Maureen O'Sullivan en Jane dans le film tout récent *Tarzan trouve un fils*.

Soudain, Bernadette sortit de chez elle et traversa la rue en claudiquant suivant son habitude.

–Je viens voir ta mère, dit-elle à Jeanne d'Arc.

–J'pense qu'elle est un peu occupée pour une dizaine de minutes.

–Ah, je vois ! Ben tu lui diras qu'on a eu des nouvelles des États. J'ai un autre petit neveu. Clara et Henri ont eu un petit garçon au mois de mars.

–Mon Dieu, ça leur a pris du temps à vous le faire savoir.

–Ben... je le savais, mais j'avais oublié de le dire à madame Mathieu. Tu lui diras. Le petit, il s'appelle Henri-Paul.

Jeanne d'Arc sourit. Elle connaissait l'insatiable besoin de leur voisine de parler et son ennui quand personne ne se trouvait à proximité pour lui apprendre quelque chose ou en apprendre quelque chose. Bernadette s'adressa à Louis :

–Pis toi, ça va bien à la boutique de forge ?

–Ah oui ! On travaille dur : on se fait du bras.

Le regard de la femme étincela :

–C'est justement ça que j'disais quand je frottais le plancher du magasin quand j'étais petite. Tu veux que j'te conte ça ? J'te dis que c'était pas beau, le soir, ce plancher-là... Des gros 'morvias' partout... Eurk !... J'sais pas comment ça se fait que j'ai pas attrapé la consomption...

Elle éclata de rire avant de poursuivre :

–Non, mais y a donc des hommes qui sont pas propres, hein ! Des hommes des vieilles générations, c'est sûr...

–Les doigts dans le nez quand c'est pas dans le cul...

Surprise par cette réflexion du jeune homme lancée avec tant de froideur, Bernadette manqua s'étouffer de rire. Et Jeanne d'Arc, une autre ricaneuse, l'accompagna dans sa joie bon enfant. Ti-Louis était aux anges quand il dispensait ainsi du bonheur autour de lui par ses paroles osées.

Il y eut interruption subite de l'échange et des rires par la venue sur le trottoir d'Anne-Marie Lambert, mère de famille devenue assez grassette avec le temps et qui se tenait à l'affût de toutes les nouvelles vu son travail pour *L'Éclaireur*.

–Excusez-moi, dit Bernadette aux jeunes de la galerie, j'ai quelque chose à parler avec madame Lambert.

Elle se dirigea aussitôt à la rencontre de l'autre femme sur le trottoir tandis que paraissait sur le chemin du cimetière le long de l'église un camion pick-up noir facile à reconnaître.

–Quen, Beaudoin qui a fini de travailler à poser l'électricité à la salle paroissiale.

–Un gros travaillant, notre Léonard !

–Ces Beaudoin-là, ça travaille fort pis ça travaille vite. Du coeur au ventre ! Mais ça fait un métier dangereux. L'électricité, ça pardonne pas !

La famille Beaudoin vivait en face de l'école du bas de la Grand-Ligne et deux des fils, les jumeaux Léonard et Léopold, avaient appris le métier d'électricien qu'ils pratiquaient en même temps qu'ils voyaient à l'entretien des lignes de téléphone de toute la paroisse. Seuls le village et les deux grandes lignes étaient électrifiées, mais l'on parlait de plus en plus de l'électrification rurale soit celle de tous les rangs de la paroisse. Beaudoin s'arrêta devant la maison Mathieu et s'adressa à Louis :

–Ma roue est-il bandée, Ti-Louis ?

–Bandée ben comme il faut.

Le mot répété donnait à penser à autre chose qu'à un cercle de fer entourant la circonférence d'une roue de bois pour la rendre solide tout en la protégeant des ornières, cailloux et autres nuisances de la route ou des chemins de champ et de forêt. Les deux jeunes hommes faisaient exprès de les redire pour voir la réaction de Jeanne d'Arc et même des deux autres femmes qui pouvaient les entendre échanger.

–Dans ce cas-là, j'peux arrêter la prendre ?

–Mon père va te la donner.

–Correct de même !

–À part de ça, achèves-tu l'électricité de la salle ?

–Dans deux semaines, la salle est prête pour ouvrir.

–Ça s'est fait vite.

Beaudoin était un gars de 19 ans, à cheveux brun foncé, au front carré, toujours souriant au contraire de Ti-Louis qui riait sans jamais rire ou à peu près. La roue à réparer n'avait été qu'un prétexte pour s'arrêter là et s'exprimer devant Jeanne d'Arc qui exerçait sur lui comme sur tous les garçons de son âge un attrait puissant. Il osa s'adresser à elle :

–Vas-tu revenir faire l'école dans le bas de la Grand-Ligne cet automne, Jeanne d'Arc ?

–Eh oui ! Vous allez pas vous débarrasser de moi de même, là.

–Tu nous embarrasses pas pantoute.

–Elle t'embrasse pas non plus.

–Ben comique, mon Ti-Louis Pelchat !

Et voici qu'on aperçut Luc Grégoire traverser la rue pour se rendre au magasin. Et voici qu'on aperçut Napoléon Lambert qui revenait du presbytère, canne devant, courant sur trois ou quatre pas parfois, comme si quelque bizarrerie l'incitait à se dépêcher sans savoir vers quoi il allait, sinon à la maison où il demeurait, maison séparée de celle des Mathieu par deux autres seulement.

Un soleil rouge commençait de se noyer dans l'horizon ouest qu'était à admirer Armand Grégoire depuis le cap à Foley où il s'était rendu plus tôt afin de visiter la sépulture secrète de la 'Patte-Sèche'.

Malgré la distance le séparant des autres sur la rue principale, Armand, à sa façon, faisait partie du décor.

Et participait à la scène au coeur du village. Une scène qui grouillait de vie et de jeunesse, bien remplie comme les aimait et les souhaitait tant Émélie Allaire. La femme disparue dix ans auparavant y était peut-être pour quelque chose.

Qui parmi les vivants aurait pu se souvenir clairement de ces environs du temps de la maison rouge avant 1900 alors que le complexe Grégoire n'était encore qu'une vision de l'esprit, un rêve partagé par Honoré et Émélie ? En lieu et place de la maison Mathieu, c'était la première église. En lieu et place de la terrasse aménagée devant l'hôtel, c'était le vieux cimetière où ne dormait encore, de la famille Grégoire, que Marie Allaire, soeur d'Émélie. En lieu et place du hangar et de son porche, c'était la vieille maison du couple Grégoire. En lieu et place de la maison à Bernadette, c'était la même, celle des Foley, engoncée dans la terre, grise et bien modeste, mais qui grouillait d'enfants. Et en lieu et place de la grande église et du couvent, c'étaient des arbres : bouleaux, épinettes, quelques érables et deux merisiers.

Ils n'étaient pas tous disparus, ceux qui avaient vu ce temps. Bien loin de là : la plupart des 50 ans et plus en gardaient un vif souvenir. Même qu'il en restait plusieurs ayant été témoins de l'ouverture du premier magasin dans la maison qui serait plus tard rouge, comme les deux Célanire qui dépassaient leurs 80 ans, l'une, Célanire Jobin, épouse de feu Onésime Pelchat qui en faisait 83 et la doyenne de la paroisse, Célanire Blais, femme de feu Louis Carrier qui venait d'entrer dans sa 92e année. Mais la plupart des anciens reposaient sur la colline au voisinage d'Émélie et Honoré Grégoire.

C'était l'époque de nouvelles générations dans la fleur de l'âge. Et leur destin se tramait à leur insu... Mais peut-être pas dans le plus hermétique des secrets pour certains qui se trouvaient là, en ce coeur de village que tant de fantômes invisibles devaient visiter souvent, histoire de se remémorer les beaux jours et les jours tristes...

Lambert parvint devant le magasin. Luc était resté sur le perron où il faisait semblant de regarder vers le haut du village tandis qu'en fait, il surveillait Louis Pelchat, Léonard Beaudoin et surtout Jeanne d'Arc Mathieu...

L'aveugle parvint tout près du véhicule de Beaudoin dont le moteur tournait au ralenti. Il vint pour traverser la rue, le fit à moitié puis ce fut soudain comme si toute sa personne devenait affolée. Il s'arrêta, recula de deux pas, tourna son corps vers l'est alors qu'il marchait dans l'autre direction le moment d'avant. Son visage présentait un rouge cramoisi. On eût dit que tout son sang y était accouru et pourtant la soirée était chaude.

–C'est quoi qu'il arrive à Poléon ? s'étonna Bernadette tout haut.

–C'est le moteur du 'truck' qui doit l'inquiéter.

–C'est pas la première fois...

Sur la galerie, Jeanne d'Arc s'interrogeait autant sur l'agir bizarre de l'aveugle que sur la présence de Luc à l'entrée du magasin. Il ne flânait pas là de coutume. Son regard attentif allait de l'un à l'autre. Louis crut bien dire :

–Beaudoin, recule pas avec ton pick-up, t'écraserais monsieur Lambert.

–Je l'ai vu, crains pas ! Suis pas aveugle...

Cette réflexion lui avait échappé bien involontairement, mais le jeune électricien réalisa ce qu'il avait dit le moment d'après.

Lambert continuait d'être agité par une sorte de danse burlesque. Un pas en avant, deux pas en arrière, un pas sur le côté. Canne soulevée qui pointait là, là et là...

Le pauvre homme se sentait aspiré dans un tourbillon de forces inconnues. En réalité pas tout à fait. Quand il avait une prémonition, quand il sentait autour de lui l'étrange présence d'un ange de la mort, il se conduisait de manière erratique, aspiré par les remous de l'incertitude, d'une certaine colère et du chagrin profond. Avec le don de guérir, il l'avait hérité de la 'Patte-Sèche' du don de perception extra-sensorielle. Peut-être était-il exacerbé par l'âme du quêteux de Mégantic à laquelle s'adressait en ce moment même Armand Grégoire de l'autre côté du cap à Foley.

—Comment que ça se passe de l'autre bord, la 'Patte-Sèche', hein ?... Cours-tu les grands chemins comme de ce bord icitte ?... Ou ben si tu joues une partie de cartes avec mon père ?... Si c'est ça, ma mère doit sacrer pas loin... Sais-tu qu'il me reste rien que 18 ans à vivre sur cette terre du bon Dieu ?... Tu dois le savoir, c'est toi qui l'as prédit...

L'aveugle s'arrêta net de tourner en rond et se braqua au beau milieu de la rue en criant :

—Ouais, qui c'est qui est icitte pas loin, là ?

Bernadette et l'épouse de Lambert s'amenaient à petits pas sur le trottoir de bois. Mais ce fut Jeanne d'Arc qui prit la parole :

—Y a... ben y a Louis Pelchat... pis Léonard Beaudoin... et pis Luc Grégoire en arrière de vous...

L'aveugle frissonna de tout son corps. Non pas un mais au moins deux anges de la mort lançaient sur lui leur souffle glacial. Deux fois déjà, il avait ressenti ces impressions étranges en la présence de Luc Grégoire, l'une devant l'église le jour même de sa naissance en 1922, l'autre là même, tout près, quand Luc avait un jour forcé la main du destin en coupant le chemin à un camion chargé de bois.

Mais pourquoi percevoir la présence dans les parages de plus d'un ange de la mort ? Qui de Louis Pelchat ou de Léonard Beaudoin attendait-on pour le conduire dans l'au-delà ?

Mais quoi, que faisaient donc les anges de la mort au Canada ? Ne s'étaient-ils pas tous donné rendez-vous là-bas, sur les vieux territoires européens ? N'étaient-ils pas tous embusqués derrière les lignes Maginot et Siegfried ? Ou n'avaient-ils pas tous suivi les armées allemandes en Pologne puis dans la Belgique et en France où elles avaient fait leur entrée à Paris le 14 juin ?

Les anges de la mort n'étaient tout de même pas des anges de l'enfer. Sans doute ne se trouvaient-ils auprès d'une personne que pour l'accompagner dans son grand voyage, pas pour l'y précipiter. Napoléon Lambert comprenait cela, mais son trouble intérieur n'en était pas moins en train d'atteindre un paroxysme en ce moment. Sauf qu'au lieu de bouger sans cesse, il était maintenant pétrifié.

–Allons le chercher, on dirait qu'il sait plus où il va, dit Bernadette à Anne-Marie.

Elle se rendirent à lui, le prirent chacune par un bras et l'emmenèrent. En passant devant la galerie chez Mathieu, il dit avec plusieurs signes de tête :

–Merci Jeanne d'Arc, merci ben pour m'avoir répondu.

La jeune femme souffla à l'oreille de Louis :

–Mon Dieu, on dirait un de mes écoliers. Il me remercie de répondre à sa question.

Et pourtant, elle regarda dans le vague soudain. Son esprit n'était guère tranquille. Cette scène de quelques minutes lui semblait irréelle.

–Bon, j'm'en vas quérir ma roue ? annonça Beaudoin qui mit son véhicule en marche lente, ce qui ne lui ressemblait pas.

–Attends-moé, je vas y aller avec toé, cria Louis qui sauta les quelques marches de l'escalier et rejoignit l'autre sans même avoir salué Jeanne d'Arc.

Elle s'adressa à Luc qui s'apprêtait à entrer au magasin :

–Dis donc, Luc, monsieur Lambert, il ferait-il de l'épilepsie ou quoi ?

–Sais pas là, moi.

Il sourit, haussa une épaule.

–Vas-tu au lac Poulin dimanche ?

–Non... pense pas.

–Sais-tu que... t'es rendu grand ?

–Six pieds.

–Six pieds ? répéta-t-elle avec le plus grand étonnement joyeux. Tu vas pouvoir manger des oeufs sur la tête de ton père.

Il éclata de rire et entra dans le magasin...

Jeanne d'Arc resta plantée là, debout sur la galerie, seule, à chercher un sens profond à ce qui était survenu ces dernières minutes. Il passa un petit vent et pourtant, aucune poussière ne fut soulevée, aucune feuille ne bougea dans l'arbre au coin de la galerie.

Sur le cap à Foley, Armand Grégoire salua une dernière fois l'âme de la 'Patte-Sèche' et remonta sur l'affleurement rocheux, pas loin des pistes du diable... Il trouva derrière une perche une bouteille de cognac. Quoi de mieux avec le rêve pour tuer le temps d'une vie pas très heureuse !?

*

Heureux du progrès qu'il croyait avoir fait dans le coeur de Jeanne d'Arc, Louis Pelchat s'arrêta devant la maison ce dimanche midi et lança son nom pour qu'elle sorte et le suive tel que planifié.

Elle sortit par le côté, marcha sur la galerie jusque devant. Il l'attendait sur le trottoir, un sac à la main.

–On va marcher jusque chez 'Foster' Drouin, c'est pas ben

loin. Ensuite su' la route pour le lac Poulin...

–J'irai pas.

–Hein ? Quoi ?

–Mes parents... objection.

–T'avais dit que tu prenais tes décisions toute seule.

–Toi, t'as dit ça, pas moi. Quand j'ai annoncé ça devant mon père, j'ai vu le diable sorti de l'enfer.

–T'as dit que tu te baignerais pas pis tout ça ?

–Rien à faire ! Pense pas que ça fait mon affaire.

–J'te pensais plus 'game' que ça, Jeanne d'Arc Mathieu.

–J'peux pas t'en dire plus, mais quand ma marmite va trop bouillir, c'est le couvert qui va sauter. En attendant, laissons ça bouillir...

–Coudon... je vas y aller tout seul.

Vers cinq heures de l'après-midi, Honoré Grégoire, le fils de Freddé, qu'on appelait toujours Doré comme depuis sa naissance ou presque, courait à pleines jambes vers la maison, venu du haut du village. Éva et Ernest se berçaient sur la galerie de côté. Jeanne d'Arc, Cécile et Fernande sur celle d'en avant. L'adolescent de treize ans faits avait la forme physique et il était devenu l'un des meilleurs joueurs de hockey de la place après Laurent, le fils de Jos Lapointe et Orpha Bilodeau. D'ailleurs, il pratiquait régulièrement la course à pied autour de l'église ou bien s'adonnait à des exercices physiques dans l'ancienne sacristie devenue hangar du temps de son grand-père.

Mais il passa tout droit devant le magasin. Cécile ne se gêna pas pour l'interpeller :

–Doré, Doré, où c'est que tu t'en vas de ce train-là ?

–Voir ma tante Bernadette pis mon oncle Armand...

Il s'arrêta un moment et poursuivit sa réponse :

–... pour leur annoncer une nouvelle...

–Pis nous autres, tu nous la dis pas ?

–Ma tante Bernadette aime mieux savoir les nouvelles en premier.

Fernande intervint :

–Tu sais ben qu'on lui dira pas que tu nous l'as dit.

–C'est Ti-Louis Pelchat... ben il s'est noyé au lac Poulin après-midi.

–Es-tu malade, Doré Grégoire ? s'écria Jeanne d'Arc. Dis donc pas des affaires de même, toi !

–C'est 'Foster' Drouin qui l'a dit. Tout le monde le sait dans le haut du village. Même le père à Ti-Louis le sait itou. Il est allé s'occuper du corps à Saint-Benoît...

C'était donc ça, ces trois 'machines' qui avaient passé devant la maison à train d'enfer dans les deux sens au cours de l'après-midi. On était allé avertir et chercher Georges Pelchat pour le conduire au lac Poulin.

Jeanne d'Arc y crut soudain. Elle se leva et se mit à gémir doucement :

–Mon Dieu, mon Dieu, si j'avais été avec lui, ça serait jamais arrivé, jamais...

Et elle en voulut grandement à ses parents, surtout à son père. Et s'en voulut à elle-même de n'avoir pas suivi sa propre décision, son coeur.

Éva, qui avait entendu, la rejoignit tandis que son mari grommelait à l'intention de son chien, dormant à ses pieds, des reproches adressés en fait au défunt :

–Ti-Louis Pelchat, t'avais rien qu'à rester chez vous après-midi, tu s'rais pas mort neyé, maudit torrieu ! Ça sert à quoi d'aller se baigner dans les lacs, ça ?

Sans trop s'en rendre compte, Éva fit rebondir la responsabilité sur le dos de sa fille aînée :

–Si tu lui avais pas dit que t'irais, il serait peut-être pas allé. La prochaine fois, tu nous en parleras avant...

Doré avait repris sa course. Alfred qui l'avait vu passer sortit sur le perron du magasin. Ernest lui fit part de la funeste nouvelle :

–C'est l'gars à Georges Pelchat qui s'est 'nèyé' au lac de Saint-Benoît. Quoi c'est que tu veux, les jeunes, ça pense rien qu'à s'amuser de nos jours. C'est comme ça qu'ils cassent leu' pipe avant leu' temps...

–Ouais...

Alfred rentra sans faire le moindre commentaire.

Quelque temps après, Bernadette sortit de chez elle avec Doré. Il fallait qu'elle apprenne la nouvelle à quelqu'un... Ses yeux se tournèrent du côté des Lambert...

Berthe et Ovide, eux, retranchés du monde, accomplissaient leurs devoirs conjugaux au deuxième étage de la maison à Bernadette. Armand dormait dans son camp.

C'était ça, l'été 40...

Durant la semaine, on apprit que dans le sac de Ti-Louis Pelchat, il y avait un maillot de bain... féminin...

*

Léonard Beaudoin n'était pas jeune homme à se réjouir du malheur des autres. Mais la disparition de Louis Pelchat libérait une partie du chemin menant au coeur de Jeanne d'Arc. Il conçut le dessein de la fréquenter, en tout cas de lui demander pour la courtiser. Mais il ne s'était pas encore déclaré et se proposait de le faire cette fin de semaine-là. Entre-temps, il y avait un problème de transformateur à régler dans un poteau au coin de la rue d'Octave Bellegarde.

Il s'y rendit ce vendredi au début de l'après-midi, pas longtemps après dîner. Le jeune homme grimpait comme un écureuil, pieds armés d'éperons, ceinture attachée à son harnais de corps et qui entourait le poteau de bois. Un éclair avait fait du dommage à l'installation quelques jours auparavant et la rue Bellegarde était depuis lors privée de courant électrique. Léonard connaissait déjà la nature du problème pour en avoir discuté avec son frère. Joyeux, il sifflait *Lily Marlene* tout en se demandant s'il ferait partie des conscrits ce jour, probable disaient les aînés, où le gouvernement King décréterait la conscription générale.

Mais il y avait Ernest Lapointe, le bras droit de Mackenzie King au Québec, et qui s'époumonait à dire que jamais la conscription ne serait imposée à la province ou bien il faudrait lui passer sur le corps.

Léonard mit sa ceinture en angle de façon à pouvoir mieux travailler là-haut. Des loustics le regardaient faire. Et parmi eux Pit Roy et Pit Veilleux auxquels se joignirent bientôt la 'petite' Imelda Lapointe (36 ans) et Alice Bellegarde.

–On a pas de courant, ça fait deux jours quasiment, se plaignait Alice.

–Il nous manquait le morceau pour faire la réparation, lui dit l'électricien qui avait entendu.

Confuse, la femme s'excusa :

–J'disais pas ça pour te critiquer, Léonard.

–Je le sais.

Le jeune homme redressa la tête et parce qu'une pensée peut-être le rendait léger, il souleva inutilement son corps. Si l'aveugle Lambert s'était trouvé sur place, il aurait pu voir un ange de la mort apparaître au pied de ce poteau. La chevelure et le dessus de la tête entrèrent en contact avec deux fils vivants proches l'un de l'autre. Le choc fut celui d'un éclair. Pire car un éclair frappe souvent de manière transversale et non pas de pied en cap. Tout le corps du malheureux jeune homme fut traversé par le courant puissant. Ses bras, d'instinct, furent attirées vers le haut mais ce ne fut que pour repousser l'inévitable dans des gestes rapides, courts et grotesques. Les yeux se révulsèrent. La raideur du moment d'avant disparut tout à fait et le corps tomba à la renverse, simplement retenu par les éperons et les mollets accrochés à la ceinture d'escalade.

Les spectateurs horrifiés gardaient la bouche bée. Le seul mouvement que put faire Pit Roy fut de porter sa main à son menton. Quant à Pit Veilleux, il marmonnait des jurons que personne, pas même l'ange de la mort, n'entendit. Imelda gémissait. Alice crut que c'était sa faute pour avoir trop parlé, ou simplement pour avoir parlé à Léonard.

La bouche du cadavre s'ouvrit dans son visage noirci et laissa tomber de la bave et de la nourriture en phase de digestion. Il se trouvait dans ces humeurs bizarres toutes sortes de couleurs bigarrées qui dégouttaient sur le sol à quelques pas des curieux.

De l'autre côté de la rue, en biais, Joseph Boutin était à remplir sa voiture de viande qu'il déposait sur de la glace quand, se tournant, il vit la scène. Aussitôt, il héla Georges-Henri à l'intérieur. L'on courut chez Octave Bellegarde, l'on téléphona au docteur Goulet, l'on fit se répandre la nouvelle comme une traînée de poudre.

Ernest entra dans la maison en criant presque :

–Ça d'l'air que le gars à Exzéar (Elzéar) Beaudoin vient de se faire électrocuter. J'monte voir ça...

–Quoi ? demanda Éva.

–Léonard Beaudoin... électrocuté... mort raide dans le poteau à Bellegarde, maudit torrieu... Je m'en vas là...

Jeanne d'Arc entendit de là-haut. Elle descendit la moitié des marches de l'escalier :

–Léonard Beaudoin ? dit-elle à sa mère sur le ton de l'incrédulité totale.

–Ben l'air. Ton père monte voir ça, lui... au coin de la rue Bellegarde.

–J'y vas itou.

–C'est pas une bonne idée de voir ça.

–J'y vas pareil...

Et elle sortit comme elle était vêtue, d'une jolie robe blanche à manches bouffantes avec des fleurs à l'encolure, et des souliers blancs ajourés. Endimanchée de neuf, elle était à se préparer pour se faire photographier sur le cap à Foley avec Dolorès par Bernadette qui y emmènerait aussi Lise Boutin, quand la voix tonitruante de son père lui était parvenue par la grille de chaleur du plafond.

Alfred sortit sur le perron du magasin, lança de sa voix la plus dure :

–C'est quoi qu'il se passe encore ? On va-t-il se faire tuer tous nos jeunes de 19 ans, baptême ?

–C'est Léonard Beaudoin, monsieur Grégoire.

–Je l'sais, je l'sais...

Puis Freddé rentra et referma la porte avec colère pour ne pas permettre à ses larmes de sortir du magasin.

Et Jeanne d'Arc put voir le navrant spectacle. Le docteur Goulet arrivait en même temps qu'elle, mais il n'y pouvait rien. Des employés de Bellegarde dressaient des échelles. On leur garantissait la sécurité vu que le corps n'était plus en contact avec les fils électriques.

Et la jeune femme songeait à cette scène de l'autre jour alors que se trouvaient devant elle Louis Pelchat et Léonard Beaudoin, et que l'aveugle s'était conduit de façon bien bizarre. Comment deux jeunes gens aussi jeunes, aussi forts, aussi vivants, avaient-ils pu disparaître de manière si atroce à seulement quelques jours d'intervalle ? Qui donc tirait les ficelles là-haut et pourquoi les tirait-on de cette manière en apparence barbare ?

Le curé arriva en trombe à pied, essoufflé. Il bénit le corps alors même qu'on était à le dépendre. Depuis qu'elle se trouvait là, Jeanne d'Arc n'avait pas pu décrocher son regard du corps de Léonard. Puis elle sentit une présence dans son dos et se retourna : c'était Luc Grégoire.

–J'savais pas que t'étais là ?

–Je viens d'arriver.

Luc ressentait le même trouble intérieur qu'elle. Il n'était pas là parce que Jeanne d'Arc l'attirait de coutume; elle ne restait pas là pour cette raison non plus. C'est que tous les deux cherchaient à comprendre ce qu'ils savaient inexplicable. Peut-être que cette mort tragique et bête ouvrait une grande ligne dans leur avenir ? Non, ils ne s'étaient pas recherchés en venant là, ils ne s'étaient pas rapprochés l'un de l'autre à dessein, ils étaient là parce que la mort y était et qu'ils voulaient tous deux la questionner...

*

Il y eut quand même séance de photo sur le cap à Foley. Et si Dolorès arbora son plus beau sourire, elle si fière de sa blouse à rayures bleu ciel et de sa petite jupe fraîche repassée, de ses cheveux abondants venus s'appuyer sur ses épaules, retenus sur la tête par un bandeau de la même couleur bleu tendresse que sa jupette, Jeanne d'Arc ne parvint pas à lancer un de ces sourires dont elle était si prodigue tous les jours de sa vie. Il y avait beaucoup de tristesse dans son regard : était-ce en raison du cimetière qu'elle ne voyait pas mais qui se trouvait en arrière-plan, dans les arbres et qui venait de s'emparer de deux jeunes gens qu'elle n'aimait pas d'amour mais au moins d'amitié ?

***

Jeanne d'Arc et Dolorès Mathieu
1940
sur le cap à Foley

Chapitre 33

1941

Il y avait dix ans que l'épouse d'Honoré était hospitalisée pour troubles mentaux que la naissance de Solange, dernier enfant de la famille d'Alfred, avait, disait-on, considérablement accentués. On l'avait visitée quatre fois l'an, à chaque saison. Depuis deux ans, la femme prenait du mieux. Elle demandait à retourner chez elle. S'insurgeait contre les traitements à l'électrochoc. Écrivait inlassablement des lettres touchantes à son époux. Le suppliait quand il se rendait à l'hôpital Saint-Michel-Archange. Ce jour de janvier 1941, Alfred eut une rencontre avec le psychiatre qui, en ce temps-là, avait charge du dossier d'Amanda.

–Elle n'est plus dangereuse et avec un médicament qu'elle devra prendre toute sa vie, elle ne le sera jamais plus. Quel âge avez-vous, monsieur Grégoire ?

–53 ans.

–Il reste combien d'enfants à la maison ?

–Six en tout.

–Elle se dit mère de onze.

–C'est ça, les autres sont partis. D'abord sur onze, deux sont morts en bas âge.

–Elle les regrette encore.

–J'en doute pas.

–Et les autres ? Parlez m'en, vous allez m'aider à vous conseiller à son sujet.

–Mon plus vieux, Raoul, est avocat. Marié. Il pratique à Val d'Or en Abitibi.

–Madame Grégoire en est bien fière.

–Y a de quoi !

–Un bel honneur pour votre famille. Bon et ensuite ?

–Y a Rachel qui est toujours à la maison. Elle va rester fille. Elle a ben pris soin des autres enfants.

–La deuxième mère comme c'est souvent le cas de l'aînée quand la mère est malade.

–On peut dire ça... Ensuite, y a Hélène... partie aux États. Monique rendue à Montréal... elle va se marier au mois de juillet avec un dénommé Gérard Aubin... J'ai Yvette qui a 18 ans pis qui est sur le bord de partir aux États. Ti-Noire ensuite, ça retardera pas qu'elle va suivre ses soeurs aux États.

–Ti-Noire ?

–Marielle.

–Ah.

–Pis Thérèse qui a 16 ans... Ensuite, c'est Doré... ou Honoré si vous voulez. Treize ans, celui-là. Pour finir, c'est Solange, 9 ans...

–C'est celle qui...

–Oui, elle est avec sa mère comme c'est là dans la chambre des visiteurs.

–Je la connais.

–Pis ça vous donne quoi de savoir tout ça ?

–Ça me situe mieux, fit le praticien en blouse blanche tout en annotant. Une malade incomplètement guérie qui se retrouve au sein d'une famille nombreuse, avec plein de gens et de jeunes enfants autour, c'est pas à conseiller. Il faut du calme à ces malades, éternels convalescents. Et je vois qu'en fait, il ne reste à la maison que Yvette, Marielle, Thérèse, Honoré et Solange, tous âgés entre 9 et 19 ans.

–Vous oubliez Rachel.

–C'est elle qui fait problème. Votre épouse pourrait la considérer comme une rivale en tant que mère des enfants.

–Si ma femme revient, ça se pourrait que Rachel s'en aille à Montréal travailler. Elle a parlé de ça souvent.

–Ce serait l'idéal. Par contre, vous pourriez garder une servante qui, elle, ne serait pas une cause de perturbation pour votre épouse.

–Ouais.

Les deux hommes se trouvaient dans une pièce aux murs blancs, dénués de tout ornement à part une simple croix noire au-dessus de la tête du docteur en psychiatrie, personnage de cinquante ans, chauve sur le dessus de la tête, le nez gros et pivelé.

–Vous êtes en train de me dire qu'elle pourrait revenir vivre à la maison. Après dix ans d'hôpital, ça serait tout un choc pour elle.

–Et voilà ! C'est la raison pour laquelle il nous faut la préparer à ça en mettant toutes les chances de notre côté.

–Si vous me dites qu'elle peut revenir, on va la ramener.

–Un point plus délicat... il serait souhaitable que vous fassiez chambre à part.

Alfred eut un éclat de rire :

–Ça fait dix ans que c'est comme ça : elle à Beauport pis moi à Shenley. Ça sera pas un problème.

Par cette entrevue où il disait vouloir préparer Amanda, le psychiatre cherchait aussi à préparer toute la famille en commençant par l'époux lui-même. Le bon temps pour venir la chercher et la ramener définitivement à la maison serait, ajoutera-t-il ensuite, le coeur de l'été.

Entente fut prise à cet égard...

*

Berthe avait beau être plutôt grande, il vint un jour où son ventre parut en cette belle saison 1941.

Un mot passa de bouche à oreille par tout le village :

"Berthe Grégoire est enceinte."

C'était la revanche du ragot qui ne trouvait pas matière à butiner à gauche et à droite puisqu'on ne trouvait aucune fille-mère dans tout Shenley, ces temps-là en tout cas. Il fallait donc se rabattre sur une femme mariée qui vivait comme une personne célibataire puisque son mari continuait de cultiver la terre de ses parents au Grand-Shenley et à y rester les nuits de semaine tandis que son épouse prenait une part active à tous les groupements de femmes et ne rougissait pas à parler à n'importe quel homme de la place.

–Un vrai scandale ! s'écria Gédéon Jolicoeur, par un autre matin grognon.

–Quoi ça ? fit Marie, sa femme.

–Berthe pis Ovide.

–Pis ?

–C'est un arrangement qu'a pas d'allure entre eux autres.

–C'est leur idée.

–C'est pas la mienne.

–C'est leur décision.

–Pas la mienne !

Ils étaient à table. Rien que deux. Ovide ramassait de la petite roche sur une planche de labour ce jour-là.

–Je monte au village voir ma bru.

–Pour faire quoi ?

–Tu vas ben voir. C'est le boutte du boutte... Un homme pis une femme mariés, ça vit sous le même toit. Ça couche dans le même lit. Ça boit dans le même verre. Deux : ça existe pas dans le mariage. Deux égale un dans le mariage, baratême. Tout le monde sait ça... Berthe Grégoire va l'apprendre drette aujourd'hui.

–Je vas avec toi. J'ai deux mots à lui dire, moé itou.

Déjà survolté, ce dire de sa femme électrisa tout à fait le père d'Ovide qui se rendit atteler illico. Et on monta au village en trombe, le cheval avec de la broue entre les fesses.

"Elle va voir c'est qu'elle va voir, la Berthe Grégoire !" ne cessait de gronder Gédéon, pipe fumante, crachat fréquent.

Et chaque fois, Marie redisait, le sourcil menaçant :

"Ben moé, j'en ai trois, des mots à lui dire."

"Tu disais deux..."

"Asteur, c'est trois..."

On fut chez Bernadette en plein soleil de fin d'avant-midi. Gédéon fit bifurquer le cheval sur le chemin des Foley et l'on s'arrêta presque au pied de l'escalier de la maison. Berthe les vit arriver et sortit pour les accueillir, sans s'imaginer que son beau-père venait lui lancer un ultimatum. D'ailleurs, les deux mots les plus utilisés par les grands de ce monde depuis deux ans étaient 'ultimatum' et 'guerre'. On lui aurait dit qu'il venait lui lancer un 'ultimatum' qu'aussitôt elle aurait peut-être pensé 'guerre'. Mais Berthe Grégoire aussi subissait la pression sociale. On a beau être forte, quand on est seule contre tous...

–Bonjour, madame Jolicoeur; bonjour, monsieur Jolicoeur.

–Ouais... bonjour, dit l'homme.

–Bonjour, fit sèchement sa femme.

–Ovide est pas venu ?

–Ovide ? fit Gédéon. Tu connais Ovide, toé ?

Berthe éclata de rire. Bernadette vint prêter oreille par le moustiquaire de la porte d'entrée.

—Sais-tu c'est quoi que j'suis venu te dire, Berthe Grégoire ?

—Berthe Jolicoeur... j'accepte ce nom-là aussi, là...

—Ça va être Berthe Grégoire tant que ça sera pas Berthe Jolicoeur, tu sauras.

Voici que la jeune femme commençait à s'inquiéter. Elle devinait la suite. Et vint la suite :

—Moé, j'te donne huit jours, pas un de plus, pour nous dire si tu montes au Grand-Shenley.

—J'ai pas besoin de huit jours pour vous répondre, monsieur Jolicoeur, je vous le dis tout de suite : je monterai pas au Grand-Shenley.

Gédéon qui fulminait la menaça de sa pipe; mais la réponse lui renvoyait les mots dans la gorge. Il parvint à dire :

—Ben ma femme, elle a deux mots à te dire, toé, la fille à Noré Grégoire.

—Pas deux, trois ! fit Marie aussitôt.

—Ben ma femme, elle a trois mots à te dire, toé, la fille à Noré Grégoire.

Et la femme Jolicoeur prit une pause de trois secondes pour regarder intensément sa bru avant de lui énoncer clairement et nettement trois mots bien détachés :

—Tu... fais... ben !

Gédéon mordit le bouquin de sa pipe. La fumée lui sortit par le nez. Un peu plus et elle sortait par les oreilles. Une phrase toute faite et cinglante surgit de son esprit, ressemblant à un coup de fouet du genre de celui qu'Honoré avait fait claquer près de Berthe naguère, une histoire qu'elle avait racontée à sa belle famille :

"Les femmes, c'est de contre les hommes aussitôt que ça peut l'être, vieux baratême !"

Puis une autre qui ne sortit pas avec la fumée de son

canayen fort et fit encore augmenter la pression en lui :

"Une fille de villâge aux grandes magnéres (manières), ça devrait pas marier un garçon de cultivateur, ça."

–Saprons notre camp d'icitte, fit-il en demandant à sa bête, par des secousses sur les guides, de tourner pour reprendre le chemin Foley.

–Vous pourriez venir dîner avec nous autres, cria Bernadette qui avait toujours le nez dans le treillis de la porte.

–Vous pourriez rester à dîner, répéta Berthe.

–Ça s'ra pour un' autr' fois, lança Marie Lamontagne que la banquette de la voiture secouait comme un pantin maintenant.

Gédéon grommela :

–On a pas honte de r'tourner dans notr' Grand-Shenley, nous autres, baratême...

Les seuls autres mots qu'il prononça sur le chemin du retour furent :

–Ovide, on y vendra pas, la terre... Il s'bâtira un avenir autrement que cultivateur... autrement...

*

Fin juin, les journaux titrèrent : *Invasion de l'URSS*. Hitler se prenait pour un ogre capable de tout avaler, de tout dévorer. Sans doute n'avait-il pas lu l'histoire militaire d'un certain Napoléon ?

Armand finissait de lire son exemplaire du *Soleil* quand une voiture s'arrêta tout près de son camp sur le chemin des Foley. C'étaient Pampalon et Alfred avec une passagère. Le psychiatre de Saint-Michel-Archange avait demandé que le premier lieu où devrait descendre Amanda soit celui qu'elle avait vu en dernier avant de partir dix ans plus tôt. Alfred et Pampalon s'étaient rappelé que la dernière scène avait eu lieu là, dans cet adieu poignant des fillettes à leur mère à l'intérieur du refuge de leur oncle.

Alfred descendit le premier puis aida son épouse à mettre le pied à terre. Elle regarda longuement tout autour. Rien ne lui parut changé. En son esprit, dix ans, c'étaient dix jours. Et puis son corps n'avait pas beaucoup vieilli. Peu de rides au visage. Et son même chignon à l'arrière de la tête. Et des mèches brun roux échappées çà et là... Mais en plus, des lunettes rondes sur le bout du nez...

Armand ouvrit grande la porte. Elle entra. Son mari dit à Pampalon de rester sur place avec elle et Armand, lui, se rendit chercher les filles. Excepté pour Solange, la rencontre fut de glace. Amanda eut beau exprimer des émotions qui sonnaient faux, Rachel et les autres gardèrent leur sérieux. Cette femme était devenue une étrangère. Et quasiment une intruse, maintenant qu'elle s'installerait à la maison et risquait de bousculer leur quiétude et leurs habitudes.

Honoré n'avait pas attendu le retour de sa mère; il était parti à la pêche ce jour-là. Alfred s'attrista de son absence. Pas une seule fois, Amanda ne parla de ce fils qu'elle avait à peine connu.

Les jours suivants, les semaines à venir auraient pu s'avérer pénibles pour la femme revenue, sans la présence de Bernadette qui la visita tous les jours et lui parla comme si rien ne s'était passé depuis une décennie.

L'univers Grégoire avait changé. Il ne restait plus beaucoup de traces d'Émélie, la vraie rivale d'Amanda et celle-ci n'eut pas trop de mal à y trouver une place nouvelle. Et puis Rachel quitta Saint-Honoré pour Montréal tandis que sa soeur Yvette s'en allait aux États.

Amanda voulut savoir qui maintenant habitait la maison Racine. Bernadette lui fit la description des gens, de la femme surtout :

–Une ben bonne personne ! Elle a dit qu'elle avait hâte de te connaître. Elle va écouter tout ce que tu voudras lui dire. C'est une femme de quarante ans. Elle vient de Saint-

Benoît comme son mari.

Amanda fut touchée par ces paroles de sa belle-soeur. Elle se promit de visiter sa voisine d'en face dès le prochain dimanche.

Ce qui devait se produire. Amanda parla à coeur ouvert et sans embarras le moindre de son hospitalisation. Éva reçut son propos avec attention et respect. Toutes deux ricaneuses, elles passèrent une belle heure à se dire des choses sans qu'aucune d'elles ne tire la couverte de son seul côté.

Ernest fut présent pendant quelques minutes avant de s'en aller visiter son ami Louis Grégoire. À son retour, il lança une platitude de son cru sur leur voisine :

–La femme à Freddé... est encore pas mal fêlée. Idées mêlées... tête creuse...

–Toi, là, arrête de faire des coches mal taillées ! Tu te rappelles de ce que t'as dit pour Solange Grégoire ? Là, je t'avais dit qu'on sait pas ce qui nous pend au bout du nez... ben notre Suzanne, est pas ben ben normale, tu sais ça. Ça fait que... attire pas le mauvais sort sur nous autres encore.

–Ahhhh... viens dans la chambre, là.

–Non... attends deux jours pis je risquerai pas de retomber en...

Ils se parlaient à mots couverts de crainte que des oreilles indiscrètes ne soient à l'écoute, même si la plupart des enfants étaient hors de la maison à cette heure.

–Ben non, ben non, t'es trop vieille pour ça... Envoye, viens, Louis Grégoire, il fait ça trois fois par jour, lui. Il vient de me le dire encore...

Éva soupira. Son devoir de femme mariée l'appelait. Elle se devait de répondre ou bien risquait le péché pour manquement à ses obligations conjugales. (*Car en cette époque bizarre, c'était péché mortel pour un couple de faire l'amour avant mariage et tout aussi péché mortel de ne pas le faire après.*)

S'il fallait qu'elle tombe enceinte de nouveau, elle donnerait naissance à son treizième enfant autour du 10 avril prochain...

Avant l'acte, Ernest railla de nouveau Amanda. Éva ressentit alors le même frisson intérieur que le jour où, enceinte de Suzanne, il avait parlé sans respect de l'infirmité de Solange Grégoire et ricané comme en ce moment même. S'il fallait que ça se reproduise... que l'enfant du 10 avril à venir soit une espèce de phénomène de cirque...

*

–Lise est arrivée ! cria Bernadette depuis sa galerie, à Dolorès qui se rendait chercher une pinte de lait chez Louis Grégoire.

–Quand ça ?

–Hier soir. Là, elle se lève pis elle se lave, mais tu pourras venir la voir tantôt si tu veux.

–Je vas y aller en revenant.

–On va t'attendre.

Et les deux fillettes se retrouvèrent dans la joie comme si elles s'étaient quittées la veille. Et pourtant, Lise était partie en septembre de l'année précédente pour Lac-Mégantic. Mais voici qu'elle venait passer ses vacances à Shenley chez ses tantes Berthe et Bernadette.

Ce midi-là, elles mangèrent sur l'herbe devant la balançoire près de la maison. Berthe les fit s'allonger sur une couverture, coudes au sol, mains appuyées sous le menton, et les prit en photo.

Pour chacune, c'était le début d'un bel été...

***

Dolorès Mathieu
et
Lise Boutin

Chapitre 34

1941...

Vinrent les douces fraîches de septembre.

Les soeurs Mathieu demandèrent à Pampalon de les reconduire, l'une, Cécile, à la gare de Saint-Évariste où elle prendrait le train pour Mégantic et, là-bas, poursuivrait sa route jusqu'à Chesham (Notre-Dame-des-Bois) par un autre moyen, et l'autre, Jeanne d'Arc qui descendrait tout bonnement avec son bagage d'automne à mi-chemin entre Shenley et Saint-Évariste, à son école du bas de la Grand-Ligne.

Une nouvelle année de classe commençait pour ces jeunes filles de pas vingt ans devant qui souriait l'avenir, un avenir que la guerre avait éclairci en sonnant le joyeux glas de la grande dépression par une abondance nouvelle qui se répandait par tout le pays.

L'horizon, toutefois, se faisait moins bleu pour les jeunes gens de 18 à 30 ans que risquait d'avaler la machine de la conscription si le fédéral en venait à promulguer cette loi, honnie par avance dans toute la province de Québec.

Ida et Pampalon avaient cinq fils, mais un seul, Luc, à bientôt 19 ans, avait atteint l'âge d'être appelé sous les drapeaux. Les âges des quatre autres, de Gilles à André, s'échelonnaient entre 15 et 10 ans. La guerre aurait tout le temps de finir, pensait-on, avant qu'ils ne soient aptes à faire leur service militaire.

Il fallait sauver Luc.

Le 'sauver' avant qu'il ne soit trop tard. La solution : le mariage. Solution qui avait d'ailleurs, et c'était maintenant connu, servi d'arme à Ovide Jolicoeur dans son combat contre l'inertie de sa chère Berthe. Mais il fallait la bonne candidate. Les époux en parlaient souvent dans l'intimité de leur chambre. On passa en revue les jeunes femmes libres capables de faire une bonne épouse à Luc. Jeanne d'Arc Mathieu l'emporta haut la main. On la trouvait gentille, drôle, affable, jasante, avenante et plutôt bien tournée, ce qui ne nuirait pas à la cause. Et on devinait qu'elle intéressait leur fils depuis longtemps sans qu'il ne s'en targue ni ne le fasse trop voir...

Mais on émergeait à peine de la grande crise. Luc n'avait pas d'emploi régulier. Il exécutait des petits travaux à gauche, à droite, depuis sa sortie de l'école, souvent pour son oncle Alfred au magasin ou dans les hangars. On ne fonde pas une famille sur si peu. Et Pampalon ne possédait pas assez d'argent pour être en mesure de l'établir maintenant. Dilemme !

On pouvait agir en préparant le terrain; après tout, le conscription n'aurait peut-être jamais lieu. Et c'est ainsi que Luc, et non son père, arrêta l'automobile devant la porte de la maison Mathieu cet midi de grand soleil. C'est lui que Pampalon avait désigné pour reconduire les filles à sa place.

Le jeune homme klaxonna joyeusement à trois reprises puis descendit pour aller prendre les bagages. Jeanne d'Arc en fut plutôt étonnée, mais heureusement.

–C'est toi qui vas nous reconduire ? chantonna-t-elle sur le pas de la porte.

Il rétorqua, pince-sans-rire :

–Si t'aimes mieux mon père pour ça...

–Mais non, mais non... tiens ma valise. Les autres, là, c'est à Cécile. Elle en a plus, c'est certain, mais elle part pour plus longtemps.

–C'est Fernand Rouleau qui va prendre ça chaud, monter à pied à Chesham.

–C'est fini, elle pis Fernand, intervint Éva qui lavait à la planche. Il se met 'chaud' à tout bout de champ... C'est pas un gars pour Cécile.

Jeanne d'Arc s'insurgea, mais pas trop fort :

–Maman, Fernand, il l'aime, Cécile, il pourrait lui décrocher la lune.

–Ben... il se décrochera d'elle, c'est tout simple...

Luc éclata de rire. Éva sourit à l'entendre, heureuse d'avoir causé cet élan de joie. Le jeune homme s'empara d'une des malles de Cécile et sortit. Puis il revint prendre le reste alors qu'au pied de l'escalier, Éva criait de nouveau :

–Cécile, le taxi est arrivé, là.

–Je descends, répondit-elle, tandis que sa soeur suivait Luc vers la Plymouth flamboyante garée devant.

Toutefois, ce modèle de 1934 ne comportait pas de coffre arrière et la roue de secours, enfermée dans une enveloppe de tôle, trônait là, à la place d'un porte-bagage. Il fallait mettre les malles sur la banquette arrière. Elles occupèrent tout l'espace disponible. Les deux passagères devaient donc prendre place à l'avant. Jeanne d'Arc le comprit vite et ne tarda pas à monter la première, même si elle devait descendre la première aussi.

Luc monta à son tour. Elle se glissa vers lui en riant fort :

–Falloir que j'te colle un peu ou ben Cécile aura pas de place à s'asseoir. J'te colle jusqu'à l'école pis là, je décolle.

Le jeune homme s'esclaffa de nouveau. Alfred qui sortait du magasin crut entendre son père autrefois. Luc avait hérité de son rire et il en égayait les alentours quand il se trouvait à l'extérieur.

Venait une passante sur le trottoir de bois. On ne tarda pas à reconnaître Éveline Poulin qui elle-même reconnut les occupants de la voiture. Ses yeux pétillèrent quand elle aperçut Jeanne d'Arc si près de Luc. Et ne résista pas à l'envie de leur parler pour les voir de plus près encore. S'arrêta :

–Jeanne d'Arc, gageons que tu t'en vas reprendre ton école !

–C'est ben ça, madame Poulin. On attend Cécile qui s'en va à Chesham, elle.

–Ah oui ? Elle va finir par s'établir par là, c'est certain.

Luc était encadré par deux femmes plus que femmes. À 42 ans, Éveline n'avait rien perdu de ses attraits de jeunesse. Surtout, elle continuait d'émettre des ondes qui n'étaient pas courtes ni longues non plus, mais fort troublantes pour les récepteurs masculins. Or le jeune homme était doué d'antennes très réceptives. Quant à Jeanne d'Arc, jamais il ne l'avait sentie aussi près de lui. Son aura et ses parfums se mélangeaient pour ajouter à ce bonheur sensuel aux allures de bouquet qui surgissait de son être profond comme d'une source vive et abondante.

Cécile se faisait attendre...

Une voix basse se fit soudain entendre de l'autre côté de la voiture. Luc aurait pu en lire les mots dans le visage contrarié de la belle Éveline. C'était François Bélanger qui venait faire le gentil devant des personnes dont il avait toujours senti le respect. Luc avait hérité de Pampalon qui l'avait lui-même reçu d'Honoré ce souci du plus faible, du démuni, de la personne handicapée comme ce pauvre François. Quant à Jeanne d'Arc, elle pouvait, par sa nature, ouvrir les bras plus largement que la terre entière.

Mais elle, pas plus qu'Éveline, ne comprenait le langage gribouilleur de l'infortuné personnage. Luc faisait semblant de saisir, lui. Il répondit à une phrase marmonnée :

–Ah oui, ah oui, ah oui !

François allait en dire plus quand on lui lança :

–Ôte-toi, François, nous autres, faut s'en aller, là.

Cécile ne posséderait jamais le tact de sa soeur aînée pour parler aux gens. Et, François Bélanger ou pas, elle était prête à partir, point à la ligne.

Puis elle monta et referma la portière :

–Tasse-toi, j'ai pas assez de place ! dit-elle à sa soeur qui ne demandait pas mieux.

Éveline regarda Jeanne d'Arc s'approcher encore de Luc et ses yeux étincelèrent d'envie. Elle salua et poursuivit son chemin. Le jeune homme fit démarrer la voiture. Et l'on se mit en route. François les regarda s'en aller. Il leur dit des mots, inintelligibles pour les autres, mais clairs pour lui :

–Vous deux, vous allez vous marier un bon jour, ouais...

*

–Jamais je vas me remarier. J'aime Éva pour l'éternité. Je ne veux aucune autre femme dans ma vie.

Arthur Boutin venait de lancer ces phrases à Ernest dans l'entrée de la boutique de forge. Ce n'était pas la première fois qu'il s'exprimait ainsi ni la dernière. Le forgeron n'approuvait pas cette attitude. Si lui devenait veuf, il chercherait une autre femme. Tous les veufs se comportaient ainsi. C'était la norme. C'était la vie. Mais il tut sa désapprobation. Et puis il arrivait Gus Poulin avec une nouvelle à annoncer et un projet à dire :

–Ouais, ben on perd notre maire. Notre bon Octave Bellegarde dit qu'il veut pas renouveler son mandat. Qu'il a pas le temps avec sa manufacture pis son ouvrage comme entrepreneur de pompes funèbres.

–Qui c'est qui pourrait le remplacer ? fit Arthur. Ça serait le temps pour monsieur Uldéric Blais.

–D'aucuns en ont parlé avec lui. Il a dit que si Octave a

pas le temps à cause de sa manufacture pis de son ouvrage de croque-mort, c'est pareil pour lui. Même qu'il a un homme à proposer, lui, à la mairie.

–Pas Georges Pelchat toujours ? demanda Ernest.

–Non.

–Ben parle au lieu de nous faire languir !

–Arthur Boutin ici présent.

–Ben ben bonne idée ! approuva Ernest. Un homme instruit, c'est mieux qu'un cabochon comme moé pour faire un bon maire de paroisse.

Arthur souriait en secouant la tête :

–Non, non, non... j'ai pas envie... y en a d'autres...

Mais le jour suivant, Arthur reçut un appel du presbytère. Le curé Ennis le convainquit. Quelques semaines plus tard, il devint maire de Saint-Honoré. Élu par acclamation...

*

Le douze novembre naquit Odette (*O pour Ovide et Dette pour Bernadette*), premier enfant de Berthe et Ovide Jolicoeur. Elle reçut pour parrain et marraine Ernest Jolicoeur et Bernadette Grégoire, oncle et tante de l'enfant.

*

Six jours plus tard, un événement passa inaperçu dans le monde littéraire du pays : le décès à 61 ans du poète fou Émile Nelligan, survenu à l'hôpital Saint-Jean-de-Dieu où il était enfermé depuis 42 ans...

*

Quinze jours encore et la guerre mondiale prenait un nouveau cours avec l'attaque japonaise sur Pearl Harbor. Cela signifiait l'entrée de l'Amérique dans le conflit.

***

Chapitre 35

1942

–Une grosse grosse tête ! C'est effrayant, j'ai jamais vu ça, un bébé de même. Pauvre madame Mathieu !

Bernadette apportait la nouvelle à l'épouse d'Alfred. Amanda dit sur le ton de la complicité, main ouverte près de la bouche :

–Je vas aller voir ça dimanche qui vient.

–Ah, tu peux y aller demain itou ! Le pire est passé pour elle. Le docteur Goulet a dit que tout a fini par ben aller. Ah, mais une tête de même... mon doux Jésus...

–Si Éva a eu trop de misère à le mettre au monde, il pourrait ben pas être normal.

Bernadette leva les mains en les ouvrant :

–Ça, on le sait pas ! Pis j'veux rien dire de mal.

–Ça serait pas quelque chose de mal, ça serait quelque chose de triste.

Mais Amanda éclata de rire. Elle avait gardé ce tic nerveux qui ne signifiait pas toujours voire pas souvent l'expression de quelque chose de joyeux.

Les deux femmes se parlaient au comptoir des dames.

Entra au magasin un couple de fiancés qu'on avait l'habitude de voir. En fait, Marie-Anna Nadeau qui maintenant vivait en plein coeur du village, dans la maison voisine de celle des Mathieu, donc en face de Bernadette, et son ami Raoul Blais se fréquentaient depuis des années. Xavier, le père de Marie-Anna étant décédé, il fallait un homme dans cette maison. C'était la norme. Et puis il fallait un revenu d'homme; or Raoul travaillait à l'année pour son père Uldéric, tous comme plusieurs de ses frères.

Mais le curé Ennis jusqu'à dernièrement s'était montré peu favorable à cette union. Lui qui incitait les jeunes à se marier, décourageait subtilement Marie-Anna de le faire. Ce sentiment inavouable, qu'il ne se reconnaissait pas à lui-même dans ses plus sincères examens de conscience, le poussait à garder ces deux jeunes sur une voie parallèle. Pour cette même raison en fait, pas une seule fois le prêtre n'avait adressé de reproches ou de conseils à Berthe Grégoire à propos de sa vie de ménage plutôt anormale. Il est vrai qu'Ovide, depuis la naissance de sa fille Odette, vivait sous le même toit que sa femme chez Bernadette et ne se rendait au Grand-Shenley que le jour pour vaquer aux occupations coutumières et nécessaires. (*L'abbé n'était pas intervenu davantage dans le cas de "l'homme à deux femmes" puisque malgré toutes ses questions au confessionnal, il n'avait jamais pu obtenir un aveu de péché de la part des personnes concernées.*)

Et Raoul, bon comme du pain chaud et patient comme un escargot avait attendu sagement. Avait su attendre... Et parfois même, il s'était éloigné de Marie-Anna par stratégie amoureuse...

—Comme ça, c'est bien vrai, fit Bernadette, vous allez vous marier cet été ?

—Depuis le temps, dit Raoul.

—Quel âge que t'as, asteur ? demanda Amanda.

–28 ans ben sonnés.

–Et pe...uis toi, Marie-Anna ?

–Même âge que lui.

Bernadette prit la parole :

–Ben dépêchez-vous parce que la conscription est pas loin. Le plébiscite, c'est pour le 27 courant, dans deux semaines pas plus. Et si ça passe, ben d'une journée à l'autre par après, ils vont se mettre à courir les jeunes hommes en âge de se battre. À 28 ans, Raoul, tu pourrais servir encore 2 ans du côté de l'Europe.

–On se marie pas pour ça, dit Raoul, mais tant mieux si on atteint deux buts. Nous autres, c'est fonder une famille comme tout le monde.

–Tu feras pas comme Ovide toujours ? Ovide Jolicoeur je veux dire, pas ton frère. Des années au Grand-Shenley tandis que sa femme restait au village.

–Non, non, je m'en vas m'installer chez monsieur Nadeau aussitôt qu'on sera mariés.

–À la bonne heure ! On va avoir d'autres bons voisins.

*

Un autre mariage était en vue, celui de Ti-Lou Boutin et Jeanne Poulin. Il serait célébré au début de l'été et le couple s'installerait à Valleyfield où le jeune homme continuerait de travailler à la C.I.L.

*

Au bureau de poste, Armand Grégoire était à lire un article du journal...

–La question, on l'a lue le jour du vote et la voici...

"Consentez-vous à libérer le gouvernement de toute obligation résultant d'engagements antérieurs restreignant les méthodes de mobilisation pour le servive militaire !"

–Ben moi, j'te dis, Freddé, que c'est pas clair comme question pantoute, ça.

–Mais la conscription pour le service militaire au Canada est déjà en vigueur.

–Ben oui, mais c'était au fédéral de demander une question claire comme par exemple : êtes-vous pour ou contre la conscription ?

Armand était debout, journal ouvert devant lui. Et son frère prenait un moment de répit pour fumer une pipée, chapeau renvoyé à l'arrière de la tête, jambes accrochées au comptoir des cases postales.

Les résultats du référendum, eux, étaient tranchés : le pays avait voté à 63% OUI, mais le Québec à 71% NON.

–Oué, mais si la question est pas claire, la réponse est claire, elle.

–Non ! objecta Armand en hochant la tête après avoir replié le journal sans ménagement. Ça fait un pays divisé. Ça fait une province divisée. Une question claire pis on aurait eu une majorité NON dans tout le pays.

–Huhau ! Huhau ! Huhau ! Armand. Pas si certain de ça, moi !

–En tout cas, moi, King, c'est fini. Je vas voter pour le Bloc.

–Le Bloc, c'est encore rien qu'une idée dans la tête d'Henri Bourassa. Même si ça serait un parti politique, ça pourrait jamais prendre le pouvoir avec rien que du monde du Québec qui voterait pour.

–Non, mais un Bloc populaire, ça pourra bloquer par exemple, des mesures comme la conscription. Le fédéral s'est engagé en 39 à interdire la conscription pour le service militaire outre-mer... S'il faut sortir de la fédération, on sortira. Comme ça aux élections pis aux référendums, nos majorités canadiennes-françaises seront pas des minorités dans le pays comme ça l'est là... On est comme un petit poisson avec un gros dans un même bocal confédératif : faut tout le temps se surveiller pour pas se faire avaler. Trouvons-nous un bocal rien que pour nous autres pis on pourra grossir à notre pleine mesure nous autres itou !

Armand suivait de près la politique, mais il devrait prêcher avec une très grande conviction pour détourner Alfred de la pensée libérale si profondément enracinée chez les Grégoire depuis Honoré et sa femme, tous deux 'peinturés' en rouge au plan politique.

—Crains pas, ils vont pas venir chercher les jeunes de force pour en faire des soldats.

—Attends pour voir. C'est Luc Grégoire qui va se faire emmener. Ceux qui sont venus au monde dans les années 10 pis 20, pis qui sont pas mariés. Raoul Blais. Eddy Rouleau. Béric Buteau. Bernardin Nadeau. La liste est longue... Tout ça, c'est de la chair à canon.

—Oui, mais Hitler est dur à battre; c'est un coriace !

—Il nous a rien fait, à nous autres, Hitler ! Les Allemands non plus.

—Faut défendre la France.

—La France, la France... Ils nous ont-ils défendus, eux autres, en 1759 ?

—Le père Montcalm pis tout... c'était pas rien.

—Ils nous envoyé le pire général avec le minimum de troupes... avec les résultats qu'on a connus.

—C'est du vieux passé, ça, Armand. Arrive sur terre : on est en 1942, là. On dirait ben que c'est toi qu'as vingt ans de plus que moi, pas le contraire...

Armand soupira. Replia soigneusement son journal sans dire un mot, le déposa sous le regard amusé de son frère et s'en alla en silence. Mieux valait qu'il se réfugie dans son camp une fois de plus !

*

—C'est vrai qu'il a une grosse tête !

Et Amanda éclata d'un long rire qui froissa Éva. Qu'on ne

vienne pas rire de la tête de son dernier-né, treizième enfant de la famille. Une grosse tête ne voudrait pas dire nécessairement une tête folle. Mais il lui venait quand même des appréhensions. Cet enfant-là ne pleurait jamais. Parfois, il se nourrissait avec avidité, signe qu'il avait faim, et pourtant elle ne l'avait pas entendu, pas même gazouiller dans sa couchette. Silence de mort ! Tout le contraire de son frère Gilles qui, à deux ans maintenant, pleurait et criait dix fois par jour comme un perdu.

Éva berçait l'enfant dans la cuisine. Amanda venait d'entrer. Ernest avait fui la maison comme tous les dimanches.

–Qui c'est qui t'a dit ça ? Bernadette, ça doit ?

–Ben... elle a pas parlé d'une infirmité ou d'une tête d'eau, là... mais une belle... p'tite grosse tête...

Et Amanda rit aux éclats encore. Elle reprit :

–Il est baptisé. J'ai vu qu'on l'emmenait à l'église dimanche passé. C'est quoi son nom ?

–André.

–Ah ! Comme le dernier à Pampalon. André... Mathieu... c'est drôle... deux noms d'apôtre. Ça va être un enfant sanctifié. Houa houa houa houa... Mais j'y pense, peut-être qu'il va jouer du piano comme le vrai André Mathieu... le petit prodige. Il a une douzaine d'années, celui-là... l'autre... le petit génie, là... houa houa houa houa houa...

L'enfant avait beau dormir dans les bras de sa mère, Éva lui entoura la tête de sa main comme pour le protéger du discours incohérent de sa voisine...

On entendit soudain le pas pressé de Bernadette sur la galerie. Personne d'autre qu'elle ne marchait de cette façon. Quelle nouvelle venait-elle donc annoncer ? Car il fallait quelque chose d'important pour qu'elle accoure ainsi. Elle frappa deux coups, en demandant la permission d'entrer, et le fit sans attendre ni entendre le "entre" d'Éva...

–Mon Dieu, le p'tit André dans les bras de sa mère...

–T'as ben l'air pressée, Bernadette.

–J'ai une nouvelle ben triste à vous apprendre.

–Prends le temps de t'asseoir.

–J'ai pas le temps; je viens juste vous le dire en passant.

–On t'écoute...

–C'est Armande Pelchat, la femme du petit Alcide Cloutier du Petit-Shenley... ben est morte. Elle laisse deux petits
orphelins : Claude pis Claudette. La connais-tu, toi, Éva ?
Armande, c'est la fille à Jean Pelchat du 9. Pis Jean pis
Georges, ben c'est les deux frères, ça... les fils à Onésime...
madame Onésime, Célanire Jobin de son nom de fille, vit
encore comme on le sait...

Éva l'interrompit :

–Armande, elle a eu la grande opération pourtant ?

–C'était le cancer. L'opérer, c'était pas assez. Le cancer,
ça pardonne pas.

Éva eut un autre de ces frissons prémonitoires...

***

Éva Pomerleau
1942
photo prise dans la cour des Mathieu
face au magasin Grégoire

Un air bien sévère pour une femme toujours souriante.

Chapitre 36

1943

–Comment ça va, tes amours avec la belle Jeanne d'Arc ?

–On se plaint pas.

Luc visitait l'oncle Armand dans son camp. Il avait trois nouvelles à lui apprendre. À son arrivée, Armand écoutait une chanson de Frank Sinatra, *Saturday Night*, que son tourne-disque livrait à niveau sonore agréable. On s'était échangé les salutations d'usage et aussitôt, Armand avait voulu satisfaire un coin aiguisé de sa curiosité.

Dehors, il faisait soleil, mais la neige demeurait presque partout en ce début de printemps que mars livrait sans retenue depuis quelques jours. On était le vingt-cinq. Dès le quinze, Armand était allé vivre dans sa solitude bien-aimée. De toute façon, il y avait trop de monde à son goût à la maison : Bernadette, Berthe, Ovide, la petite Odette et un nouveau bébé sur le point de montrer le bout de son nez...

Un peu de chaleur offerte par le petit poêle, un peu de nourriture qu'il se fricotait lui-même le plus souvent, de la lecture de livres et de journaux, du rêve, une toux fréquente, de la visite presque tous les jours, soit Freddé, Ovide, Pit Roy, Pit Veilleux, le vicaire Turgeon, son frère Henri quand il venait en visite, Fortunat Fortier, Laval Beaulieu, Philias Bisson, Mathias Dulac, Jos Page et combien d'autres : tel était le quotidien de cet homme de 36 ans que personne ne savait homosexuel à l'exception du vicaire, ni tuberculeux à l'exception du docteur Goulet.

–Ben assis-toi, le grand ! dit Armand qui désigna la berçante.

–Merci !

Luc prit place. Son oncle changea le disque qui finissait pour un autre qui leur servit un air d'Édith Piaf. Et il reprit sa place sur le divan noir.

–J'en ai à vous apprendre, mon oncle, aujourd'hui.

–Rien de mieux que le nouveau : ça nous fait oublier les vieilleries !

–D'abord, vous avez une nouvelle nièce et moi, une nouvelle cousine.

–Berthe a...

–Oui, tout à l'heure. Une fille !

–Si c'est une fille, ils vont l'appeler Christine. Ils en ont parlé ben des fois à table. C'est pas ben ben une nouvelle : on savait que le bébé arriverait d'un jour à l'autre.

–Et mon père a su que le vicaire Turgeon nous quittait.

–Ah oui ?! Étonnant ! Le curé Ennis est pas un 'brûleux' de vicaires comme le curé Proulx l'était.

–C'est ça... le vicaire Turgeon était par ici depuis sept ans, lui.

Le regard d'Armand s'enfuit dans la nostalgie du temps passé. Il y avait un lien particulier entre lui et l'abbé Turgeon. Rien de physique, mais une véritable complicité, une communication intense et bien mystérieuse. Les gens venaient; les gens passaient; les gens partaient.

–Tout change ! Tout change !

–Et moi aussi, je m'en vais.

–Tu t'en vas où ?

–À Montréal.

–Quoi faire par là ?

–Débardeur au port.

–Tu vas te faire ramasser par la police militaire.

–Je vas prendre une chance.

–Pourquoi que tu continues pas comme c'est là en attendant que la guerre finisse ?

–Y a de la grosse argent à faire à Montréal. Je veux en faire pour m'établir ensuite.

–Tu veux marier Jeanne d'Arc ?

–C'est quasiment fait.

–C'est que tu veux dire par ça ?

–Rien, rien...

Mais Armand avait compris. Il était de ceux qui savaient que Luc allait souvent passer la nuit à l'école du bas de la Grand-Ligne. Officiellement, pour ceux qui étaient au parfum, la raison en était les risques encourus par le jeune homme s'il passait la nuit à la maison (l'hôtel). Car les razzias de la police militaire se produisaient invariablement le soir ou la nuit. Le curé savait et fermait les yeux. Ida et Pampalon savaient et approuvaient. Éva et Ernest savaient et fermaient les yeux. Les Beaudoin du rang, voisins de l'école, savaient et se taisaient.

Il y avait un double secret en cela. Un autre savait autre chose et c'est que Luc n'aurait pas été accepté dans l'armée en raison de ses pieds plats. C'était le docteur Goulet. Il l'avait dit au jeune homme qui ne l'avait répété à personne afin de profiter au maximum de la situation. Et voici pourquoi il ne craignait pas d'aller travailler au port de Montréal.

–Laisse-moi te dire que tu fais ben ! Tu vas aimer ça, à Montréal. Ça va te montrer que Shenley, c'est pas le bout du monde, même si le curé Ennis le pense, lui. Et Jeanne d'Arc dans tout ça, elle ?

Luc fit montre d'un certain malaise, mais il répondit :

–Elle a fait application à Canadair. Et pis ça marche, elle va avoir sa place aussitôt sa classe finie.

–Allez-vous rester ensemble ? Remarque ben que j'ai rien contre...

–Ben... non...

–Si vous le faites, dites-le à personne. On vous traiterait de pécheurs pis on vous sacrerait en enfer. Mais pas moi. On prend ce qu'on a à prendre quand c'est le temps de le prendre dans la vie ou ben on n'a rien pantoute.

Armand s'étira, tourna le disque de Piaf sur l'autre face et poursuivit en chantonnant :

–Sacréyé ! comme dirait Freddé, on vit rien qu'une fois. Pis c'est pas long à part de ça. Bon, le prêchi-prêcha des curés, on en prend pis on en laisse. Surtout quand il est question d'amour entre deux personnes humaines. Les prêtres ont pas à se mettre le nez là-dedans.

Luc était réconforté. Comme chaque fois qu'il parlait avec cet oncle qui ne travaillait pas, mais qui réfléchissait en profondeur sur les choses de la vie.

***

Chapitre 37

1944

Et pendant que Luc et Jeanne d'Arc filaient le parfait bonheur à Montréal, la vie continuait de battre à son propre rythme à Shenley.

Un nouveau vicaire, l'abbé Antoine Gilbert, secondait le curé Ennis depuis le mois de juillet précédent. On se réjouissait des événements de la guerre qui tournaient en faveur des alliés. Ce fut le débarquement en Normandie le 6 juin et la progression des troupes engagées à la libération de l'Europe et du monde.

Les deux Célanire rendirent leur âme au Seigneur. La veuve de Louis Carrier mourut le 26 mai à l'âge respectable de 96 ans. Quant à Célanire Jobin, veuve d'Onésime Pelchat, elle mourut à 87 ans. On ne les pleura guère puisque leur temps était venu.

Deux événements politiques marquèrent cette année-là. Au Québec, Maurice Duplessis fut reporté au pouvoir après avoir été battu par les libéraux cinq ans auparavant. Quant au gouvernement King à Ottawa, désireux de faire oublier aux gens de la province de Québec ses politiques en matière de défense nationale et de recrutement de jeunes soldats par force de conscription, il vota la loi des allocations familiales. Quoi de mieux que des sous pour faire taire ces parents de grosses familles québécoises ? Et puis en favorisant les naissances, on aiderait au remplacement de ceux qui étaient morts à Dieppe ou sur les plages de Normandie...

Berthe (Grégoire) Jolicoeur et Marie-Anna (Nadeau) Blais qui vivaient d'un côté et de l'autre de la rue principale, eurent chacune un fils. André Jolicoeur reçut pour parrain et marraine ses grands-parents Gédéon et son épouse, tandis que le petit garçon du couple Raoul-Marie-Anna fut baptisé sous le prénom de Denis.

Un nouvel enfant apparut dans le voisinage. Orphelin de trois ans, adopté par ses grands-parents, Claude Cloutier n'aurait aucun mal à s'adapter à son nouvel environnement du coeur du village, lui qui n'avait pas connu sa mère et si peu encore son père. Son grand-père, Jean Pelchat et son épouse Itha Paradis avaient fait l'acquisition de la maison sise entre l'hôtel Central et l'ancien presbytère, maison appartenant toujours à la succession Grégoire et qui avait hébergé un temps la famille d'Arthur Boutin. On eut tôt fait de le voir courir sur la galerie en riant et en sautillant...

Tandis qu'à deux ans, André Mathieu, lui, 'grandissait en sagesse et en grâce' à travers des événements cocasses (*et tous authentiques*) comme ce jour de l'année précédente, en été 1943, celui du mariage de sa soeur Cécile à un jeune homme de Notre-Dame-des-Bois, alors qu'on avait 'oublié le bébé' une bonne partie de la journée sur la galerie avant, attaché à une chaise. Il s'était bercé sans arrêt, sans dire un mot ni jamais verser une seule larme. Si on avait alors connu le mot 'autiste', on le lui aurait certes attribué.

Et cette fois où, explorant son univers au ras du sol à quatre pattes, il avait fouiné à côté du poêle et posé sa main sur le bord du crachoir paternel pour y découvrir une substance nouvelle à forte odeur. Peu de temps après, Éva qui cherchait le bébé l'avait trouvé coiffé du 'spitoune', dégoulinant de ce mélange d'eau salie, de crachats noirs et autres viscosités que les fumeurs de l'époque expectoraient quand ils s'adonnaient aux ineffables plaisirs de la pipe.

Éva avait maugréé, mais elle était seule dans la cuisine pour se l'entendre dire :

–Les hommes pis leu' maudites pipes. C'est quoi que ça leu' donne de faire de la boucane pis de tout empester pis de tout salir...

L'enfant n'avait pas versé une larme, cette fois non plus.

Ni cette autre où sa mère l'avait transporté sur son dos pour l'amuser et se rendre compte que le bébé pouvait rire (quand il trouvait ça drôle), et qu'au moment de le mettre à terre, elle lui avait démis l'épaule en ne le retenant que par un seul bras. Pas une larme, ni sur le coup, ni sur le chemin pour Saint-Victor où d'un seul geste à deux mains, le talentueux ramancheur Noël Lessard avait remis le membre luxé à sa place dans l'épaule.

Ce jour-là du coeur de l'été, Éva reçut la visite de son frère Alfred qui vivait aux États depuis sa jeunesse après un bref séjour à Shenley au début des années 20. Chaque fois que cette famille aux moeurs américanisées venait, elle apportait plein de cadeaux pour tous les enfants de la parenté visitée au cours du voyage.

Au petit Gilles, âgé de 4 ans, on offrit un jeu de blocs de bois de deux pouces carrés sur chaque face colorée. Des verts, des rouges, des bleus, des noirs. Et chaque face comportait soit un dessin, une lettre de l'alphabet ou un chiffre.

–C'est pour apprendre à lire pis compter, dit Marie, l'épouse de Fred.

Et on donna la boîte à l'enfant qui la mit sur le plancher, l'ouvrit et en sortit tous les cubes.

Entre-temps, c'était le tour d'André de recevoir son cadeau des visiteurs. On lui offrait un camion à incendie tout de bois aux couleurs éclatantes. L'enfant s'assit sur la plancher et toucha à peine l'objet alors que son frère aîné regardait sans plaisir son jeu de blocs inutiles.

Les deux garçons se tournèrent l'un vers l'autre. Au même moment, chacun délaissa son jouet pour se diriger vers celui de l'autre. Au grand étonnement des adultes, Gilles s'empara du camion et André des blocs.

–C'est ben pour dire ! s'exclama Alfred, un homme terriblement maigre et lent d'élocution.

–Les enfants, c'est pas long que ça sait ce que ça veut ! commenta son épouse en souriant.

***

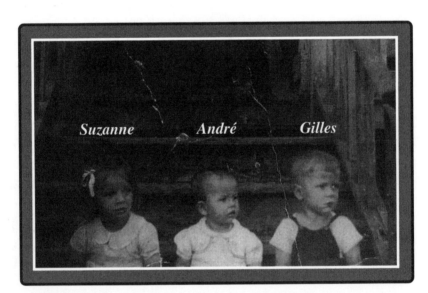

Enfants intéressés par l'arrivée de Bernadette dans la cour

Voir page 525 une autre photo des enfants Mathieu, prise celle-là en 1945.

Chapitre 38

1945

–J'ai vu passer une voiture, mais j'ai pas pu voir qui c'était par rapport au baratême de brouillard de neige.

Gédéon Jolicoeur rentrait à la maison après le train du matin. À 73 ans, l'homme avait conservé une belle part de sa santé malgré les inévitables courbatures de l'âge.

–Qui c'est que ça peut ben être pour sortir durant une tempête de neige de même ?

–Ah, dans le chemin de concession, ça sera moins pire vu que le bois empêche la poudrerie de trop boucher la vue.

Puis le vieil homme se rendit à la fenêtre afin d'y voir la tempête et il maugréa :

–Si Ovide s'rait avec nous autres comme ça devrait, il pourrait aller voir c'est quoi qui arrive...

Deux heures plus tard, on entendit un cheval hennir. Gédéon délaissa sa pipe et sa berçante, et il se rendit une autre fois à la fenêtre. Il aperçut un attelage arrêté et un homme qui ne bougeait pas sur la banquette.

–Je vas voir pis le faire rentrer pour se réchauffer... si le bonhomme est pas mort raide dans sa voiture.

L'homme revêtit un mackinaw pour sortir. Sur le coup, il ne reconnut pas le voyageur téméraire. L'homme avait une crémone entourée autour du cou et du front, et seuls ses yeux rougis étaient visibles, s'ouvrant et se refermant comme s'il luttait contre un sommeil envahissant.

–J'peux-t-il me réchauffer un peu ? demanda le voyageur, la voix faible et rauque.

–Cartain, mon ami, cartain !

Ce fut long et difficile de le soutenir pour le faire entrer. Marie ouvrit la porte et on approcha une berçante du poêle pour que le pauvre homme retrouve sa propre chaleur à travers celle de la maison. La femme déroula la crémone et l'on sut que c'était le docteur Goulet.

–Quoi c'est que vous êtes venu faire dans not' boutte ?

–Un accouchement à Dorset. J'pense que j'ai pris mon coup de mort.

L'homme de 62 ans avait ingurgité de la boisson pour se réchauffer, mais il n'aurait rien avalé que les résultats eussent été pires encore. Et puis il n'était pas ivre ni ne l'avait été de la journée. C'est son devoir de médecin de campagne qui l'avait conduit à Dorset. C'est son devoir de médecin de campagne qui le conduirait dans sa tombe. Il y serait une semaine plus tard.

*

À la prochaine séance du conseil municipal, Alfred Grégoire, récemment devenu maire, mit le poing sur la table. Voilà qui ne ressemblait guère à cet homme sensible, patient, généreux et qui, pour ces raisons sans doute, ne possédait pas un très grand ascendant sur ses semblables. Toutefois, la rarissime aptitude des Grégoire à se lancer dans une colère extrême ne lui était pas étrangère et sommeillait sous ses indéniables qualités.

La cause de cet emportement : l'ouverture et l'entretien des chemins l'hiver.

Il venait d'en faire la proposition et avait pu lire de l'opposition dans le visage de conseillers qui gardaient leur mentalité du temps de la crise.

–Fâche-toé pas de même, Freddé ? dit Tom Gaboury.

–Parce qu'on vient de perdre notre bon docteur Goulet. Les chemins ouverts, il serait monté à Dorset en machine, pis on l'aurait encore avec nous autres.

–Son garçon Fernand qui le remplace est pas un mauvais docteur, commenta Narcisse Jobin pour apaiser le débat.

–Tu veux dire que c'est pas grave si le docteur est mort ?

–Ben... non... ben... Mais c'est pas rien que les chemins qui sont responsables, c'est itou son âge un peu... À 62 ans, on est pas né de la dernière pluie comme dirait ma femme.

Malgré tout, la colère d'Alfred porta ses fruits et l'hiver d'ensuite, les principaux chemins, ceux allant d'une paroisse à l'autre, seraient tous entretenus.

*

Ovide Jolicoeur commença de travailler à Saint-Côme pour son frère Philippe comme mesureur de bois. Celui-ci agissait comme sous-contractant lors de la réfection de la route Kennebec reliant la province de Québec à l'État du Maine. Et par conséquent le jeune homme se désintéressait de plus en plus de la terre de son père où il n'effectuait encore que les travaux tout à fait nécessaires.

Un plan mijotait dans son esprit. Un soir, il se rendit à la boutique de forge où il s'entretint avec Ernest Mathieu de la possibilité de lui acheter la vieille maison soit l'ancien presbytère toujours inoccupé, sauf quand il se produisait une naissance dans la famille et qu'on y envoyait pour quelques heures les enfants à qui on voulait cacher la vraie nature de l'événement. Ovide étala plusieurs arguments et une offre raisonnable que le forgeron accepta.

Peu après, la bâtisse fut levée de son nid ancien et emportée à l'autre bout du village où on la posa sur une bonne assise de ciment et de grosses pierres. Ovide ensuite la rénova de ses mains habiles puis trouva preneur avec un profit intéressant. Son plus grand gain fut de se rendre compte à quel point le métier d'entrepreneur en construction l'intéressait. Sauf que pour l'exercer, il devrait s'exiler. Construire ou rénover une ou deux maisons par année à Saint-Honoré ne suffirait pas à combler ses besoins et ceux de sa famille.

"Question de se dépayser un peu et tester les possibilités en ville, Ovide se mit à louer chaque été une maison au Lac Beauport, à quelques dizaines de kilomètres au nord de Québec." Rapidement, *"il acheta un terrain vacant, construisit une maison et la revendit peu de temps après avec bénéfice."*

Un clocher dans la forêt, page 92

*

Le quotidien d'Alfred se poursuivait sans éclats. Amanda s'était fait une place au foyer après son retour quatre ans plus tôt et lui avait accepté de remplacer à la mairie Georges Pelchat qui lui-même, en 43, avait succédé à Arthur Boutin.

À 58 ans, Freddé restait le même personnage à la patience d'ange. Le soir, après 6 heures, le magasin se remplissait de loustics venus attendre l'arrivée et le 'dépaquetage' de la malle maintenant transportée par Tom Gaboury et/ou son fils Albert dit Blanc en automobile. Autres temps, autres moeurs : finie l'ère de la waguine pour faire la navette entre le bureau de poste et la gare. Et Pit Veilleux qui ne savait pas conduire une 'machine' perdit son emploi de postillon. Qu'importe, il trouvait tout le travail dont il avait besoin sur les nombreuses terres que Freddé avait héritées de son père.

Les quatre plus jeunes des fils à Pampalon ne rataient jamais l'occasion de plaisir que ce moment du jour leur octroyait. C'était le rire à gorge déployée de chaque côté de la table centrale, dans l'escalier, sur les comptoirs où l'on n'hésitait pas à s'asseoir, ce qui eût été considéré comme un sacrilège par Émélie dans son temps. C'étaient les séances de tir au poignet partout où l'on trouvait une surface plane qui le permettait. Parfois, c'était la course derrière les comptoirs et à l'occasion certains dégâts.

Alfred levait parfois les yeux par-dessus ses lunettes pour constater qu'il n'y avait pas le feu ou mort d'homme et il reprenait son laborieux travail de classement du courrier dans les cases nombreuses.

Ce jour-là, le maître de poste avait étalé plusieurs timbres sur la table placée près du mur arrière du bureau. Et avait dû laisser son travail de classement en plan vu l'arrivée rapide du Blanc Gaboury avec les sacs de courrier. Et pendant qu'il s'occupait au tri, voici qu'un diablotin d'enfant se glissa dans le magasin par la porte du hangar, marcha vers l'entrée du bureau de poste, aperçut ces timbres tentants exposés à sa vue, à portée de sa main... en saisit une poignée parmi les plus beaux et les plus coûteux et fit demi-tour, couvert par le bruit important venu du magasin, tapage dont les fils à Pampalon étaient les premiers responsables.

S'il n'entendait rien de ce qui se passait dans son dos, Alfred le percevait par un autre sens. Il tourna la tête assez vite pour voir la main s'emparer de timbres et l'enfant à couettes s'enfuir. Le paquet de lettres et les lunettes tombèrent et l'homme s'élança à la poursuite de ce petit voleur au féminin qui n'était autre que sa nièce Odette Jolicoeur.

"Se voyant ainsi poursuivie, la fillette engouffra tous les timbres dans sa bouche. C'est grâce à son ton calme et son allure pacifique qu'Alfred réussit à convaincre sa turbulente nièce de ne pas avaler les timbres. Quand Berthe arriva au magasin pour retrouver sa fille, Alfred était à genoux en train de récupérer les timbres collés au palais de sa nièce. Freddé ne fit aucune remontrance à sa soeur morte de honte. Il venait de réaliser qu'il était devenu à son tour, selon le principe de la loi de l'alternance, la victime des "joueux de tours"."

Un clocher dans la forêt, page 41

Quand l'événement fut clos, Freddé, au pied de l'escalier, mit ses mains sur ses hanches et lança à tout le magasin un énorme cri :

"Tranquille !"

Tous ceux qui s'y trouvaient, y compris Gilles, Yves, Benoît et André Grégoire, prirent conscience que le magasin ne leur appartenait pas. Et ils se calmèrent... Pour un temps...

***

Pampalon   Luc   Gilles   Yves   Benoît   André

Chapitre 39

1946

Ses manières masculines donnaient du poids à l'autorité d'Ida, et sa fourchette en avait ajouté à son corps. Jeanne d'Arc avait beau avoir et du front et du toupet, il lui fallait bien attacher sa tuque pour entrer en contact direct avec l'épouse de Pampalon, sa future belle-mère. C'est que la jeune femme, dans ses profondeurs catholiques, se faisait du reproche –mais aucun remords– quant à sa conduite avec Luc. Certes, il avait souvent trouvé refuge à l'école du bas de la Grand-Ligne avec la bénédiction des proches et du voisinage, mais on s'obligeait à imaginer une relation se limitant à de l'amitié et nécessaire pour échapper à la police militaire. Sauf que les interdictions de rapport charnel pour les gens que les liens du mariage n'unissaient pas, avaient sauté par trop d'énergie en elle et en lui, un surplus explosif que le couple n'était pas mieux parvenu à contenir à Montréal où Luc, au port, transbordait chaque jour des matières dangereuses tandis que sa fiancée manipulait à coeur de jour des obus chez Canadair dont certaines lignes de production avaient été enlevées à l'assemblage d'avions et affectées à la fabrication de munitions.

Mais ce temps de guerre était déjà révolu.

Jeanne d'Arc avait retrouvé son métier de maîtresse d'école qu'elle exerçait depuis septembre 45 à Spaudling, pas loin de Lac-Mégantic, et Luc était revenu à la maison avec le comptant requis pour acheter l'hôtel de son père. Quant à Pampalon, il avait en vue l'achat de l'hôtel de Saint-Évariste station, une agglomération qui comptait maintenant plus de monde que Saint-Évariste village, en haut de la côte. En bas, à la station, l'on bâtirait bientôt une église pour en faire une paroisse bien distincte détachée de sa paroisse mère.

Que manquait-il à pareil scénario ? Un mariage...

Et c'est ce que le jeune couple venait annoncer ce soir de mars. Ida se montra favorable. N'était-elle pas de ceux qui avaient béni Luc quand il se réfugiait à l'école avant qu'on ne découvre que de toute façon, il ne saurait faire de l'armée en raison de ses pieds plats ? (*Car au port, la police militaire l'avait ramassé un jour et à l'examen médical, Luc avait été rejeté par le comité de recrutement...*)

–Quelle date ? demanda Pampalon alors qu'on trinquait à la bonne nouvelle dans la cuisine de l'hôtel.

–Le 6 juillet, dit Jeanne d'Arc.

–On va pousser pour acheter plus vite à Saint-Évariste, pis le 7 juillet, vous pourrez vous installer dans ces murs, dit Pampalon, l'oeil pétillant comme sa bière.

Un drôle d'événement vint les interrompre. Le chien poussa la porte entrebâillée et fit son entrée, la queue bleue.

–Ah ben baptême, y en a qui veulent rire de moi ! s'exclama Pampalon.

Il ne put s'empêcher de penser à toutes ces soirées d'élections où il s'était lui-même moqué des adversaires perdants en faisant brûler un bonhomme de paille devant leur porte ou pire, en graissant leur clenche avec du fumier.

"Furieux et pensant qu'il s'agissait là d'une vengeance des conservateurs, Pampalon sortit de l'hôtel et se planta, jambes écartées, au milieu de la rue principale en criant :

"Qui c'est le maudit qui m'en veut tant ?!"

Pendant que Pampalon interrogeait les quelques person-nes alertées par ses cris, sa soeur Berthe et Freddé vivaient une autre forme de 'désespoir'. Cachés derrière le magasin, ils tentaient de déshabiller Odette dont le corps était couvert de pied en cap de peinture bleue. Laissée quelque temps sans surveillance, la redoutable enfant avait trouvé un pot de peinture et barbouillé tout ce qui bougeait autour, y com-pris le chien de Pampalon et elle-même..."

Un clocher dans la forêt, page 66

*

En juin, ce fut le déménagement de Pampalon et sa fa-mille vers leur nouvel hôtel de Saint-Évariste. Les futurs ins-tallèrent leurs affaires dans l'établissement de Saint-Honoré où Luc agissait déjà comme hôtelier tandis que sa fiancée venait l'aider le jour, mais retournait chez elle, deux maisons plus loin, le soir venu...

Il vint enfin, cet heureux 6 juillet.

Le curé Ennis unit deux personnes qui vivaient un quart de siècle en avance sur leur temps : Luc et Jeanne d'Arc.

Ce fut une belle noce et personne ne songea que le joyeux jeune couple avait fêté Pâques bien avant les Ra-meaux...

***

Luc Grégoire
Jeanne d'Arc Mathieu
1946

Chapitre 40

1947

Il n'était pas question de le faire hospitaliser. D'autres parvenaient à traverser une pleurésie et à s'en remettre. Le sanatorium était vu comme un mouroir dont peu sortaient sur leurs deux jambes. Et puis le mal frappait un jeune homme de dix-huit ans qui n'avait jamais montré les signes d'une santé débile. C'est dans la cour à bois chez Uldéric Blais que Victor Mathieu avait attrapé du froid. Il s'était produit une pluie glaciale en janvier et le jeune homme, pas assez chaudement vêtu, avait négligé, par crainte du contremaître, d'aller se réchauffer parfois au local de l'engin, malgré les avertissements que Jos Page, le chauffeur de 'boiler', lui avait servis à maintes reprises.

Et voici qu'à l'aube de sa vie adulte, le jeune homme crachait du sang. Éva lui avait fait une chambre à part dans une chambre à part avec des draps blancs suspendus à des cordes. Une seule assiette, avec grains de blé en relief sur la porcelaine, était la sienne. Un seul couteau marqué des lettres USN lui était assigné. Une seule cuiller, une seule fourchette, un seul verre à boire. Quand il avait fini son repas, sa mère ramassait le nécessaire et se hâtait de descendre à la cuisine tout ébouillanter, tout aseptiser.

Défense était faite aux trois enfants âgés de 9, 7 et 5 ans de franchir le mur de tissu derrière lequel se trouvaient le malade et surtout la maladie.

Le docteur Goulet (Fernand), venait tous les deux jours et ne parlait d'aucune amélioration. Et Victor crachait le sang encore et encore.

Luc venait faire sa visite une fois par semaine au moins. À son idée, le moral du jeune homme ferait toute la différence. Il vint à nouveau ce jour de début avril alors que le grand soleil de printemps parlait aux érables de renaissance et de sucres. Sa bonne humeur, son enthousiasme, son optimisme ne pouvaient qu'aider le malade à remonter la pente.

Mais une fois de plus, au moment de s'en aller, alors qu'il descendait l'escalier, Luc hocha la tête en signe de désolation. Éva le regarda dans les yeux. Ils se turent. Se comprirent.

Et il revint la semaine suivante et la suivante. Victor crachait toujours du sang. Mais si son état ne s'était pas amélioré, il ne s'était pas empiré. "Pas pire qu'Armand Grégoire," disait Ernest qui ne voulait pas envisager l'hospitalisation de son fils. "On le sait qu'il fait de la tuberculose depuis des années. Il vit sa vie par icitte pareil... Pis Berthe élève des enfants dans la même maison... Elle vient d'en avoir un autre (*Nicole née le 30 mars*) encore ces jours-citte..."

Éva se plaignit de son propre état de santé et de la lourdeur du travail à accomplir. Ernest décida de ramener Dolorès à la maison, elle qui avait repris ses études à Beauceville où elle fréquentait l'école Normale et y pensionnait.

Ce jour de la mi-avril, les eaux de surface s'engouffraient dans les ruisseaux. Il en venait considérablement dans celui qui coupait le terrain puis longeait la maison Mathieu pour traverser la rue, suivre le chemin Foley, bifurquer plus loin vers le marécage d'où sortait un autre ruisseau allant vers le rang 9. Luc restait debout à côté de son beau-frère, à le regarder puis à regarder dehors par la fenêtre, les restes de neige qui scintillaient, et jeter un coup d'oeil à son attelage... Le jeune homme possédait un cheval et parfois le sortait, comme ce jour-là, pour entretenir sa forme. Il l'avait attelé à une demi-waguine...

Quand il sut que Victor avait le moral un peu requinqué, il le salua et s'en alla. Le malade se leva pour le voir partir par la fenêtre et envier son état de santé. En effet, à part ses pieds plats, son beau-frère ne souffrait d'aucune infirmité, n'avait jamais connu la maladie sauf celles qui vous renforcent; et s'il est vrai que les aînés de famille reçoivent la meilleure part de l'hérédité parentale, Jeanne d'Arc et Luc, tous deux premiers-nés, feraient des enfants d'exception à n'en pas douter.

Luc clappa; le cheval se mit en mouvement. Direction : la terre à Foley (appartenant à Freddé). Il y ferait se dégourdir les pattes de sa bête. Et puis l'ouvrage d'homme ne pesait pas lourd à l'hôtel de ce temps-là.

Durant la visite de Luc à Victor, Berthe avait habillé son fils André, maintenant âgé de 3 ans, et envoyé jouer dehors, sur la galerie. Le petit garçon aux grandes ambitions ne tarda pas à subir la tentation du large. Il parvint à franchir la barrière qui l'empêchait de descendre sur le terrain et quand il y fut, se lança à l'exploration d'un monde immense dont il se pensait le Magellan.

Mais les explorateurs risquent souvent leur vie à découvrir ce monde rempli de pièges. Il y en avait un tout près : des pavés recouvrant la 'décharge' et que l'hiver avait fini de pourrir. L'enfant s'avança pour voir de près l'eau qui surgissait de l'inconnu en grosses trombes vrillant et grondant... Luc traversait la rue avec son attelage en ce moment même. Deux destins allaient se rencontrer. Le faible poids de l'enfant suffit à faire céder le revêtement que l'eau devait gruger par dessous et le torrent l'emporta sous le regard atterré de Luc Grégoire qui, quand même conserva assez de sang-froid pour fouetter son cheval et l'obliger à courir sur le chemin Foley jusqu'à la hauteur du gamin que le courant emportait comme s'il s'était agi d'une bille de bois à crémone rouge.

Et Luc sauta de la waguine et courut le long du ruisseau jusqu'à un élargissement qui rendait l'eau moins furieuse. Il mit le pied directement dans le ruisseau afin de pouvoir atteindre l'enfant; sa botte se remplit. C'est à ce moment que Berthe, attirée à la fenêtre arrière par un pressentiment, put assister au sauvetage in extremis de son seul fils. Un peu et elle aurait défailli.

Luc attrapa la crémone puis le cou du garçonnet, s'arrêta un instant pour conserver son équilibre, puis recula et se jeta à la renverse pour ne pas tomber d'un côté ou de l'autre à cause de sa jambe lourde que le torrent aspirait.

L'enfant retomba sur sa poitrine et leurs regards se rencontrèrent. Luc le prit par le milieu du corps et le souleva à bout de bras en éclatant du grand rire Grégoire à la Honoré et à d'autres ancêtres avant lui. La vie triomphait de la mort. En ces moments, on ne pense pas que c'est pourtant la mort qui finit toujours par avoir le dernier mot sur la vie...

*

Il y avait une semaine que Armand avait rouvert son camp pour la saison. Quel soulagement pour lui de s'extraire de ce monde trop bruyant de la maison à Bernadette ! Cette chère Odette menait tout le temps le diable, poussant l'un à crier, jouant un mauvais tour à l'autre, laissant la porte avant ouverte, massacrant les touches du piano, espionnant par les trous de serrure. Par chance, la cloche du couvent l'appelait à l'école cinq jours par semaine. Sans elle à la maison, c'était le ciel; avec elle, c'était pour le moins le purgatoire !

Et puis l'homme qui atteindrait ses quarante ans le vingt-six juin pourrait jusque tard l'automne recevoir des visiteurs, ce que ses soeurs lui interdisaient formellement quand il partageait leurs locaux. Et pour cause ! ce n'était pas lui qui lavait les planchers, qui les cirait, qui époussetait la maison, qui voyait au grand ménage du printemps et à l'ordinaire de tous les jours.

Son premier visiteur fut le Blanc Gaboury, un gars de cinq ans de moins, tout aussi célibataire, le visage plus pâle encore et les quintes de toux fréquentes. Chacun ne savait pas que l'autre avait des taches sur les poumons, mais tous deux le devinaient. En ce temps de tuberculose galopante, valait mieux ne pas aborder le sujet et faire semblant de l'ignorer.

Pourtant, les nouvelles tristes à propos de cette quasi épi-démie se faisaient encore plus nombreuses que celles à pro-pos de la guerre entre 40 et la bombe atomique d'Hiroshima. Armand venait d'en apprendre une pire que les autres. La radio diffusait la chanson *Symphonie* par Alys Robi. Blanc avait commencé de se bercer et il attendait la consommation que l'autre était à préparer dans la pièce arrière.

–Tu peux pas savoir qui c'est qui est poigné de la con-somption ?

–Ben... y a le Victor à Ernest Mathieu.

–Lui, c'est pas encore certain...

–Pleurésie... crache le sang... ça pourrait-il être autre chose ?

–Ben peur que non.

–De qui que tu veux parler ?

–De mon neveu.

–Ton neveu ? Qui ça ? Un gars à Pampalon ?

–Non, pas eux autres : sont faits forts, ces gars-là. Ça va vivre jusqu'à soixante-quinze pas moins. Luc, c'est fort comme un ours. Yves, c'est pareil. Leur mère, c'est une femme de santé, leur père itou. Non, j'parlais pas d'eux autres.

–Pas Ti-Lou toujours ?

Armand ne répondit pas sur le coup et s'amena avec les deux verres. Il en présenta un à son ami et le regarda droit dans les yeux un court moment pour acquiescer :

–Oui ! Ti-Lou Boutin. Il est rendu à l'hôpital Laval.

Blanc, un être taciturne, cynique sur les bords, de nature inquiète, ne dit pas un seul mot. Survienne cette maladie en sa poitrine et jamais il ne se ferait hospitaliser. Armand parut deviner sa pensée qui déclara en s'asseyant sur son divan :

–Ça fait des années que je tousse pis crache... pis j'irais pas au sanatorium... c'est l'antichambre de la mort, ça. Si j'ai quelque chose aux poumons, j'fais attention pour pas contaminer personne. J'ai jamais fait de pleurésie comme le petit Mathieu...

–Ti-Lou, il a le même âge que moé... ou un an de plus jeune. On était dans la même classe au couvent.

–C'est son ouvrage à la C.I.L. qui l'aura empoisonné.

–Qui c'est qui va gagner la vie de sa famille ?

–Ses beaux-parents de Saint-Martin s'en occupent comme il faut, à ce qu'il paraît...

*

La consomption n'était pas la seule tueuse de ce temps-là; le cancer ne chômait pas non plus et en reconduisait plus d'un au cimetière chaque année.

Ce onze juin de grand soleil, un imposant cortège funèbre avançait en silence sur la rue principale depuis le bas du village vers l'église. Une femme de 66 ans s'était endormie pour jamais trois jours auparavant. Pour avoir trop donné la vie peut-être, ses organes internes s'étaient détériorés et la femme était morte de la même façon que cette autre, Émélie Allaire, partie pour le grand voyage en 1930 et qui l'avait prise en amitié au début du siècle malgré les seize ans qui les distançaient.

Julia Coulombe, épouse de Uldéric Blais, mère de 13 enfants, feu Anna-Marie, Laurentienne, Yvonne, Gertrude, Paul-Eugène, Henri-Louis, Ovide, Raoul, Dominique, Georgette, Marcel, Constance et Monique, était reconduite à son dernier repos, portée par six hommes forts sur un chemin ombragé, bordé d'arbres verdoyants.

Par discrétion, Éveline Martin s'embusqua derrière les rideaux jaunes pour voir passer le convoi funèbre empreint de lenteur solennelle. Impressionnée par les deux landaus de fleurs, elle songeait à son propre destin de femme, à son futur prochain. La cinquantaine venait à grands pas et sa vie s'écoulait paisiblement, si paisiblement, sans heurts et sans remous. Trop tranquille, le fleuve de sa vie, et l'ennui la rongeait de l'intérieur et l'emporterait comme un cancer. Jamais de neuf ! Trois enfants élevés. Un mari toujours préoccupé de mécanique. Et servile plus que le dalmatien à Luc Grégoire...

Sa réflexion l'amena à envier Jeanne d'Arc qui avait pour elle la jeunesse, et qui avait su vivre sans retenue ce que son coeur et son corps lui avaient dit de vivre, et qui maintenant, par son métier au public et sa chaleur humaine n'était pas enfermée entre les quatre murs de son amour et pouvait chaque jour respirer le bon air frais du large par des fenêtres qu'elle pouvait ouvrir et refermer à volonté.

Alys Robi chantait *Symphonie* à la radio...

Berthe Grégoire était tout en noir. Sitôt le cortège passé devant chez elle, voici qu'elle se mettrait en route avec Bernadette pour assister au service funèbre puis à l'enterrement. Ovide travaillait à Québec. Les enfants qui ne fréquentaient pas encore l'école, soit Christine, André et Nicole, seraient gardés par Anne-Marie Lambert, leur voisine de biais. Ils y étaient déjà.

Et Berthe réfléchissait à sa décision. Combien de fois avait-elle refusé de suivre son mari à Québec où il voulait que vive sa famille auprès de lui, puisqu'il y était entrepreneur à plein temps maintenant ? Elle ne le savait pas. Mais voici qu'elle avait fini par accepter...

"Après quelques constructions tout aussi payantes les unes que les autres, Ovide décida d'installer sa famille à Québec, où le marché de la construction était plus dynamique qu'à Saint-Honoré et dans les paroisses environnantes. Berthe, de son côté, se faisait tirer l'oreille, hésitant toujours à quitter sa soeur Bernadette. Cachant son irritation sous un ton faussement indépendant, Ovide lui déclara : "Quand tu seras prête, je viendrai te chercher."

Un clocher dans la forêt, page 92

Et dans quelques jours, ce serait le grand départ. À 37 ans, elle ne serait pas facile à déraciner. Un argument avait eu plus de poids encore que tous ceux d'Ovide réunis et elle l'avait souvent retourné dans sa tête, comme maintenant, avant de s'y rendre...

La tuberculose !

La grande maladie rôdait autour d'eux. Probablement qu'elle se trouvait dans leur propre maison par Armand. Elle était en face par Victor Mathieu. Elle affectait la famille Boutin par Ti-Lou. D'autres en étaient atteints sûrement sans que leur état ne soit connu des gens. On redoutait le boulanger Doyon de Saint-Évariste qui venait passer le pain par les portes. On redoutait le Blanc Gaboury qui charriait la malle soir et matin de la gare au bureau de poste et vice-versa. À Québec, il serait bien plus aisé de soustraire les enfants à tous ces contacts dangereux. Les enfants et elle-même...

Au retour des funérailles, Berthe voulut commencer de faire son deuil de son milieu natal. Elle prit de nombreuses photos dont certaines des enfants, mais une seule était appelée à traverser le temps, celle où posaient ses deux filles aînées Odette et Christine...

"La semaine d'après, Berthe et Ovide réunirent leurs maigres biens et refirent à l'inverse, pour les mêmes motifs que ceux qui avaient animé leurs parents avant eux, le chemin qui les menèrent de la Beauce vers Québec. Avec Nicole, la dernière-née couchée dans un tiroir de commode, à l'arrière de l'auto, les époux partirent à l'aventure. Là-bas, ils emménagèrent comme locataires dans un appartement au deuxième étage d'un immeuble construit par Ovide sur la rue Capricieuse."

Un clocher dans la forêt, page 92

Sachant que Berthe aimait bien la chanson *Symphonie* par Alys Robi, Ovide, pour l'aider à s'adapter à son nouveau milieu, la conduisit un soir prochain au café *Chez Gérard* où la jeune femme put non seulement entendre la vedette mais la voir en personne...

Leur séjour en ces lieux de la rue Capricieuse durerait moins d'un an, après quoi la famille déménagerait dans une maison de Sillery, construite pour revente. Une fois installée là, Berthe s'exclamera : *"Ça y est, je ne pars plus d'ici !"*

Et cette maison du boulevard Laurier, dans un quartier ombragé tout plein d'arbres et de jolies demeures, deviendrait la première et dernière résidence du couple...

***

Christine et Odette Jolicoeur

Chapitre 41

1947...

Le ciel n'aurait pu se parer d'un bleu plus pur en ce samedi, le 21 juin. De fins nuages de coton semblaient avoir été accrochés là-haut par le pinceau léger d'un peintre discret. C'était après le début de l'après-midi et chacun occupait son temps à sa façon.

Alfred Grégoire servait au magasin comme tous les jours à l'exception du dimanche.

Armand restait plus souvent à la maison et moins dans son camp maintenant que la famille de Berthe avait quitté pour ailleurs. Il se reposait dans sa chambre, mains sous la tête, bien allongé pour mieux respirer et rêver au temps qui passe.

Honoré, le fils d'Alfred, jeune homme de vingt ans, était à scier du petit bois sur le terrain en arrière des hangars, bois que les deux petits Mathieu cordaient plus loin pour lui rendre service et espérer une pièce de cinq cents, ce qui leur vaudrait un cornet de 'crème à glace' acheté au restaurant chez Jos Lapointe plus tard dans la journée.

Ernest Mathieu, qui avait fait l'acquisition d'une terre dans le bas de la Grand-Ligne trois ans auparavant, avec dessein d'y déménager malgré la cinquantaine à la porte de son âge, et en plus les objections nettes d'Éva qui avait grandement profité à cet égard du 'bon' exemple de Berthe Grégoire, une jeune personne capable de tenir tête à son homme, était parti de bon matin avec ses fils Paulo et Léandre ainsi que plusieurs poches de patates germées que l'on sèmerait au cours de la journée...

Éva faisait de la cuisine pour le samedi soir et le dimanche en cette heure hâtive du jour.

Au presbytère, le curé Ennis fumait sa pipe en écrivant à son évêque pour lui demander de lui laisser son vicaire dont il appréciait les qualités certaines, l'enthousiasme et le dévouement.

Devant leur maison du rang 9, le vieux Théodore Gosselin aidait sa vieille à monter dans leur voiture. Il se demandait s'il devrait accepter ou non l'offre que lui avait faite Honoré Champagne pour sa terre que l'homme trop âgé ne saurait plus cultiver. Il montait au village pour aller en discuter avec sa fille qui vivait dans le fond de la rue des Cadenas.

Auguste Poulin, lui, était à stationner près du garage de mécanique générale construit de l'autre côté de la rue de l'hôtel, le camion du jeune industriel Jean Nadeau, un véhicule récupéré de l'armée et dont les freins avaient des problèmes depuis quelques jours. On le réparerait au début de la semaine prochaine.

Benoît Quirion, jeune homme de 19 ans, s'affairait à déplacer une montagne de bois à fuseau dans la cour de l'usine à Jean Nadeau sise au fond de la rue de l'Hôtel. À son coéquipier, il annonça qu'il allait chercher le camion de l'armée pour sauver du temps et des efforts.

Pit Roy discutait de politique avec Pit Veilleux quelque part sur le trottoir devant le magasin Champagne. Lui était bleu comme le ciel; l'autre Pit rouge comme l'enfer, mais les deux hommes parvenaient à s'entendre dans la mésentente. Et s'aimaient bien malgré tout.

Jeanne d'Arc et Luc se berçaient sur la galerie de l'hôtel. La servante, Jeanne Bellegarde, avait fini la vaisselle et elle était en train de faire du ménage dans les chambres des étages. Cela donnait du temps au couple pour se détendre et s'amuser un peu.

Teddy, le dalmatien, avait trouvé refuge sous les pieds et le rire de son maître. Luc avait allongé ses jambes et accroché ses talons à la garde de la galerie. Et le chien couché observait le couple d'un seul oeil, pas toujours ouvert.

Ce couple exhalait la sensualité en raison de l'énergie, de la jeunesse de chacun, –un an seulement les distançant– et de cet attrait naturel que Luc, aussi bien que Jeanne d'Arc, exerçait sur l'autre sexe. Certes, mais il y avait d'autres dimensions tout aussi fortes à leur attachement dont l'espoir en l'avenir, leur confiance l'un en l'autre, l'admiration l'un pour l'autre, bref l'amour véritable mélangé à l'amour passion.

Ils aimaient se trouver l'un auprès de l'autre.

Et se retrouver tout autant après un éloignement temporaire.

Et n'avaient pas besoin que leurs épidermes se frôlent pour ressentir cette chaleur agréable et douce que l'un dégageait pour l'autre et à cause de l'autre.

Luc, c'était Honoré, son grand-père, plus que tout autre descendant de l'aïeul. C'était plus qu'un même humour, c'était plus que ses éclats de rire, plus que son bonheur de jouer des tours, plus que sa joie de chanter, plus que son sens des affaires, c'était aussi son coeur d'enfant capable, au contraire de son grand-père, de s'ouvrir au grand jour à l'enfance. En cela, Luc était ce qu'Honoré aurait voulu faire mais que son époque le retenait de faire.

Et le jeune homme ne se lassait pas de jouer avec ses petits beaux-frères de 7 et 5 ans, Gilles et André, comme s'il avait eu leur âge. Parfois, il laissait tomber une pièce de 0,10¢ par un interstice du plancher de la galerie et disait aux deux gamins d'aller voir s'ils ne trouveraient pas de l'argent là-dessous. Et alors, il leur vidait de l'eau sur la tête en disant très haut comme ça lui faisait du bien de se soulager. D'autres fois, il leur passait le tuyau de l'aspirateur dans les cheveux et promettait 0,10¢ à celui qui endurerait sans grimacer. Ou bien, quand ils frappaient à la porte de l'hôtel en quête de bonbons le jour du Mardi Gras, il exigeait qu'ils dansent une gigue simple avant de leur donner quelque chose tout en feignant ignorer leur identité masquée.

Tel était Luc Grégoire, un enfant de 23 ans et 8 mois, amoureux de sa femme et de la vie...

Survint un personnage à l'âme d'enfant malgré ses 64 ans bien sonnés : Jos Page. On le vit venir tout croche d'en bas du village, du même côté que l'hôtel, traînant sur sa chemise grise, sa chemise de flanelle à carreaux noirs et blancs, retenue par un doigt au bout d'un bras replié vers son épaule.

Il se mit à rire avant toute chose drôle et seulement à voir le couple qui se berçait à l'unisson :

–Houa houa houa houa...

Amanda qui l'entendit et se reconnut dans cet éclat sonore vint mettre son nez dans le moustiquaire de la porte, sachant qu'on ne pouvait pas la voir de l'hôtel ni savoir qu'elle prêtait oreille.

–Si c'est pas notre bon Jos Page ! s'exclama Luc.

–Viens t'assire avec nous autres ! lança Jeanne d'Arc.

–Ça, c'est une vraie bonne idée, approuva Luc.

–On a une chaise pour toi : regarde ! dit la jeune femme.

–J'sé pas si j'doué...

–Envoye ! On a un bon Coke pour toi, Jos.

Mais Jos, pour une fois, semblait mal à son aise. Quelque chose qu'il ne parvenait pas à cerner en son for intérieur lui disait qu'il ne devrait pas s'arrêter, que cela ne porterait pas chance à ce si beau couple, le plus beau de la paroisse et de loin, d'après lui.

Peut-être, songea-t-il aussi, qu'il était déjà trop tard, que si un malheur devait survenir, tous les écheveaux du destin étaient déjà entrecroisés pour que le destin suive son cours. Vague prémonition d'un homme qui n'avait rien mangé depuis la veille et dont la santé commençait de décliner.

—Ben j'men vas l'prendre, l'Coke, mé j'vas l'pèdjer...

Jeanne d'Arc courut à l'intérieur chercher la bouteille promise tandis que Luc faisait parler l'autre sur son travail au moulin. Puis elle revint. Jos refusait de monter sur la galerie, prétextant qu'il devait se rendre chez Hilaire Paradis dans la rue des Cadenas. Il boirait son Coke là, sur le trottoir entre deux bouquets de coeurs saignants. On respecta sa décision sans insister.

Au bout de son breuvage et de l'échange, il repartit tranquillement comme il était venu.

—Pauvre Jos, il s'lave pas trop souvent ! se désola Jeanne d'Arc. Il dégage de ces odeurs que le vent nous apporte...

—Un bain, il doit pas savoir que ça existe... Mais l'hygiène rend pas un coeur meilleur... Ce qui m'amène à penser que je devrais aller faire un peu de lever de poids.

Luc s'exerçait à cette discipline tous les jours de la belle saison et même l'hiver dans le vestibule arrière de l'hôtel, histoire de garder la forme et surtout la force qu'il disait avoir héritée de son grand-père. Honoré lui avait raconté à quelques reprises quand Luc était enfant, sa confrontation avec Louis Cyr à Saint-Georges, et souligné l'importance, non pas de battre l'adversaire et gagner des championnats, mais de développer ses capacités physiques pour son propre bien-être. Et donc, il s'entraînait tous les jours tout en délaissant la cigarette dont la fumée nuisait considérablement à Jeanne d'Arc qui souffrait d'asthme.

—Tu iras plus tard. T'as toute la journée pour ça.

—T'as ben raison : on regarde passer le monde.

Amanda sortit de chez elle. Quelque chose l'agitait. Pourtant, ce n'était pas l'époque de la pleine lune encore. Elle marcha jusqu'à la rue, retourna au trottoir devant la maison rouge, revint. Luc glissa à son épouse :

–Ma tante Freddé, elle est en crise aujourd'hui.

–On dirait.

Et puis on entendait régulièrement le bruit, lointain mais réel, de la scie électrique utilisée par Honoré pour couper le petit bois derrière les hangars. Peut-être que ce son trop aigu excitait la femme d'une certaine façon. Jeanne d'Arc se sentit contrariée par la scène. Et quand l'auto grise du vieux Théodore Gosselin fut passée devant eux, elle prit la main de Luc et lui fit une demande :

–Tu devrais aller nous chercher un bon cornet de crème glacée chez Jos Lapointe.

–O.K. Mais à une condition... qu'on aille se reposer au troisième étage ensuite...

Elle sourit :

–Condition... très acceptée...

–Je vais y aller en bicycle pour faire plus vite.

–Si je suis en dedans, tu me crieras en arrivant; on va manger notre 'crème à glace' sur la galerie.

Luc se leva et descendit pour aller prendre son vélo appuyé contre la galerie, derrière les fleurs. Le chien voulut le suivre, mais Jeanne d'Arc le rappela :

–Teddy, Teddy, tu restes à la maison. Viens en dedans...

Le chien obéit. Puis elle cria à son mari qui enfourchait sa bicyclette :

–Aux noix, pas à la vanille.

–Aux noix pis à deux boules.

–À tantôt !

–C'est ça...

–Retarde pas, la crème à glace va fondre au soleil.

–Ça sera pas long... Pis j'échapperai pas les boules à terre non plus...

–T'es mieux !

–À tantôt !

Là prit fin un autre moment de cette complicité qui était la leur depuis qu'elle l'avait vu la toute première fois en 1932 quand sa famille était arrivée pour prendre possession de la maison Racine alors que Luc n'avait pas encore ses dix ans. Il était venu observer les arrivants sur le perron du magasin de son oncle Freddé...

L'enfance en avait fait de futurs amoureux. L'heure à venir ferait d'eux le couple d'un amour éternel...

Devant la rue des Cadenas, Luc, croisé par un adolescent qui courait quelque part, mit pied à terre pour l'écouter. C'était Marius Boutin qui lui apprit que le père Théodore Gosselin avait pris le fossé avec sa guimbarde à hauteur de l'atelier de menuiserie Bellegarde, un peu plus loin que l'abattoir Gosselin. Le jeune homme allait prévenir quelqu'un au garage de Jean Nadeau pour qu'on vienne désembourber l'auto. Des hommes, à force de bras, n'étaient pas parvenus à la dégager de sa position que la pauvre vieille dame, assise tout de travers sur la banquette, trouvait plutôt fâcheuse.

Luc jeta un coup d'oeil dans la rue et décida de se rendre sur les lieux de l'incident. Il s'arrêta à l'arrière de l'auto immobilisée de travers, mais demeura en selle et garda son équilibre en posant le pied sur le pare-chocs arrière. Et il offrit son aide à ceux qui étaient venus aider le bonhomme Gosselin, mais on lui dit que des bras, nombreux et forts comme ceux de Gédéon Talbot et Jos Gosselin ainsi que son fils Lucien, n'avaient pas suffi.

Bientôt, parmi les aides en attente et qui jasaient entre eux et avec Luc, des têtes se levèrent pour voir venir le camion de l'armée du garage Nadeau, conduit par le jeune Benoît Quirion qui, jusque là, n'avait pas eu à se servir des freins et en ignorait le piteux état. Au moment de les utiliser alors que le véhicule arrivait à hauteur de la menuiserie, le conducteur fut hébété, et les deux secondes qu'il mit à réagir seraient fatales pour Luc Grégoire.

Quirion donna un coup de roue pour diriger le camion vers la bâtisse Bellegarde. Il était assez tôt pour éviter de frapper l'auto en panne, mais trop tard pour l'empêcher d'accrocher le vélo au passage. Déséquilibré par le choc, Luc tomba sur le côté puis, sans doute conscient de l'extrême danger qu'il courait, il tourna son corps, mais sa tête fut rejointe par le pneu arrière et broyée, mise en charpie. Éclatée comme une noix. Des humeurs grises, blanches et sanguinolentes se répandirent autour, tandis que les témoins médusés se prenaient la tête à deux mains tout en demeurant, pendant une minute ou deux chacun, pétrifiés, gelés par la stupéfaction qui leur glissait dans le dos en frissons affreux.

Parmi eux se trouvait Pit Roy qui pensa prévenir Jeanne d'Arc aussitôt. Et Pit Veilleux qui lui, songea à faire venir le curé pour qu'on administre le corps sous condition.

Pit Roy se hâta, mais ne put entrer à l'hôtel. Il n'en avait pas le courage. Et poursuivit au pas de course jusqu'au magasin où il annonça la funeste nouvelle à Freddé. Aussitôt le marchand sortit par l'arrière et lança à son fils Honoré :

–Luc Grégoire s'est fait tuer dans la rue des Cadenas...

Le jeune homme coupa l'alimentation électrique du banc de scie et se précipita vers le magasin tandis que les deux petits frères Mathieu couraient vers chez eux.

–Maman, maman, Luc s'est fait tuer ! lança Gilles à sa mère qui se tenait debout sur la galerie, alertée par un sixième sens.

–Dis donc pas des affaires de même, p'tit fou !

Mais à voir tous ces gens qui, renseignés par le téléphone, accouraient, d'un pas silencieux, vers la rue des Cadenas, de s'entendre répéter la même phrase par son fils, de sonder sa vérité dans le regard de son dernier, le petit André, Éva n'eut d'autre choix que celui de comprendre. Et elle reçut confirmation de la tragédie quand Pit Roy sortit du magasin et traversa la rue pour aller lui tenir un peu la main du coeur.

À ce moment, Jeanne d'Arc, mue soudainement par un noir pressentiment, sortit de l'hôtel et devant ces gens aux regards sombres dont Armand Grégoire qui refusa de lui répondre quand elle l'interpella, elle songea au pire. Puis se mit à courir en sens inverse des autres, vers chez ses parents. S'arrêtant au bas de la galerie, elle interrogea sa mère, désespoir dans l'âme et dans la voix :

−Y a eu un accident... c'est Luc, hein, maman ?

−Sais pas, hésita sa mère qui, à voir venir sa fille, avait eu le temps d'avertir ses deux fils de se taire.

−Gilles, tu le sais, toi, hein ? Luc, il a eu un accident ? Dis-le, Gilles !

Le garçonnet fit un signe de tête affirmatif. Et la jeune femme se mit à gémir et à hurler. Elle voulut courir vers le bas du village comme pour fuir loin des lieux de l'accident que tout indiquait s'être produit du côté de chez Jos Lapointe où Luc était parti acheter de la crème glacée. Mais Pit Roy l'attrapa par les épaules et la retint. Elle coucha sa tête sur sa poitrine pour y éclater en sanglots. Ce serait la seule fois de toute sa vie, passée et à venir, que cet homme, célibataire de 43 ans, prendrait une femme dans ses bras. À compter de ce jour, il revivrait ce moment par le souvenir jusqu'à sa mort trente ans après. On ne se sent vraiment grand que de rares fois au cours de sa vie...

Sur les lieux de l'accident, le curé donna à la victime les derniers sacrements. On avait transporté le corps sur l'herbe dans la cour à Bellegarde et recouvert d'un drap blanc. Alors même que le prêtre tâchait de répartir ses onctions sur le crâne aplati aux cheveux noirs agglutinés, le corps eut un spasme et se tourna sur lui-même. Tous ceux qui se trouvaient là furent 'saisis de frayeur' comme il est écrit dans la Bible de gens qui font face à un mystère insondable...

Tous à l'exception de Jos Page qui assista à la scène sans broncher, transi par la sensation du déjà vu, et de Amanda accourue sur les lieux dès que son époux Alfred lui avait lancé la terrible nouvelle par la porte de cuisine. Tous deux restèrent muets plus que la mort devant la mort. Et ne se parlèrent même pas tout en étant debout, côte à côte. Quand le prêtre remit le drap sur le visage écrasé, chacun leva la tête et la tourna vers l'autre. Leurs regards se rencontrèrent. Chacun sut que chacun savait avant qu'il ne se produise, que cet accident était imminent, que cette mort était certaine et prochaine, que le couple Jeanne d'Arc-Luc était trop heureux pour plaire au destin...

Le fils de Jean Pelchat, Bertrand, jeune homme possédant une automobile, offrit ses services à Éva pour aller prévenir Ernest dans son champ de patates. La voisine lui en fut reconnaissante et demanda qu'il emmène avec lui ses deux fils Gilles et André. Pit Roy les accompagna.

On se rendit dans le haut de la terre de la Grand-Ligne en passant par le Petit-Shenley. Quand il vit une auto arriver et les signes qu'on lui faisait, l'homme et ses grands fils s'amenèrent, le doute dans l'esprit. Il était arrivé quelque chose au village. Et sa pensée se porta aussitôt vers son gendre.

–Un ben gros accident est arrivé, Ernest, lui annonça Pit Roy sitôt que l'homme fut à portée de voix.

–C'est Luc Grégoire ?

–Oué... oué... oué...

Tout était dit. Ernest dès lors savait. Il lui manquait le comment.

–La tête écrasée par le 'truck' à Jean Nadeau dans la rue des Cadenas... Ça fait pas une heure...

–Maudit torrieu de maudit torrieu, grommela Ernest. C'est quoi qu'il faisait là, lui, dans la maudite rue des Cadenas en plein coeur de jour ?

Comme si de faire reproche à la victime eût pu le soulager, lui, de sa maudite impuissance devant pareille fatalité. Il reprit :

–Ben montons au village d'abord qu'on a une 'machine' pour nous emmener...

*

Au village, Éva empêcha Jeanne d'Arc de bouger de la maison. Elle lui donna Dolorès pour surveillante. Pampalon, une fois remis du pire, donna ses directives pour la suite.

Le corps revint à Saint-Honoré le dimanche midi. Il fut exposé dans la pièce à gauche du vestibule d'entrée. La veuve resta enfermée dans sa chambre. L'idée même de voir son mari dans un cercueil la terrorisait. C'était comme si par son geste, elle acceptait sa mort et donc y participait d'une certaine façon.

Pampalon monta la chercher. Il frappa discrètement à sa porte et entra. Il la trouva effondrée dans une chaise d'osier à bras où Luc aimait prendre place le soir avant d'aller au lit. La jeune femme avait tant pleuré qu'il ne restait plus de larmes dans son corps et seulement une fatigue intense, immense, impossible.

–Luc t'attend en bas, dit l'homme en douceur. Il faut que tu viennes le voir. On a besoin de toi... Viens... Viens...

–J'y arrive pas... j'y arrive pas...

Elle avait dormi avec ses vêtements de la veille, mais une robe noire l'attendait, celle qui avait servi à Éva à la mort de son père, et mise là, sur une chaise. Sa mère la lui avait apportée durant l'avant-midi puis elle était retournée à la maison en laissant sa fille seule selon son désir.

–Mets ta robe, Jeanne d'Arc, je t'attends à la porte. On a besoin de toi. Luc a besoin de toi. Viens...

–D'accord ! Mais faut que je brosse mes cheveux aussi.

–Je vas attendre le temps qu'il faut.

Il fallut un quart d'heure puis l'homme et sa bru descendirent les escaliers. Les pièces du premier étage étaient bondées déjà. Et des gens attendaient sur la galerie pour avoir leur tour à prier devant la dépouille.

Au pied de l'escalier, le curé encadra la veuve avec Pampalon. On la conduisit comme une condamnée à mort devant le cercueil sous les yeux avides de ceux qui se trouvaient sur place à l'affût d'émotions fortes. Mais Jeanne d'Arc, gelée par toutes ces substances étranges que son cerveau sécrétait, ne se livra à aucun spectacle de désespoir ou de douleur sauvage. Sa seule prière mentale fut :

"On la mangera ensemble au ciel, notre 'crème à glace'."

(*Il lui faudrait attendre exactement 50 ans pour ça...*)

Puis on la reconduisit à une chaise à bras qui serait la sienne pendant l'exposition du corps. Elle s'y prostra, ne recevant que dans une apparente indifférence les condoléances qu'on venait lui offrir.

Elle ne mangea pas, mais au milieu de l'après-midi, la nature reprit ses droits et lui imposa de se rendre aux toilettes. À son retour, elle reprit sa place pour aussitôt se rendre compte qu'elle venait d'écraser quelque chose. En se relevant, elle trouva un chapeau de paille noire déposé là durant son absence par un visiteur qui devait se trouver près du cercueil en ce moment.

La jeune veuve prit la chose en piteux état et tenta de la ramener à ses qualités premières. Elle poussa sur la paille pour redonner sa forme au chapeau et alors, une idée lui traversant l'esprit, elle se mit à rire.

À rire, à rire, et à rire... Mais à ne pas pouvoir rire tout haut pour éviter les jugements hâtifs. Qui eût compris qu'elle croyait dur comme fer en ce moment que cette folie avait été orchestrée, arrangée par Luc lui-même, le grand joueur de tours. Il en était bien capable. À rire à s'en tenir les côtes... Et elle ne parvenait pas à restituer à la paille sa rigidité normale. Car de la paille cassée, ça reste brisé.

La veuve se composa une grimace pour cacher son rire interminable et on crut qu'elle traversait une crise de larmes. Le propriétaire chauve du chapeau le reprit dans ses mains; mal à son aise, il ne se rendit pas compte sur le coup de sa détérioration, ce qui devait ajouter encore au rire camouflé de Jeanne d'Arc.

Ce n'est qu'une année plus tard que la jeune veuve confierait à sa soeur Dolorès le secret du chapeau écrasé. Elle restait convaincue que Luc était alors venu la faire émerger du gouffre abominable dans lequel tout son être se trouvait pour la reconduire par la main vers un deuil plus tolérable. Et qu'il l'avait fait à sa manière... à la Grégoire !

***

Luc Grégoire
deux mois
avant sa mort

Chapitre 42

1948

Une fois encore, Éva et Ernest donnèrent Dolorès pour compagne à Jeanne d'Arc. La jeune fille de dix-sept ans déménagea à l'hôtel. Il fallait que la vie se continue pour la veuve, mais tenir pareil établissement à 25 ans avait de quoi inquiéter les bonnes âmes.

Le curé Ennis rassura Ida par la confiance qu'il disait avoir en la jeune veuve. Mais cela ne devait pas durer et l'épouse de Pampalon se dressa sur ses ergots. Elle exigea que son deuxième fils, Gilles, aille vivre à l'hôtel pour s'y faire le gardien des intérêts de ses parents. Jeanne d'Arc ne pouvait s'y soustraire puisque l'hôtel appartenait en fait à Pampalon. Elle avait hérité d'une dette hypothécaire importante, bien plus que les cinq mille dollars versés par les assurances de son mari pour mort accidentelle.

Vivement, Jeanne d'Arc souhaita se débarrasser de l'hôtel. Il lui fallait prendre entente avec ses beaux-parents...

*

Ce printemps-là, deux septuagénaires de la paroisse moururent. Deux hommes de tempéraments opposés à l'extrême. Ce fut tout d'abord Napoléon Martin dit "l'homme à deux femmes" (dont l'une, Alice, était alors décédée), qui rendit l'âme à 75 ans. Ensuite un autre 'homme à deux femmes', mais qui lui, les avait usées l'une après l'autre, Jean Jobin jr dit la *Brunante*, qui passa l'arme à gauche à l'âge vénérable de 78 ans.

À son retour des funérailles de la *Brunante*, Bernadette Grégoire se rendit directement au camp de son frère. Son pas avait beau être claudicant, il était empreint, ce jour-là, d'une détermination peu commune et ceux qui la connaissaient auraient qualifié sa détermination de farouche. "Assez, c'est assez !" marmonnait-elle à chaque pas penché qu'elle faisait.

Armand crut qu'elle venait lui porter à manger et il ouvrit la porte avec un large sourire qui se transforma en rides soucieuses quand elle entra, tout son être dégageant des ondes de colère. Et elle resta debout pour dire, l'oeil faussement féroce :

–Armand, tu vas aller te faire soigner au sanatorium. Pas l'année prochaine, pas le mois prochain, pas la semaine prochaine, demain. As-tu compris ?

–Je l'ai pas, la consomption.

–Ça fait des années qu'on se le fait accroire. Tu le sais. Je le sais. Toute la paroisse le sait. Les enfants changent de trottoir pour pas te rencontrer. Mais tu veux pas l'envisager, tu veux pas prendre le taureau par les cornes. Ben moi, je te reprends pas dans ma maison à l'automne : tu gèleras ici pis ta tuberculose avec toi cet hiver. As-tu compris ça, Armand Grégoire, le fils à Noré Grégoire ?

–C'est pas dur à comprendre.

–Vas-tu aller te faire soigner au sanatorium ?

–Demain, d'abord que tu veux ça comme ça.

Bernadette fut désarçonnée. Elle s'attendait à une farouche opposition de sa part. Faut croire qu'il était mûr pour se faire hospitaliser. C'est pour son bien qu'elle était venue, mais lui parler de son bien aurait été inutile et c'est pourquoi elle lui avait parlé de la contamination publique dont il pouvait être responsable.

–Pis si ça peut t'encourager, le Victor Mathieu, il est parti, lui, pour le sanatorium. Ça fait rien que deux ans qu'il est malade; toi, ça en fait dix, quinze...

–Il va rester pareil de la consomption dans la paroisse.

–Moins y en aura, mieux ça sera.

–Comme j'peux voir, j'ai pas le choix.

–C'est la vie qui t'enlève le choix.

–Ouais...

Le jour d'après, Armand se faisait reconduire par le Blanc Gaboury à l'hôpital Laval. Quand, à la porte de l'établissement, ils se donnèrent la main dans la voiture, l'un dit :

–Arrange-toé pour nous revenir en santé, Armand.

–J'aimerais quasiment autant pas.

–Comment ça ?

–Y a pas ben de quoi qui m'intéresse en ce bas monde.

–Ça, j'te comprends ben comme il faut.

–Toi, Blanc, soigne-toi ben comme il faut.

Blanc haussa les épaules et fit un vague signe négatif...

*

Jeanne d'Arc parvint vite à une entente avec Pampalon. Elle fit toutes les concessions exigées par Ida. Et s'apprêta à quitter l'hôtel pour de bon. Mieux, elle trouva quelqu'un que l'achat de l'établissement intéressait beaucoup : Fortunat Fortier, propriétaire dans le bas du village du petit magasin acheté quelques années auparavant de Cléophas Mathieu. Père de grands enfants, quatre filles et un garçon, Fortunat désirait les initier à un métier payant; et quoi de mieux à Shenley que l'hôtel Central pour ça ?

–On s'en va à Saint-Georges travailler pour mon oncle Eugène à l'hôtel Hermandi, annonça Jeanne d'Arc à Dolorès un bon matin.

Et Dolorès la suivit.

Mais Jeanne d'Arc voulait être son propre patron, et son séjour à Saint-Georges ne devait pas durer.

–On s'en va à Chesham ouvrir un magasin de tissus et chapeaux, annonça-t-elle à Dolorès un autre bon matin.

Et Dolorès la suivit.

La jeune veuve fit aménager deux pièces dans la maison de sa soeur Cécile au beau milieu du village et se rendit voir des fournisseurs à Sherbrooke et Montréal. Les commis voyageurs s'arrêteraient à son magasin par la suite...

*

Pour Bernadette, la vie avait aussi repris un autre cours. Après toutes ces années vécues avec d'autres dans la même maison, voici qu'elle entreprenait un voyage en solitaire. Plus de frères et soeurs autour. Plus de Berthe. Plus d'enfants à choyer : Odette, Christine, André... elle ne les reverrait qu'à l'occasion. Elle prit Solange sous son aile protectrice, mais resta quand même seule dans sa grande demeure.

Parfois, l'abbé Foley lui rendait visite. On se parlait alors, non sans rougir, des fêtes du cinquantenaire en 1923. Les amis d'enfance riaient de nouveau ensemble pour une heure ou deux. Et on se séparait dans la même joie un peu triste ayant prévalu quand on se retrouvait.

La femme vivait de ses rentes depuis quelques années. Elle ne travaillait plus au magasin vu que les filles à Freddé avaient tenu, l'une après l'autre au fil du temps, le comptoir des dames. Il ne restait plus que Thérèse dont Solange parvenait à prononcer le nom en le déformant en 'Téca'. Et quand celle-ci partirait, Bernadette retournerait probablement travailler au magasin à temps partiel.

En attendant, elle cultivait son jardin, cette petite pièce

de terrain coincée entre les maisons Mathieu et (Raoul) Blais, propriété naguère d'Émélie qui, pendant des années, la belle saison, s'y était adonnée à de la culture potagère lui valant à l'automne de beaux légumes arrosés de nostalgie.

"C'est ton père qui m'a donné ce morceau de terrain et je te le donne !" lui avait dit Émélie sur son lit de mort.

Et pousse et pousse la ciboulette à Bernadette !

Et elle s'adonnait à du porte à porte pour répandre des nouvelles, toujours bonnes, et jamais ne se livrait à des ragots vilains. À ses yeux, tout le monde était bon.

"Sa seule présence mettait de la joie dans l'atmosphère. Elle n'était pas compliquée et ne cherchait pas les complications non plus. Elle resta toute sa vie jeune de coeur et conserva sa capacité d'émerveillement. Il fallait avoir partagé avec elle ces moments uniques où dominait une tendre complicité pour comprendre toute l'ampleur de l'attachement que sa soeur Berthe ainsi que ses neveux et nièces avaient pour elle... Bernadette qui chantait des comptines... Bernadette qui se cachait derrière les portes pour surprendre les enfants à l'arrivée de l'école... Bernadette qui opérait fictivement ses neveux et nièces de l'appendice sur le divan... Bernadette hyper chatouilleuse qui poussait des hurlements dès que quelqu'un lui touchait la taille... Et ainsi de suite..."

Un clocher dans la forêt, page 77

Ce qui, par-dessus tout, la caractérisait, c'était sa dévotion à la Vierge Marie. Toute fête visant à honorer la mère de Jésus allait la chercher au plus profond de son être. Les grains de chapelet prenaient ça chaud avec elle qui les comptait à coeur de jour. Son plus grand rêve, c'était celui de faire ériger une grotte dans sa cour. Armand lui avait bien suggéré à maintes reprises le cap à Foley pour ça, mais elle voulait que la statue de Marie soit visible de tous les passants sur la rue principale et les incite à se recueillir un moment et à prier. Et qui sait s'il ne s'y produirait pas un miracle par un beau matin ensoleillé ou un soir de pleine lune ?

Ou même, pourquoi pas, un jour de pluie ?...

Mais il fallait de l'argent pour réaliser son rêve. Et pas question de faire la quête publique pour ça... Chaque jour, elle mettait des petits sous de côté. L'hiver, elle organisait des parties de cartes chez elle et les minces profits s'ajoutaient aux sommes grandissantes enfouies dans le ventre d'un cochon de porcelaine tout rose qui trônait sur son réfrigérateur. Et Eugène Foley lui promit que le jour où sa grotte serait érigée, il lui ferait don de la statue de la Vierge Marie nécessaire ainsi que d'une autre représentant Bernadette Soubirous, la petite Française à qui la sainte Vierge était apparue en 1858 à Lourdes.

Le jardinage, la bonne humeur, la récitation du chapelet et ses nombreux pèlerinages et retraites fermées gardaient Bernadette jeune malgré le temps qui coulait si vite sous les ponts de sa vie. Bientôt l'année sainte; elle avait hâte...

***

Bernadette Grégoire
1948

Chapitre 43

1949

Thérèse Grégoire quitta le toit familial. Bernadette fut demandée par Freddé pour retourner travailler au magasin. Et si Solange pleura au départ de 'Téca', elle retrouva toute sa bonne humeur quand sa tante lui dit qu'elle serait là désormais tous les jours.

Impulsive, passionnée, Jeanne d'Arc connut un nouvel élan cette année-là, un élan de veuve désireuse de panser ses blessures en plongeant tête première dans l'avenir. Et son avenir lui parut être un veuf de son âge, père d'une fillette.

Un beau jour, la jeune femme annonça à Dolorès :

—Je t'ai trouvé une place pour travailler à l'hôtel. Je ferme le magasin. J'envoie la marchandise à maman pour qu'elle en ouvre un à Shenley. Et moi... je me remarie...

Et Dolorès, docile comme toujours, dut s'adapter à ce nouveau changement imposé par sa soeur aînée...

Mais le travail à l'hôtel ne lui plaisait guère et elle retourna à Saint-Honoré en même temps que toute la marchandise du magasin de sa soeur.

*

Les longues années de la misère noire écrite en pauvreté, en deuils, en drames, s'estompaient devant l'horizon neuf des années cinquante, au seuil de poindre. Éva pour qui le temps des grossesses était terminé et dont le dernier-né avait sept ans, reçut avec joie et espérance l'idée de sa fille aînée qui lui conseillait de 'partir magasin' pour les dames dans les deux petites pièces à l'avant de la maison, qui servaient de salon depuis 1932. Elle verrait du monde, gagnerait des sous. Une carrière pour une femme d'intérieur d'âge mûr.

Ernest s'affichait contre le projet qui l'éloignait de son propre rêve : celui de déménager la famille dans le bas de la Grand-Ligne pour lui permettre de cultiver sa terre comme un vrai fermier. Mais la volonté de son épouse et le soutien de sa fille aînée eurent raison de son opposition; il se renfrogna en attendant que la rareté de la clientèle entraîne la fermeture du magasin. Car on entrait en compétition avec celui d'Alfred Grégoire en face. Et puis un autre du même genre venait d'ouvrir à l'autre bout du village.

Éva soutenait qu'un bon service à la clientèle serait son atout premier. Toujours là, toujours disponible, toujours avenante. Et du crédit, mais raisonnablement. De toute façon, le temps de la crise était loin derrière.

Elle ouvrit ses portes en même temps que les bourgeons apparaissaient dans les arbres. D'instinct, elle savait que les gens ont alors besoin aussi d'une sorte de renaissance. On viendrait voir la marchandise. On aimerait. On reviendrait. Il fallait une bonne publicité au départ. Ce serait un appel téléphonique général et une circulaire diffusée dans toute la paroisse par les postillons des rangs.

La première personne à entrer le matin de l'ouverture fut Elmire Page. Trop pauvre et/ou trop économe, elle n'acheta rien. Mais fit la leçon à la nouvelle marchande à propos d'un buste de carton sans tête qui servait à exposer un soutien-gorge. Et dit en confidence à Éva :

–Laissez pas ça à la vue devant les p'tits enfants...

Éva cacha le buste, mais le remit sur le comptoir après le départ de la vieille femme par trop 'scrupuleuse'.

Puis vint Éveline Martin. Tout au contraire d'Elmire, elle ne fut pas impressionnée par le buste et bien plutôt par le fait qu'une femme de son âge réalisait quelque chose en dehors des cadres habituels des mères de famille. Elle songeait à toute l'autonomie que ce petit commerce vaudrait à Éva. À toute la liberté qu'elle gagnerait en même temps que les profits entreraient dans sa caisse.

–T'es ben chanceuse, Éva, de te partir en 'business' de même. Je voudrais ben être à ta place.

–C'est ma fille qui m'a fait 'partir' le magasin.

–Penses-tu de 'compétitionner' le magasin à Freddé ?

–Depuis que Bernadette travaille pus pour Freddé, le comptoir des dames marche pas trop fort.

–C'est vrai, mais j'ai su que Bernadette devait reprendre pour Freddé d'une journée à l'autre.

–Elle vendra ce qu'elle pourra; pis moi, je vendrai ce que j'pourrai. Pis j'pense pas que Bernadette va m'en vouloir, même si elle recommence pour Freddé. Freddé non plus. Il commence à faire de l'âge et comme on dit : son avenir est fait. Mais toi, Éveline, pourquoi que tu t'en trouverais pas, un petit gagne-pain ben à toi ?

–Quoi c'est que tu dis là ? Je partirai toujours pas un commerce dans la salle paroissiale.

Éveline et son mari, devenu sacristain, vivaient maintenant dans le logement aménagé dans la grande salle pour les besoins du bedeau, suivant le désir du curé l'année de la construction de l'édifice. Elle restait dépendante, devant un rêve de liberté qui lui paraissait inaccessible.

–Tu pourrais faire les portes... vendre des produits de beauté. On a pas de madame Avon, nous autres... T'es une femme propre, toujours ben habillée. Ben conservée. T'as quoi là ? 50 ans ?

–Ben non, ben non, j'ai 48...

Éva n'était pas dupe. Elle savait qu'Éveline avait l'âge d'Ernest. Et fut sur le point de la taquiner sur son mensonge quand une nouvelle cliente entra.

C'était Bernadette Grégoire qui amenait avec elle sa bonne humeur coutumière et de grands rayons de soleil.

–Suis venue te souhaiter bonne chance Éva.

Et elle éclata de son bon rire sincère. Éveline fut surprise, Éva désarçonnée, elles qui appréhendaient un peu les premiers mots de la visiteuse.

–Je reprends à travailler un peu pour Freddé, mais on va pas se faire de mal, c'est garanti. J'sus ben contente de voir quelqu'un qui fait quelque chose...

Éveline se retira mentalement. Elle songeait à la ligne des produits de beauté qui se trouvait aussi au magasin Grégoire, mais fort incomplète, presque rudimentaire dans un monde féminin qui changeait et se tournait davantage vers la coquetterie. Et l'idée d'Éva se promenait dans sa tête, cette suggestion de la voir devenir une dame Avon*...

***

*Personnage central de la série des Rose du même auteur : *Rose, Le coeur de Rose, Rose et le diable, Les parfums de Rose.*

Chapitre 44

1950

La sainte année était enfin venue. Une fébrilité religieuse régnait dans tous les coeurs et toutes les cours. On ornait les fenêtres d'objets de piété. On accrochait le drapeau papal partout où c'était possible de le faire. Les journaux remplissaient leurs pages avec des histoires de pèlerinages, de célébrations grandioses, de processions

–Et dire qu'il a fallu que j'attende 46 ans pour vivre ça ! soupirait Bernadette Grégoire devant le futur emplacement de sa grotte, à la place de la balançoire, entre sa maison et celle du docteur Goulet.

En fait, il y avait bien eu 1925, mais Bernadette vivait alors sur les ailes de 1923 et les ivresses goûtées à ces fêtes du cinquantenaire, et pour ces raisons avait bien moins vibré aux choses du ciel en cette année sainte là que maintenant, en celle qui scindait le siècle en deux parties.

Le temps des guerres était révolu, à part peut-être quelques problèmes d'entente entre les deux républiques de Corée. La Chine était devenue communiste l'année d'avant, mais elle restait si fermée au monde qu'on en venait à oublier son existence malgré ces ventes de petits Chinois qui se poursuivaient toujours dans les écoles du pays pour le plus grand plaisir des pères blancs.

Le feu, lui, n'eut aucun respect pour la sainte année à Rimouski et Cabano. Le 6 mai, il rasa une partie de la ville de Rimouski et fit huit morts. Quatre jours plus tard, ce fut au tour de Cabano où cent maisons furent la proie des flammes. Les municipalités du Québec songèrent toutes à leurs moyens de défense contre les conflagrations. Shenley avait acheté un premier système à incendie l'année précédente, mais il fallait un approvisionnement sûr et l'on commença à parler de construire un aqueduc moderne et de municipaliser les égouts du même coup. Il faudrait bien un an ou deux pour dégeler toutes les objections et convaincre les cultivateurs qui ne voyaient pas leur intérêt dans un système d'approvisionnement d'eau potable réservé exclusivement aux villageois.

*

Trois fils de Saint-Honoré jouaient aux cartes avec un quatrième personnage qu'ils côtoyaient tous les jours. On était dans une salle de divertissement de l'hôpital Laval de Québec. Chacun à sa façon mettait sur la table, avec ses cartes d'atout, des nouvelles de sa paroisse natale.

Armand Grégoire, l'aîné du quatuor, Ti-Lou Boutin et Victor Mathieu tâchaient de se fabriquer des petites joies quotidiennes pour oublier qu'ils ne sortiraient pas vivants de ce temple de la consomption.

–Paraît que le curé Ennis s'en va à Rome au mois de novembre, lança Armand en jetant son as de pique dans la mêlée.

–L'automne tard, c'est pas trop le bon temps pour voyager en avion, argua Ti-Lou qui coupa avec un petit deux de coeur.

Mais Victor qui jouait comme un chien battu pour faire oublier son habileté au whist, posa en précaution son trois de coeur sur le deux à Ti-Lou et emporta la levée.

–T'as pas de nouvelles de Shenley, Victor ? lui demanda Armand.

–Y a ma soeur Dolorès qui est partie à Saint-Hyacinthe. Elle veut être garde-malade. Maîtresse d'école, ça l'intéresse pas pantoute, elle.

–Était tannée de suivre Jeanne d'Arc comme une queue de veau, j'pense.

–Après Luc, Jeanne d'Arc était pas mal perdue.

Les trois hommes avaient le visage farinacé de ceux qui sont affligés de la grande maladie des voies respiratoires. Parfois, l'un toussait en posant sa main sur sa bouche. Pourtant, qui aurait-on pu protéger des microbes quand on en était soi-même infesté jusqu'à la racine des cheveux ?

Le quatrième joueur avait pour nom Marcel Nadeau; ce noiraud venait de Saint-Isidore. Avec une petite moustache carrée sous le nez, il eût fait penser à Hitler. Et ça l'horripilait quand on l'affublait, même affectueusement, de ce surnom abominable. Il prit la parole pour dire :

–Les deux joueurs qui gagnent la partie vont gagner le combat contre la tuberculose. Les autres... j'aime autant pas y penser.

–Ben voyons donc ! dit Armand. Où c'est que tu pêches une idée pareille ? Vous allez survivre tous les trois, vous autres. Moi, mon sort est décidé d'avance : c'est le quêteux la 'Patte-Sèche' qui l'a dit. Il m'a dit que je mourrais dans la quarantaine : j'en ai 43. Dormez sur vos deux oreilles, le condamné à mort icitte, c'est moi.

Il obtint le rire des trois autres auxquels il ajouta le sien.

*

À Sillery, la tablée était en ce moment tout aussi joyeuse et sûrement plus heureuse, qui réunissait Berthe, Ovide, son frère Joseph de Chicago et son épouse Lurlene. Les hommes étaient assis face à face et les femmes aussi. Bien que Berthe n'aie pas souvent eu à pratiquer son anglais avec les gens de

Saint-Honoré toutes les années qu'elle y avait vécu, elle se débrouillait bien et, au besoin, faisait appel à Ovide ou Joseph, tous deux bilingues.

Joseph avait épousé une femme de rêve, un ange, une princesse, un être d'une beauté rare et qui n'avait rien à envier aux étoiles de cinéma de son temps, les Elizabeth Taylor, Esther Williams, Arlene Dahl, Rita Hayworth et même Marilyn Monroe.

Berthe la trouvait lumineuse, cette superbe femme blonde au large sourire jamais affecté. Et le nouvel enfant qu'elle avait dans son sein dut sentir l'admiration qu'elle lui portait, à cette extraordinaire belle-soeur américaine tant ce sentiment était important chez la femme d'Ovide.

Bien que volubile et joyeux, Ovide conservait au front une ride inquiète à travers les autres que le travail intense y avait creusées depuis une enfance et une jeunesse de trop d'exposition au soleil du Grand-Shenley. Une ride qui s'accentuait quand son regard se posait sur le visage de Berthe. Elle lui apparaissait si pâle, si amaigrie et les yeux comme empreints de nostalgie, d'absence souvent. Sa paroisse natale lui manquait-elle tant que ça ? Est-ce que sa santé souffrait d'ennui à ce point ? N'aurait-il pas dû continuer de voyager de Québec à la Beauce toutes les semaines, quitte à faire pleurer Christine comme une Madeleine à chacun de ses départs ? Pourtant, Berthe se disait aux anges en cette demeure du boulevard Laurier...

Mais il finit par croire que c'était la présence de cette femme au charme unique peut-être qui jetait un peu d'ombre sur l'éclat amoindri de son épouse. Quant à Berthe, elle n'aurait même pas songé à se comparer à sa belle-soeur qui possédait tant d'atouts, trop pour une seule personne humaine.

Les hommes parlaient d'affaires, les femmes d'enfants. Lurlene avait mis au monde trois petites filles blondes comme les blés d'or : Diane, Suzan et Johan. Odette veillait sur elles en ce moment dans la cour arrière de la maison. Et sur ses soeurs Christine et Nicole, et son frère André.

Cette visite de Joseph et son épouse si belle et si aimable resterait mémorable dans l'album aux souvenirs de la famille Jolicoeur.

***

Lurlene Jolicoeur

Chapitre 45

1950... 1951

Le curé Ennis promit en chaire de rapporter à chacune des familles de la paroisse un souvenir de la Terre Sainte. Car le prêtre de soixante ans, comme tant d'autres du diocèse de Québec et des autres du Québec depuis le début de la sainte année, s'envolerait le jour suivant vers Rome afin d'y baiser l'anneau papal et pour ramener à ses ouailles les bénédictions de Pie XII, le pape de la deuxième guerre qui avait, comme bien des papes avant lui, tant prié pour la paix. Et tant pleuré sur les terribles malheurs du conflit que par ses prières, il s'était efforcé de soulager de son mieux.

–Je vous aurai tous dans mes bagages, dit-il en substance à la fin de son sermon.

Bernadette en avait les larmes aux yeux. Elle n'était pas la seule. À Shenley, on aimait Dieu le Père, on aimait le très saint Père, et on aimait encore plus que les deux premiers le père spirituel de la paroisse, le curé Ennis.

Il prévint que son itinéraire de voyage pouvait être modifié en cours de route. Et mentionna la date de son retour en France puis au Canada. Bernadette nota tout dans sa mémoire et l'inscrivit sur un calendrier à la maison. Que de sainteté partout en cette mémorable année sainte ! Sa joie ardente ne connaîtrait-elle pas de bornes ?

Il y aurait pourtant un grand, un terrible obstacle à sa joie spirituelle : une montagne aiguille des Alpes françaises ayant pour nom l'Obiou.

Quand parvint la nouvelle de la tragédie qui avait coûté la vie à 58 personnes à l'écrasement de leur avion *Le pèlerin canadien*, on crut pendant une journée que l'abbé Ennis faisait partie de la liste funeste. Par bonheur, il n'en était rien. On le sut enfin quand tous les noms parurent dans l'édition du journal le *Soleil* du 14 novembre, lendemain de l'accident de l'Obiou.

Bernadette qui avait promis à la Vierge d'ériger en son honneur au plus tôt la grotte dont elle rêvait si le curé avait échappé au désastre des Alpes, résolut de s'adresser à son beau-frère Stanislas Michaud afin que la succession Grégoire lui vienne en aide pour accélérer la réalisation de cette oeuvre importante...

*

Ovide conduisit son épouse à un cabaret où se produisaient deux artistes, l'un pianiste et l'autre chanteur : deux Français émigrés au Canada et qui semblaient s'y plaire, du moins le serinaient-ils tous les soirs à l'oreille de leurs admirateurs. C'étaient Pierre Roche et son inséparable ami, le petit Charles Aznavour appelé à devenir grand.

L'homme d'affaires avait à coeur que son épouse ne s'ennuie pas trop à Québec et saisissait toutes les occasions pour la distraire. L'enfant dont elle était enceinte serait le premier à naître là-bas. Il se disait que le bébé devrait ressentir de la joie autour de lui en arrivant dans ce monde. Et peut-être même que dans sa prison de chair, il entendait déjà les notes de piano et les sons un peu rauques de la voix du chanteur. Qui sait, on en ferait peut-être la deuxième Monique Jolicoeur si c'était une fille ?

Ce fut une belle soirée dont elle le remercia avec coeur.

Le jour suivant : magasinage pour Noël. Il fallut s'arrêter souvent, s'asseoir quelque part. Berthe manquait de souffle. Son corps avait du mal à suivre les élans de son coeur. Mais elle choisit des cadeaux pour chacun : Odette, Christine, André et Nicole. Et pour Bernadette. Et pour Alice. Et pour Henri là-bas aux États. Et pour ces pauvres Armand et Ti-Lou à l'hôpital Laval...

Pour un temps, la femme attribua à sa nouvelle grossesse son état difficile. L'enfant exigeait sans doute beaucoup d'elle pour se bâtir un embryon de vie. Sûrement un bébé de sexe masculin !... Supputer ainsi l'aidait à se dorer la pilule, à croire que tout reviendrait à l'ordre normal des choses.

Elle s'entoura d'une clôture. Il fallait cuisiner. Voir à l'ordinaire de maison. Odette, l'aînée, n'avait même pas ses dix ans. Ovide comptait faire venir le père Noël à la maison. Mais voilà que Berthe prit froid en attendant l'autobus. Pendant toute la période des Fêtes, elle eut le frisson; et dans la dernière semaine de l'année, se mit à cracher du sang. Elle gardait son manteau de 'seal' dans la maison et Ovide chauffait le foyer pour la réchauffer. C'est ainsi que l'année sainte se termina dramatiquement pour la famille Jolicoeur de Sillery.

Le trois janvier, Berthe se rendit à l'hôpital pour passer une radiographie pulmonaire sur la recommandation du médecin. Odette l'accompagnait. Il y avait du verglas et elles se tenaient toutes deux bras dessus, bras dessous pour ne pas tomber.

Dès qu'elle apprit le 'verdict' de tuberculose qui tomba au beau milieu de son existence, tel le couperet de la guillotine, Berthe voulut entrer au sanatorium pour soustraire le plus vite possible ses enfants aux risques de contamination.

La religieuse qui fit son admission, un être d'une drôle de gentillesse, prit Ovide à part et lui dit à mi-voix :

–Monsieur Jolicoeur, ici, on entre par la porte de devant et on sort par la porte de derrière (celle de la morgue).

Berthe saisit cette phrase qui lui servait un électrochoc en guise d'accueil. Mais Ovide sut cacher son désarroi et prodiguer à son épouse tout l'encouragement dont elle avait besoin en un moment aussi crucial de sa vie.

–J'ai besoin de toi ! Les enfants ont besoin de toi ! Tu vas vivre.

À ce moment, Berthe se souvint des prédictions de la 'Patte-Sèche'. Il avait bien vu de la maladie dans son futur, mais aussi une vie longue et plutôt heureuse...

La soeur de l'accueil se serait sans doute moquée, elle, des élucubrations d'un vieux quêteux solitaire...

*

Ce soir-là, Ovide réunit les enfants dans le salon, devant le foyer éteint. Il lui fut impossible de leur dire plus d'une phrase mais dont le poids écrasant leur fut en partie transmis par la force des choses :

–Votre maman... elle est à l'hôpital pour... pour un bout de temps...

Il eût voulu dire : "On va aller la voir tous les dimanches", mais les sanglots qui étranglaient sa gorge jaillirent en flots ininterrompus. Saisis de stupeur, les enfants ne pouvaient que se regarder les uns les autres pour essayer de comprendre l'impossible...

***

Chapitre 46

Début 1951

–Odette, tu vas rester avec les autres dans l'auto.

–Mais... j'peux pas voir maman ? protesta la fillette qui venait d'ouvrir la portière.

–Non, les enfants peuvent pas entrer à l'hôpital. Tu vas attendre ici. Vous êtes bien habillés, vous allez pas avoir de misère.

Ovide faisait ses recommandations à son aînée pour l'heure qu'il passerait avec son épouse en ce premier dimanche de son hospitalisation. Sa chambre donnait sur le stationnement et d'en haut, parfois, il jetterait un coup d'oeil aux quatre enfants restés en bas.

–On va-t-il pouvoir jouer dans la neige ? demanda André dont l'énergie de ses cinq ans avait besoin d'exutoires.

–Oui, mais prenez garde de pas vous éloigner de l'auto, là. Promis Odette ?

La fillette acquiesça, une larme à l'oeil.

Ovide voulut la rassurer :

–Maman va venir à la fenêtre et va vous envoyer la main.

Le visage de chacun des enfants s'éclaira. Ils verraient leur mère de loin, mais ils la verraient...

Et dès que leur père fut rendu à la chambre de Berthe, la malade vint à la fenêtre et souffla plein de baisers à chacun des petits en bas. Odette et Christine pleuraient à chaudes larmes. André était content de voir sa mère. Et Nicole ne réalisait pas ce qui se passait.

*

Les trois hommes malades, issus de Saint-Honoré tout comme Berthe Grégoire, reçurent permission spéciale pour la visiter dans la section réservée aux femmes. Ils ne pouvaient pas s'y rendre en robe de chambre et durent s'habiller comme pour sortir : en dimanche. Marcel Nadeau, le quatrième mousquetaire, demanda à les accompagner.

Et avant le départ d'Ovide, ils se présentèrent à la porte, frappèrent et entrèrent. On les accueillit à bras ouverts. Nul doute que Berthe se sentirait moins seule au monde à prendre vraiment conscience, même si elle le savait déjà, que trois autres personnes du coeur de son village natal souffraient du même mal qu'elle.

Les visiteurs se mirent debout en U autour du lit. Ovide, après les avoir salués, reprit sa place, assis auprès de son épouse. On s'échangea des banalités à propos de la douceur de janvier. On s'étonna du calme de la pièce. On parla des bons soins reçus, des chances maximales qu'on avait d'être guéri grâce à la pénicilline et la streptomycine. Puis Armand voulut faire oublier la tristesse de la situation par son contraire, la joie :

–Berthe, on a tiré aux cartes pour savoir qui c'est de nous 5 qui va sortir en premier du sana, avec sa santé retrouvée dans ses bagages et on a trouvé que ça va être toi...

–Contente de savoir ça !

Puis regardant fixement le quatrième mousquetaire, elle dit :

–Monsieur Nadeau, c'est drôle, vous me rappelez quelqu'un, mais j'sais pas trop qui...

Le jeune homme trouva un crayon dans sa poche et, histoire de faire rire la malade en riant de lui-même, il se dessina vivement une moustache carrée sous le nez.

Berthe s'exclama, les yeux grands comme la fenêtre :

–Adolf Hitler !

–En personne, madame !

Ce fut un éclat de rire général. L'espoir chez elle remonta de plusieurs crans cet après-midi-là... Elle comprit que les malades se soignaient eux-mêmes à coups de bonne humeur...

De retour à l'auto, Ovide envoya la main à Berthe qui se tenait à la fenêtre pour le voir partir... Et les enfants firent de même. Elle leur répondit, un sourire brillant dans un oeil, une larme lourde dans l'autre...

Le noeud qu'Ovide sentait dans sa gorge à l'arrivée revint se serrer tout à coup comme pour l'étouffer. Sur le chemin du retour, il pleura et pleura encore... Et pas même une de ses constructions en marche ne vint le distraire de sa douleur morale...

***

à suivre dans
Le cheval roux

Un mot de l'auteur

Tout au long de l'écriture de ce 6ᵉ tome de la saga des Grégoire, je fus guidé par ma soeur Dolorès grâce à maints signes de piste pour ce qui, dans le livre, les a concernées, elle, ma soeur Jeanne d'Arc de même que la famille Mathieu des années 30-50, famille aux liens nombreux avec les Grégoire d'en face.

Aussi Dolorès a réalisé les toiles illustrant les 6 premiers tomes. Elle fut empêchée par la maladie de peindre la 7e.

Aujourd'hui même, le 10 mai 2006, alors que je viens de mettre le point final à *La misère noire*, voici qu'elle a rendu l'âme à Laval des suites d'un cancer. Elle m'avait dit qu'elle attendrait la fin du livre pour s'en aller. (Je lui faisais lire le nouveau brouillon tous les 3 jours.)

Je lui racontais l'autre semaine que ma mère, gravement malade en 1957, avait promis de m'attendre pour mourir alors que j'étais pensionnaire au loin et ne reviendrais à la maison que le 30 mai. Elle mourut le 31 et tint donc la promesse faite au petit gars de 14 ans que j'étais. Peut-être que Dolorès, à sa façon, a pris exemple sur notre mère ?...

Voilà seulement dix jours, sur son lit de mort, elle me racontait l'anecdote du chapeau écrasé au 'corps' de Luc Grégoire en 1947. (*La misère noire, chapitre 41*) Et puis il y a deux jours, à sa demande et avec grande émotion, j'ai tenu sa main pendant une heure pour la réconforter...

Merci Dolorès ! Et bon voyage !

Ton frère André

Un merci spécial à ses grandes amies d'enfance et de jeunesse, Lise Boutin et Colette Grégoire (fille de Louis) qui furent à ses côtés dans ses derniers jours.

Il fut impossible de situer cette photo dans *La misère noire*, aucun texte ne s'y prêtant vers 1945. Je la propose à mon lecteur par caprice. Il s'agit des 4 derniers de ma famille, y compris moi-même, vêtu comme un prince... Nous y sommes fascinés par *Jeannotte*, la chienne du curé Ennis... A.M.

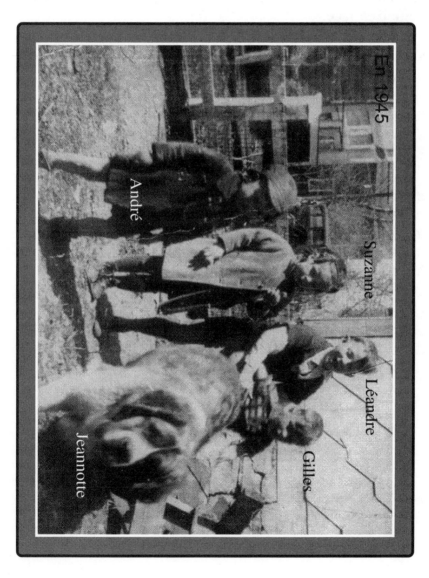

Du même auteur :